ЯНУШ ЛЕОН ВИШНЕВСКИЙ

Януш Леон Вишневский

Одиночество в сети

Санкт-Петербург
Издательский Дом
«Азбука-классика»
2008

УДК 82/89
ББК 84.4 П
В 55

Перевод с польского Леонида Цывьяна

Оформление Вадима Пожидаева

Вишневский Я. Л.

В 55 Одиночество в Сети: Роман / Пер. с пол. Л. Цывьяна. — СПб.: Издательский Дом «Азбука-классика», 2008. — 400 с.

ISBN 978-5-91181-444-1

Один из самых пронзительных романов о любви, вышедших в России в последнее время. «Из всего, что вечно, самый краткий срок у любви» — таков лейтмотив европейского бестселлера Я. Вишневского. Герои «Одиночества в Сети» встречаются в интернет-чатах, обмениваются эротическими фантазиями, рассказывают истории из своей жизни, которые оказываются похлеще любого вымысла. Встретятся они в Париже, пройдя не через одно испытание, но главным испытанием для любви окажется сама встреча...

Осенью 2006 г. по этому роману — главному польскому бестселлеру начала XXI в. — был выпущен фильм, в первый же месяц проката поставивший рекорд кассовых сборов, обогнав все голливудские новинки.

ISBN 978-5-91181-444-1

Из всего, что вечно,
самый краткий срок у любви...

@1

ДЕВЯТЬЮ МЕСЯЦАМИ РАНЕЕ...

С одиннадцатой платформы при четвертом пути железнодорожной станции Берлин-Лихтенберг бросается под поезд больше всего самоубийц. Так официально утверждают неизменно скрупулезные немецкие статистики на основании обследования всех вокзалов Берлина. Это, кстати сказать, заметно, если ты сидишь на скамейке на одиннадцатой платформе при четвертом пути. Рельсы там блестят куда сильней, чем около других платформ. От часто повторяющегося аварийного торможения рельсы очень здорово шлифуются. Кроме того, шпалы, как правило темно-серые и грязноватые, в некоторых местах вдоль одиннадцатой платформы выглядят куда светлей, чем обычно, а кое-где они почти белые. Это потому что там использовались сильные детергенты, чтобы смыть кровь, что осталась после разорванных на части под колесами локомотива и вагонов тел самоубийц.

Лихтенберг – одна из самых последних железнодорожных станций Берлина и к тому же самая запущенная. У человека, лишающего себя жизни на станции Берлин-Лихтенберг, впечатление, будто он уходит из серого, грязного, провонявшего мочой мира, где на стенах облупилась штукатурка, где полно торопящихся унылых, а то и отчаявшихся людей. Покидать навсегда такой мир куда легче.

На одиннадцатую платформу поднимаются по каменным ступеням через последний выход туннеля между кассовым залом и трансформаторной. Четвертый путь — последний на этой станции. И если человек в кассовом зале станции Берлин-Лихтенберг решает покончить с собой, то, отправляясь на одиннадцатую платформу четвертого пути, он пусть ненадолго, но продлевает себе жизнь. Поэтому самоубийцы почти всегда выбирают четвертый путь, одиннадцатую платформу.

На платформе при четвертом пути есть две деревянные скамейки, все в граффити и изрезанные ножами; к бетонным плитам платформы они крепятся огромными болтами. На скамейке ближе к выходу из туннеля сидел исхудалый мужчина, от которого воняло по́том, мочой, давно не мытым телом. Уже много лет он жил на улице. Он дрожал — от холода и страха. Сидел он, неестественно развернув ступни, руки держал в карманах рваной и усеянной пятнами куртки из синтетики, которая в нескольких местах была заклеена желтым скотчем с синей надписью «Just do it». Мужчина курил. Рядом с ним на скамейке стояли несколько банок из-под пива и пустая водочная бутылка. А возле скамейки в фиолетовом пластиковом мешке с рекламой сети магазинов «Альди», желтая краска которой давно уже стерлась, находилось все его имущество. Прожженный в нескольких местах спальный мешок, пяток шприцев, банка для табака, пачки папиросной бумаги, альбом фотографий с похорон сына, консервный нож, коробка спичек, две пачки метадона, книжка Ремарка в пятнах кофе и крови, старый кожаный бумажник с пожелтевшими порванными и вновь склеенными фотографиями молодой женщины, дипломом об окончании института и свидетельством о том, что податель сего не привлекался к уголовной ответственности. В тот вечер к одной из фотографий молодой женщины мужчина скрепкой присоединил письмо и купюру в сто марок.

Сейчас он ждал поезда, идущего с вокзала Берлин-ЦОО до Ангермюнде. В ноль двенадцать. Скорый поезд с обязательным бронированием мест и вагоном «Митропы» среди вагонов первого класса. Он никогда не останавливается на станции Лихтенберг. Стремительно проносится по четвертому пути и исчезает в темноте. В поезде более двадцати вагонов. А летом так еще больше. Мужчина уже давно знал об этом. Он не первый раз приходит к этому поезду.

Мужчина боялся. Однако сегодняшний страх был совершенно другим. Универсальный, повсеместно известный, названный и основательнейшим образом исследованный. И мужчина ясно знал, чего он боится. Ведь хуже всего страх перед тем, что невозможно назвать. От страха без названия не помогает даже шприц.

Сегодня мужчина пришел на эту станцию в последний раз. Потом он уже никогда не будет одинок. Никогда. Нет ничего хуже одиночества. Дожидаясь поезда, мужчина был спокоен, он примирился с собой. Он испытывал чуть ли не радость.

На второй скамейке — за киоском с газетами и напитками — сидел еще один мужчина. Трудно сказать, какого он был возраста. Лет тридцать семь — сорок. Загорелый, пахнущий дорогим одеколоном, в черном пиджаке из хорошей шерсти, в светлых брюках, в расстегнутой на две пуговицы оливкового цвета рубашке с зеленым галстуком. Рядом со скамейкой он поставил металлический чемодан с наклейками авиалиний. Включил компьютер, который вынул из кожаной сумки, но тут же снял с колен и положил рядом с собой на скамейку. Экран компьютера мерцал в темноте. Минутная стрелка часов над платформой перепрыгнула за двенадцать. Начиналось воскресенье 30 апреля. Мужчина спрятал лицо в ладони. Закрыл глаза. Он плакал.

Мужчина со скамейки близ выхода из туннеля встал. Залез в пластиковый мешок. Удостоверился, что письмо и купюра по-прежнему в бумажнике, взял черную банку пива и двинулся к концу платформы, туда, где стоит семафор. Он давно уже присмотрел это место. Миновав киоск с напитками, он увидел второго мужчину. Нет, он не предполагал в полночь встретить кого-нибудь на одиннадцатой платформе. Всегда он был тут один. Его охватила тревога, отличная от страха. Присутствие второго человека нарушало весь план. Он ни с кем не хотел встречаться по дороге к концу платформы. К концу платформы... Это будет действительно конец.

И внезапно он почувствовал, что хочет попрощаться с этим человеком. Он подошел к скамейке. Отодвинул компьютер и сел рядом.

— Приятель, выпьешь со мной глоток пива? Последний глоток? Выпьешь? — спросил он, тронув этого человека за бедро и протягивая ему банку.

ОН: Минула полночь. Он опустил голову и почувствовал, что не может сдержать слезы. Уже давно он не ощущал себя таким одиноким. Это все из-за дня рождения. В последние годы при бешеном темпе его жизни он редко испытывал чувство одиночества. Одиноким бываешь только тогда, когда на это есть время. А времени у него не было. Он постарался так организовать свою жизнь, чтобы не иметь свободного времени. Проекты в Мюнхене и Штатах, защита диссертации и лекции в Польше, научные конференции, публикации. Нет, в последнее время в его биографии не было перерывов на мысли об одиночестве, на чувствительность и слабость вроде той, что напала на него здесь. Обреченный на бездействие на этом сером безлюдном вокзале, он не мог ничем заняться, чтобы забыть, и одиночество напало на него, как приступ астмы. Его присутствие здесь и этот незапланированный перерыв — всего лишь ошибка. Обыкновенная, банальная, бессмысленная ошибка. Как опечатка. Перед приземлением в Берлине он смотрел в Интернете расписание поездов и не обратил внимания, что со станции Лихтенберг поезда на Варшаву ходят только в будние дни. А всего минуту назад закончилась суббота. Впрочем, ошибка его была вполне объяснима. Происходило это утром после нескольких часов полета из Сиэтла, полета, завершавшего неделю напряженной работы без минуты отдыха.

День рождения в полночь на вокзале Берлин-Лихтенберг. Абсурдней ничего быть не может. Уж не оказался ли он тут с какой-нибудь миссией? Это место могло бы быть декорацией фильма, но обязательно черно-белого, о бессмысленности, серости и мучительности жизни. Он ничуть не сомневался, что Воячек[1] здесь и в такую минуту написал бы свое самое мрачное стихотворение.

День рождения. А как он родился? Как это было? И очень ли ей было больно? Что она думала, когда ей было так больно? Он ни разу не спросил ее. Почему не спросил? Ведь это было так просто: «Мама, а тебе очень было больно, когда ты меня рожала?»

Сейчас он хотел бы это знать, но тогда, когда она была жива, ему ни разу не пришло в голову спросить.

А сейчас ее нет. И других тоже. Все те, кто для него был дороже всего, кого он любил, умерли. Родители, Наталья... У него никого нет. Никого, кто был для него необходим. Остались только проекты, конференции, сроки, деньги да порой признание. А кто вообще помнит, что у него сегодня день рождения? Для кого это имеет хоть мало-мальское значение? Кто это заметит? Да существует ли кто-то, кто подумает о нем сегодня? И тут-то подступили слезы, которые он не смог сдержать.

Вдруг он почувствовал, что кто-то его толкает.

— Приятель, выпьешь со мной глоток пива? Последний глоток. Выпьешь? — услышал он хриплый голос.

Он поднял голову. С исхудалого, заросшего, покрытого струпьями лица на него умоляюще смотрели глубоко запавшие, налитые кровью, испуганные глаза. В вытянутой дрожащей руке сидящего рядом обладателя этих глаз была банка пива. И вдруг нежданный сосед увидел в его глазах слезы.

— Послушай, приятель, я не хотел тебе мешать. Нет, правда, не хотел. Я тоже не люблю, когда кто-нибудь лезет ко мне, когда я плачу. Плакать надо, когда никто не мешает. Только тогда от этого получаешь радость.

Но владелец компьютера не позволил ему уйти, схватив за куртку. Он взял у него банку и сказал:

---

[1] Воячек Рафал (1945—1971) — польский поэт. Его катастрофическая поэзия, в которой он экспрессионистскими средствами выражает трагическое неслияние человека и мира, болезненную завороженность смертью и сексом, а также самоубийство в возрасте 26 лет сделали его культовой фигурой уже для нескольких поколений молодых поляков. *(Здесь и далее прим. пер.)*

— Ты мне не мешаешь. Ты даже не представляешь себе, как мне хочется с тобой напиться. Несколько минут назад начался мой день рождения. Не уходи. Меня зовут Якуб.

И неожиданно Якуб сделал то, что в этот момент представлялось ему самым естественным и чему он не мог противиться. Он обнял подсевшего к нему мужчину и прижал к себе. Положил голову на плечо в драной синтетической куртке. Они оба замерли на краткий миг, чувствуя, что между ними совершается нечто важное и высокое. И тут тишину нарушил поезд, с грохотом промчавшийся мимо скамейки, на которой они сидели, приникнув друг к другу. Якуб сжался, как испуганный ребенок, прильнул к соседу и что-то произнес, но слова его заглушил стук колес проносящегося поезда. Уже через миг он ощутил стыд. Второй, видимо, тоже ощутил что-то подобное, так как вдруг резко отпрянул, молча встал и пошел в сторону входа в туннель. Возле одной из металлических урн он остановился, достал из пластикового мешка листок бумаги, смял и выбросил. Через минуту он исчез в туннеле.

— С днем рождения, Якуб! — громко произнес сидящий, выпив последний глоток пива из банки, оставленной ушедшим возле компьютера.

То была всего лишь минутная слабость. Приступ сердечной аритмии, который уже прошел. Он полез в сумку за сотовым телефоном. Достал берлинскую газету, купленную утром, нашел номер службы такси. Набрал его. Уложил ноутбук и, волоча за собой чемодан, колесики которого с шумом подскакивали на выбоинах платформы, зашагал к туннелю, ведущему в кассовый зал и к выходу в город.

Как это?.. Как он сказал?.. «Плакать надо, когда никто не мешает. Только тогда от этого получаешь радость».

ОНА: Уже давно ни один мужчина так не старался, чтобы у нее было хорошее настроение, чтобы она чувствовала себя привлекательной, а в бокале у нее были самые лучшие напитки.

— Никто не станет спорить, что у Золушки было исключительно печальное детство. Злые сводные сестры, непосильная работа и жуткая мачеха. Мало того что бедняжке приходилось травиться, извлекая золу из поддувала, так вдобавок у нее не было даже канала MTV, — говорил, заливаясь смехом, мужчина, сидящий рядом с ней у стойки бара.

Он был моложе ее на несколько лет. Ему явно не больше двадцати пяти. Красивый. Элегантен до совершенства. Давно уже ей не доводилось видеть мужчину, одетого так гармонично. Вот именно, гармонично. Он был изыскан, как его сшитые по мерке костюмы. Все в нем соответствовало друг другу. Запах одеколона подходил к цвету галстука, цвет галстука — к цвету камней в золотых запонках в манжетах безукоризненно голубой рубашки. Золотые запонки в манжетах — кто вообще в наше время еще носит запонки? — размером и оттенком золота соответствовали золотым часам на запястье правой руки. А часы подходили к поре дня. Сейчас, вечером, на свидание с ней в баре гостиницы он надел элегантные прямоугольные часы с изящным кожаным ремешком в цвет костюма. Утром на собрании в берлинской резиденции их фирмы у него на руке был тяжелый, почтенный «Ролекс». И пахло от него тоже иначе. Она это точно знает, потому что намеренно встала со своего места и наклонилась над его головой, чтобы взять бутылку минералки, хотя поднос с точно такими же бутылками стоял и перед ней.

Всю первую половину дня она присматривалась к нему. Его звали Жан, и был он бельгиец, «из абсолютно французской части Бельгии», как он сам подчеркнул. Она не знала, чем французская часть Бельгии так уж отличается от фламандской, но решила, что происходить из французской, очевидно, почетнее.

Как потом выяснилось, Жан не только для нее был самым притягательным элементом этого цирка в Берлине. Их собрали со всей Европы в берлинскую штаб-квартиру их фирмы, чтобы сказать, что руководству сказать им в общем-то нечего. Уже год она вместе с их бельгийским отделением занималась проектом, который в Польше не мог иметь успеха. Устройства, которые фирма хотела продавать, просто-напросто не подходили для польского рынка. Трудно продавать эскимосам крем для загара. Даже если это крем самого высшего качества.

Она вообще не хотела сюда приезжать и делала все, чтобы переложить эту поездку на кого-нибудь другого из их отдела. Они с мужем давно уже планировали съездить в Карконоше и заглянуть в Прагу. Не удалось. По недвусмысленному указанию из Берлина ехать пришлось ей. Вдобавок поездом, потому что, чтобы поездка эта имела хоть какой-то смысл, ей пришлось провести день в филиале их фирмы в Познани.

По пути из Варшавы в Берлин — она терпеть не могла ездить в поездах — у нее было достаточно времени, чтобы разработать стратегию, которая заставила бы центральное отделение отказаться от этого проекта. Однако Жан, тот самый бельгиец с запонками, соответствующими, надо думать, погоде, убедил всех, что «рынок в Польше сам еще не знает, что нуждается в этих устройствах» и что у него «есть гениально простая идея, как сделать, чтобы польский рынок об этом узнал». После чего на фоне тщательно изготовленных цветных слайдов он целый час излагал свою «гениально простую идею».

Мало того что она все это могла бы рассказать за пятнадцать минут и к тому же на куда лучшем английском, вдобавок на его слайдах ничего — кроме карты Польши — не соответствовало действительности. Но это не произвело ни на кого, за исключением ее, особенного впечатления. Было ясно, что директриса из Берлина приняла решение еще до презентации. Она тоже приняла решение и тоже до презентации. Но проблема заключалась в том, что это были диаметрально противоположные решения. Но как директриса могла согласиться с ней? Разве такой обаятельный и красивый мужчина, говорящий по-английски с таким очаровательным французским акцентом, мог ошибаться? Директриса смотрела на бельгийца, несущего чушь на фоне цветных фантазий, как на красавца стриптизера, который вот-вот начнет раздеваться. Тяжелый случай менопаузы. Что ж, искушение, по мнению директрисы, видимо, стоило того, чтобы рискнуть деньгами акционеров. Ну а кроме того, всегда ведь можно убедить эскимосов, что во время долгой полярной ночи они тоже загорают. Под космическими лучами. И кремы им будут очень полезны.

После Жана выступала она. Директриса даже не стала дожидаться конца презентации. Вышла, вызванная по телефону секретаршей. Благодаря этому все поняли, что ее слушать нет смысла. Все, как по команде, склонились над клавиатурой своих ноутбуков и занялись Интернетом. В сущности, она могла бы декламировать стихи или рассказывать по-польски анекдоты — никто бы этого не заметил. И лишь бельгиец, когда она закончила свое сообщение, подошел к ней и с обезоруживающей улыбкой произнес:

— Мадам, вы самый очаровательный инженер, какого я знаю. Пусть вы даже не правы, но я все равно слушал все, что вы говорили, затаив дыхание и самым внимательным образом.

Когда же она полезла в сумку, чтобы продемонстрировать ему свои расчеты, он предложил:

— Не могли бы вы убедить меня в своей правоте сегодня вечером в баре нашего отеля? Скажем, в двадцать два часа?

Она согласилась без малейших колебаний. Даже не пыталась затруднять ситуацию наскоро придуманным мелким враньем насчет того, как занята она вечером. Все официальные мероприятия, которые могли происходить по вечерам, уже произошли. Поезд на Варшаву отходил завтра около двенадцати. Ну и потом ей хотелось хоть раз побыть с бельгийцем в отсутствие их берлинской директрисы.

И сейчас в гостиничном баре она тихо радовалась, что утром не слишком запальчиво протестовала против этого проекта. Бельгиец был поистине очарователен. Похоже было, что он часто бывает в этом отеле. С барменом он разговаривал по-французски — сеть отелей «Меркюр», в которых фирма традиционно бронировала для них номера, принадлежит французам, по каковой причине весь персонал и говорит на французском,— и очень смахивало на то, что они находятся в приятельских отношениях.

Теперь, когда проект продлили на следующий год, у нее будет возможность встречаться с бельгийцем гораздо чаще. Он ей нравился. Она думала об этом, глядя на него, пока он заказывал очередной напиток. А когда бармен подал им бокалы с налитым в них чем-то, имеющим необыкновенный пастельный цвет и экзотическое французское название, бельгиец придвинулся лицом к ее лицу.

— Уже давно я не начинал воскресенья с таким очаровательным существом. Только что пробило полночь. Уже тридцатое апреля,— сказал он, после чего легонько дотронулся своим бокалом, словно чокаясь, до ее руки, а губами нежно прикоснулся к ее волосам.

Это было как электрический удар. Уже давно она не ощущала такого любопытства, что же произойдет дальше. Должна ли она позволять ему прикасаться губами к своим волосам? Имеет ли она право испытывать подобное любопытство? Что бы ей хотелось, чтобы произошло дальше? У нее есть красивый муж, объект зависти всех ее сотрудниц. Как далеко она может пойти, чтобы ощутить нечто большее, нежели этот давно забытый трепет, когда мужчина вновь и вновь целует твои волосы и закрывает при этом глаза? Муж давно уже не целовал ее волосы и вообще он... такой чудовищно предсказуемый.

В последнее время она очень часто думала об этом. И обычно с тревогой. Нет, не то чтобы все стало обыденным. Вовсе не так. Но исчезла та движущая сила. Развеялась где-то в будничности. Все остыло. Разогревалось только иногда, на минутку. В первую ночь по возвращении его или ее из дальней поездки, после слез и ссоры, которую они решали закончить в постели, после выпитого или каких-нибудь благовонных листьев, которые жгли на приемах, в отпуске на чужих кроватях, на чужом полу, в чужих стенах или в чужих машинах.

Это было постоянно. Лучше сказать, бывало. Но без былого неистовства. Без той мистической тантры, что была вначале. Без той ненасытности. Того голода, который приводил к тому, что стоило только подумать об этом, и кровь тут же, как ошалелая, с шумом отливала вниз, и мгновенно ты уже мокренькая. Нет! Такого не было уже давно. Ни после вина, ни после листьев, ни на паркинге у автострады, куда он свернул, потому что, когда они возвращались с какого-то приема, она, несмотря на то что вел он очень быстро, вдруг нырнула головой под его руки, державшие руль — почему-то так подействовала на нее музыка, передававшаяся по радио,— и стала расстегивать ремень у него на брюках.

Наверное, причина в доступности. Все было на расстоянии вытянутой руки. Ни ради чего не надо было стараться. Они уже знали друг у друга каждый волосок, каждый возможный запах, каждый возможный вкус кожи, и влажной, и сухой. Знали все тайные уголки тел, слышали все вздохи, предвидели все реакции и давно уже поверили всем признаниям. Некоторые из них время от времени повторялись. Однако уже не производили впечатления. Они просто входили в сценарий.

В последнее время ей казалось, что секс с нею для мужа был чем-то вроде — как ей вообще могло прийти такое в голову? — католической мессы. Достаточно прийти в костел, ни о чем не думая, а потом неделю можно жить спокойно.

Может, так у всех? Возможно ли неутолимо желать того, кого знаешь уже несколько лет, кого видел, когда он кричит, блюет, храпит, мочится, не смывает после себя в клозете.

А может, это не так уж и важно? Может, необходимо только вначале? Может, хотеть лечь с кем-то в постель не самое важное, может, куда важней проснуться вместе утром и приготовить друг другу чай?

— Я сделал что-нибудь не то? — Голос Жана вырвал ее из раздумий.

— Еще не знаю,— отвечала она с принужденным смешком.— Прошу прощения, я на минутку вас покину. Скоро вернусь.

В туалете она достала из сумочки губную помаду. Глядясь в зеркало, сказала сама себе:

— Завтра тебя ждет длинная дорога.

И стала подкрашивать губы.

— У тебя, между прочим, есть муж,— добавила она, грозя пальцем своему отражению.

Она вышла из туалета. Проходя мимо портье, услышала, как какой-то мужчина, стоящий к ней спиной, по буквам сообщает свое имя:

— Я-к-у-б...

Из сумочки она вынула свою визитную карточку, обратной, пустой стороной сильно прижала к губам, блестящим от свеженаложенной помады. Положила карточку около своего бокала с недопитым пастельного цвета напитком и сказала:

— Спокойной ночи.

ОН: Таксист, приехавший к опустевшему вокзалу Берлин-Лихтенберг, оказался поляком. Больше тридцати процентов берлинских таксистов — поляки.

— Отвезите меня в отель, обязательно дорогой, где есть бар и который находится недалеко от вокзала Берлин-ЦОО.

— В этом городе это нетрудно, — рассмеялся таксист.

Он зарегистрировался в отеле. Прежде чем отойти от стойки портье, спросил:

— Не были бы вы столь любезны разбудить меня за полтора часа до отхода с вокзала ЦОО первого поезда на Варшаву.

Молодой портье оторвался от каких-то бумаг и непонимающе уставился на него:

— Как это?.. За полтора часа? Какого поезда? В каком точно часу вас разбудить?

Он спокойно ответил:

— Видите ли, я сам точно не знаю. Но вы так впечатляюще пишете в рекламе вашего отеля, — он указал на яркий проспект, лежащий рядом с его паспортом, — что „Меркюр" — это не только безопасная крыша над головой в путешествии. „Меркюр" — это также само путешествие». Так что будьте добры, позвоните на вокзал, узнайте, когда отходит поезд на Варшаву, и разбудите меня ровно за девяносто минут до его отхода. Я был бы также благодарен вам, если бы вы заказали мне и такси. Я хочу выехать на вокзал за час до отхода поезда.

— Да, да, разумеется, — отвечал смешавшийся портье.

— И разрешите уж мне не идти сразу в номер и оставить багаж у вас. Я хотел бы потратить крупную сумму в баре вашего отеля. Надеюсь, вы последите, чтобы с моим багажом ничего не случилось?

Не дожидаясь ответа, он положил кожаную сумку с ноутбуком на чемодан и направился в сторону двери, из-за которой доносилась музыка.

Из шаровидных репродукторов под потолком наполненного шумом зала лился голос Натали Коул, поющий о любви. Он осмотрелся. У эллиптической стойки был свободен только один табурет. Но когда он подошел туда, его ждало разочарование: на стойке стоял недопитый бокал. Он уже собирался отойти, решив, что место занято, однако молодой мужчина, сидевший на соседнем табурете, обернулся и сказал по-английски:

— К сожалению, это место освободилось. Можете садиться, если желаете, — и с улыбкой добавил: — Место хорошее. Бармен часто подходит сюда.

Он сел и сразу уловил тонкий запах духов. «Ланком»? «Бьяджотти»? Он прикрыл глаза. Нет, пожалуй, «Бьяджотти».

Духи уже давно оказывали на него особенное воздействие. Они как сообщение, которое некто хочет передать. И тут никакой язык не нужен. Можно быть глухонемым, можно принадлежать к другой цивилизации, но сообщение ты все равно поймешь. В духах есть некий иррациональный, таинственный элемент. «Шанель № 5», «Л'эр дю Тан» или «Поэм» подобны стихотворению, которое женщина носит на себе. А некоторые духи безумно эротические, притягивающие. Они заставляют оглянуться, а то и пойти за женщиной, которая ими душится. Он вспомнил, как два года назад был в Прадо. И вдруг мимо него прошла женщина в черной шляпе, и его мгновенно окружил какой-то мистический аромат. Он тотчас забыл об Эль Греко, Гойе и прочих мастерах и последовал за той женщиной. А сейчас он подумал, что за женщиной, которая сидела тут до него и оставила свой запах, он тоже захотел бы пойти.

Он оперся локтями на стойку и наклонился вперед, чтобы обратить на себя внимание бармена, который якобы часто подходит сюда. И тогда-то он заметил лежащую рядом с бокалом визитную карточку. Контур губ, четко отпечатанный на белом картоне. Нижняя губа явно шире, энергичный изгиб верхней. Прелестные губы. У Натальи были точно такие же. Он поднес визитку к носу. Несомненно, „Бьяджотти“! Эта визитка, должно быть, принадлежала женщине, которая сидела здесь несколько минут назад. Он решил посмотреть, как ее зовут. Но только он перевернул карточку, как услышал:

— Прошу прощения, но эта визитка предназначена мне.

— О, разумеется. Я как раз хотел спросить, не ваша ли это, — соврал он.

Да, он опоздал. И не узнает, кому принадлежала она. Сосед взял визитку, спрятал в карман пиджака, оставил на кофейном блюдце чаевые бармену и, не произнеся ни слова, ушел.

— Бутылку хорошо охлажденного «просеко»[1]. И сигару. Самую дорогую, какая у вас есть,— заказал он бармену, который в этот момент встал перед ним.

Такие же губы были у его мамы. Но у мамы все было красивое.

И минувший день, и эти несколько часов в определенном смысле принадлежали его матери. И вовсе не потому, что в день своего рождения он думал, как она его рожала.

Он прилетел вчера утром из Сиэтла в Берлин только затем, чтобы наконец увидеть, где родилась его мать. Последние годы ее биография интересовала его, как роман, в нескольких важных главах которого он принимал участие. И теперь ему хотелось узнать самые первые.

Родилась она недалеко от станции Берлин-Лихтенберг в больнице сестер-самаритянок. Дед уехал вместе со своей находящейся на сносях женой в Берлин в надежде, что жить там им будет легче. Как это теперь называется? А, экономическая эмиграция. Да, именно так. Спустя неделю после приезда в Берлин бабушка родила его мать. В больнице самаритянок. Только туда привозили рожениц прямо с улицы. То есть бесплатно. Вчера он был возле этого здания. Сейчас там находится какой-то турецкий экспериментальный театр.

Через три месяца дед и бабушка возвратились в Польшу. Не смогли они жить в Германии. Но то, что они пробыли там всего три месяца, не имеет значения. В свидетельстве о рождении его матери навсегда осталась историческая помета: место рождения — Берлин. Так его мама стала немкой. И благодаря этому у него теперь есть немецкий паспорт, и он может летать в Сиэтл без визы. Но он все равно летает с двумя паспортами. Однажды он забыл польский паспорт и чувствовал себя как перемещенное лицо.

Потому что он может быть только поляком.

Кельнер принес голубую бутылку «просеко», серебристую тубу с кубинской сигарой и маленькую гильотинку. Пока тот открывал бутылку, он закурил сигару. Первый бокал он выпил залпом. Сигара была превосходна. Давно

---

[1] Знаменитое итальянское белое вино.

он не курил таких прекрасных сигар. Разве что в Дублине. Много лет назад.

Он не мог перестать думать о вчерашнем походе по прошлому его мамы. Ее немецкость — это не только больница сестер-самаритянок в довоенном Берлине и не только запись в свидетельстве о рождении. Все гораздо сложней. В точности как ее биография.

Он родился в один из тридцатых апрелей и был третьим ребенком третьего мужа его матери. Это день святого Иакова, то есть Якуба. И все думают, будто потому ему и дали имя Якуб. Но все вовсе не так. Якубом звали второго мужа его матери. Польский артист, который в 1944 году был назначен немцем только потому, что родился на двенадцать километров западней, чем следовало бы, а на восточном фронте окопы должны были быть заполнены. Тогда истинные германцы делали менее истинными германцами всех подряд. И сразу после этого, разумеется, делали их немецкими солдатами. Солдатами тогда становились почти все. Хромые, душевнобольные, туберкулезники. Все могли и должны были быть в ту пору солдатами. Второй муж его матери об этом не знал. Он не представлял себе дней и ночей без нее. Потому перед медицинской комиссией он сперва вгонял себя в пот, а потом бегал в парке босиком по снегу — надеялся подхватить туберкулез. Туберкулез он подхватил. Но его все равно погнали в окопы.

После войны его мать и ее второй муж больше не встретились. Не помогла даже их великая любовь. Когда его мать чуть-чуть оправилась от горя и наконец осознала, что война отняла у нее мужа и тут ничего не поделаешь, в ее жизни появился его, Якуба, будущий отец. Исхудавший, до головокружения красивый, стопроцентный поляк, вернувшийся из Штуттхофа. Она с национальностью «немка», и он после трех лет немецкого лагеря. Отец ни разу не дал ему почувствовать, что ненавидит немцев. Хотя он их ненавидел. Интересно, простил бы отец ему, что он поселился в Германии?

Его родители — наилучшее доказательство, что разделение на немцев и поляков всего лишь результат сговора историков, которым удалось убедить целые народы. Впрочем, вся история всего-навсего сговор. Главное, чтобы всех обмануть. Они и сговорились, что именно эту, а не другую ложь будут преподавать в школе.

Ему опять становилось грустно. Хватит на сегодня грусти. Как-никак сегодня у него день рождения. Он вынул бутылку из серебряного ведерка со льдом. Налил себе еще один бокал. Он едет домой.

ОНА: Все места в вагонах первого класса оказались распроданы. Да, она сделала ошибку, не купив обратный билет еще в Варшаве. Кассирша на вокзале Берлин-ЦОО сказала:

— Есть несколько свободных мест во втором классе. Все в купе для курящих. Возьмете?

Перспектива несколько часов ехать в дымной клетке наполнила ее ужасом. Но что оставалось делать?

Она села у окна. Лицом по направлению движения. В купе она была одна. Поезд отправлялся через полчаса. Она вытащила из чемодана книжку и папку с материалами берлинской встречи. Очки. Бутылку минеральной воды. Сотовый телефон. CD-плеер, компакт-диски, запасные батарейки. Сняла туфли, расстегнула две пуговицы на юбке.

Купе постепенно заполнялось. Громкоговоритель объявил об отправлении поезда, а одно место все еще оставалось пустым. Поезд уже тронулся, когда дверь купе отодвинулась. Она подняла голову от книжки, и их глаза встретились. Она выдержала его взгляд. Это он отвел глаза. В этот миг в нем было что-то от смутившегося мальчика. Чемодан он забросил на полку под потолком. Достал из кожаной сумки ноутбук. Сел на свободное место у двери. Ей казалось, что он смотрит на нее. Она засунула ноги в туфли. Подумала, видит ли он расстегнутые пуговицы на юбке.

Через минуту он встал. Достал из сумки банку диетической «кока-колы» и три ярких журнала — «Шпигель», «Плейбой» и «Впрост». Положил их себе на колени. Непонятно почему, но когда она поняла, что он поляк, ее это обрадовало.

Он снял пиджак. Закатал рукава темно-серой рубашки. Какой загорелый... Волосы у него были в беспорядке, как будто в купе он примчался прямо из постели. И он был небрит. Рубашка расстегнута. Молодым его не назовешь, скорей, моложавым. Как только он вошел, она подумала: «Только бы никто сейчас не закурил». Потому что, войдя, он заполнил все купе ароматом своей туалетной воды. Ей хотелось как можно дольше ощущать этот запах.

Она украдкой поглядывала на него из-под очков. Он читал. Она тоже вернулась к своей книжке. Но в какой-то момент ощутила беспокойство. Она подняла голову. Он смотрел на нее. У него были печальные, усталые серо-зеленые глаза. Пальцы правой руки он прижал к губам и пытливо вглядывался в нее. Ей вдруг стало странно тепло. Она улыбнулась ему.

Он отложил журналы и занялся ноутбуком. Пассажиры в купе с любопытством поглядывали на него. Из кармана пиджака он достал сотовый телефон, после чего наклонился вперед и подключил его к специальному гнезду в задней части компьютера. Возможно, не все в купе понимали, что он собирается делать, но она знала: он подсоединился к Интернету.

Вначале она подумала: все эти его действия с компьютером в купе поезда, только что отошедшего от Берлина, претенциозны, и делает он это напоказ, но потом, наблюдая за тем, как внимательно он всматривается в экран, она решила, что... Нет, в нем нет никакой претенциозности, и он не показушник.

Она незаметно засунула руку под блузку и застегнула пуговицы на юбке. Поправила прическу и села прямей.

ОН: Если на кого и можно рассчитывать в Германии, то только на уборщиц из Хорватии.

Естественно, никто его не разбудил за полтора часа до отхода поезда на Варшаву. Некому было даже сказать, что это позор для отеля, где дерут по триста долларов за ночь. Ночного портье давно уже не было за стойкой, а что до сменившей его блондинки, то, судя по ее виду, она и знать не знала, где на карте находится Варшава.

Разбудила его уборщица, которая, думая, что номер пустой, вошла, когда он еще спал, чтобы произвести уборку. Он не знал, в котором часу отходит поезд до Варшавы, но когда увидел, что уже без пяти одиннадцать, понял, что времени у него в обрез.

Не обращая внимания на все еще стоящую в номере уборщицу, он голый с криком «О курва мать!» выскочил из постели и в бешеном темпе стал одеваться. Поскольку уборщица была из Хорватии, смысл выражения «курва мать» для нее не был тайной, и пока он сметал все, что было на полочке в ванной, в несессер, она паковала в его чемодан все, что лежало на ночном столике и у телевизора. Через несколько минут он вылетел из номера. Подчиняясь первому импульсу, подбежал к стойке регистрации, однако того портье, к счастью, уже не было. Когда же он сориентировался, что блондинка за стойкой представления ни о чем не имеет, то даже не заплатил. У них есть номер его кредитной карточки. Кроме того, в поезде он сможет войти в Интернет и расплатиться. Карточка «Американ Экспресс», которую он получил от фирмы, позволяет это сделать.

Перед отелем стояла вереница такси. Водитель вошел в положение и за десять минут довез до вокзала. Билета он не купил. Пробежал на перрон и вскочил в вагон, стоявший прямо напротив выхода из туннеля. Удалось. Поезд тронулся. Он открыл дверь первого же купе.

Она сидела у окна. На коленях книжка. Губы у нее были, как те, отпечатанные на обороте визитной карточки. Волосы, сколотые на затылке. Высокий лоб. Она была красива.

Он занял единственное свободное место. Он был безбилетник. Неважно. Эту проблему он разрешит, когда придет кондуктор. В карточке, висящей на двери вагона, он прочитал, что место зарезервировано за пассажиром, который сядет во Франкфурте-на-Одере.

Он достал газеты. В гостиничном киоске польская пресса тоже продавалась! То, что «Выборчу» можно спокойно купить наряду с французскими, американскими, итальянскими и английскими газетами в гостиничном киоске в центре Берлина, в тысячу раз важней, чем все заявления о «готовности Польши к вхождению в Европу».

В какой-то момент он не выдержал. Поднял глаза над газетой и стал разглядывать ее. Кроме помады на губах, на ней не было никакой косметики. Она читала, время от времени притрагиваясь пальцами к уху. Руки у нее были замечательно красивые. Когда она переворачивала страницу, казалось, будто она ласково лишь чуть касается ее длинными пальцами.

Она подняла голову и улыбнулась ему. На сей раз он не смутился. Ответил улыбкой.

Читать ему больше не хотелось. Он подключил телефон к компьютеру и запустил программу электронной почты. Медленно прошел всю процедуру идентификации. Модем в сотовом телефоне, пожалуй, самый медленный из всех, что существуют. Он часто задумывался, почему так. Ладно, он займется выяснением этого, когда вернется в Мюнхен.

В его почтовом ящике в компьютере мюнхенского института был только один e-mail. В обратном адресе были данные какого-то банка в Англии.

Опять какая-нибудь реклама, подумал он.

Он хотел сразу же нажать delete, но его внимание привлекла первая часть адреса: Jennifer@. В его воспоминаниях имя это звучало, как музыка. И он решил прочесть послание.

Камберли, Суррей, Англия, 29 апреля

Ты ведь J. L., правда???!!!

Так следует из твоей веб-странички. Я проторчала на ней все сегодняшнее утро в своем кабинете в банке. Вместо того чтобы войти на страницу лондонской биржи и работать, за что мне, кстати сказать, неплохо платят, я слово за словом читала твою страницу. А потом взяла такси и поехала в центр Камберли в книжный магазин купить польско-английский словарь. Я выбрала самый большой, какой был. Мне хотелось понять и те фрагменты, которые на странице опубликованы по-польски. Всего я, разумеется, не поняла, но уловила атмосферу. Такую атмосферу умел создавать только L. J., а значит, это несомненно ты.

После работы я пошла в мой любимый бар «Клуб 54» около вокзала и напилась. Я уже четыре дня голодаю, так как два раза в год «очищаюсь», голодая по неделе. Знаешь ли ты, что если выдержишь первые три дня полного голодания, то входишь в состояние своеобразного транса? Твоему организму ничего не нужно переваривать. Только тогда ты понимаешь, что крадет у тебя процесс пищеварения. У тебя внезапно появляется бездна энергии. Живешь, как под хмельком. Ты ощущаешь в себе творческие силы, возбуждение, все чувства невероятно усиливаются и обостряются. Твоя восприимчивость подобна сухой губке, готовой всосать все, что окажется поблизости. В такие периоды сочиняют прекрасные стихи, придумывают неслыханно революционные научные теории, ваяют или пишут провокативные или авангардные произведения, а также с небывалым успехом делают покупки на бирже. Вот это я могу с полной уверенностью подтвердить. Кроме того, Бах во время «голодовки» такой... такой... Короче, такой, как будто его играет сам Моцарт.

Но подобное состояние достигается, только если продержишься «в муках» первые два или три дня. Эти два или три дня — непрестанная борьба с голодом. Я даже ночью просыпаюсь от голода. Но я прошла через все это и сегодня утром начала ощущать возбуждение «непереваривания». И в этом состоянии возбуждения наткнулась на твою интернет-страницу. Лучший момент просто придумать невозможно.

И все остальное стало совершенно неважно.

В сущности, голодания я не прерывала. В этом баре я ведь ничего не ела. Только пила. Главным образом, за воспоминания. Не пей никогда — даже если это «кровавая Мери» такая же отменная, какую делают в «Клубе 54», и у тебя будут самые замечательные воспоминания — на четвертый день голодовки. Съешь что-нибудь перед этим.

Потом я вернулась домой и написала этот e-mail. Он словно страница из дневника изголодавшейся (3 дня без пищи), пьяной (2 «кровавых Мери» и 4 «гиннеса») женщины с прошлым (12 лет биографии).

Потому прошу, отнесись к нему со всей серьезностью.

Пред-скриптум: «Остров» в этом тексте — на случай, если ты забыл,— это мой родной остров Уайт. Маленькое пятнышко на карте между Англией и Францией в проливе Ла-Манш. Я там родилась.

Дорогой J. L.!

Знаешь ли ты, что письмо это я писала минимум тысячу раз?

Писала мысленно, писала на песке пляжа, писала на самой лучшей бумаге, какую только можно купить в Соединенном Королевстве, писала авторучкой у себя на бедре. Писала на конвертах пластинок с музыкой Шопена.

Я столько раз писала его...

Но так и не отослала. За последние 12 лет — потому что все это было ровно двенадцать лет назад — я не отослала по меньшей мере тысячу писем ЕМУ.

Потому что это письмо вовсе не тебе. Это письмо Эл. Дж. Я просто переставила инициалы и назвала его Элджот.

Ты на самом деле J. L., но его ты знаешь. Знаешь, наверно, так, как не знает никто другой. Обещай, что перескажешь ему то, что я написала. Перескажешь?

Ведь Элджот должен был быть, как антракт между первым и вторым действием оперы. Я во время этого антракта пью самое лучшее шампанское, какое только есть в баре. Ну а если у меня для этого нет возможностей, я остаюсь дома и слушаю пластинки. И он должен был быть таким вот шампанским. Только в антракте. Должен был ударять в голову. Должен был порадовать вкус и вызвать легкий хмель на второе действие. Чтобы музыка стала еще прекрасней.

Элджот таким и был. Как самое лучшее и самое дорогое шампанское в баре. Он ошеломил меня. Потом следовал еще один перерыв. А потом спектакль кончался. И шампанское тоже. Но так не случилось. Впервые в жизни из всей оперы я лучше всего запомнила перерыв между первым и вторым действиями. Перерыв этот по-настоящему так никогда и не кончился. Я поняла это сегодня днем в том клубе. Главным образом благодаря чувствам, обостренным четырьмя днями голодания и четвертому бокалу «гиннеса».

Я провела с ним 88 дней и 16 часов моей жизни. Ни у одного мужчины не было так мало времени, и ни один не дал мне так много. Один пробыл со мной 6 месяцев, и не сумел дать мне того, что у меня было с Элджотом уже после 6 часов. Я продолжала быть с этим человеком, так как считала, что его «шесть часов» еще наступят. Я ждала. Но они так и не наступили. Как-то во время очередной бессмысленной ссоры он закричал:

— Ну и что такого дал тебе этот чертов поляк, от которого у тебя не осталось ничего? Даже его чертовой фотографии нет. — А когда он торжествующе изрек: — Да имел ли он представление о том, что такое фотоаппарат? — я выставила его полупустой чемодан, с которым он переехал ко мне, за дверь.

Так что же дал мне этот «чертов поляк»? Что?

Например, дал мне оптимизм. Он никогда не говорил про печаль, хотя я знала, что он пережил бесконечно печальные времена. Он заражал оптимизмом. Дождь для него был всего лишь коротким промежутком перед появлением солнца. Всякий, кто жил в Дублине, поймет, что подобный образ мыслей —

пример сверхоптимизма. Это при нем я открыла, что носить можно не только черное. При нем я поверила, что мой отец любит мою мать, только не может проявить это. Даже моя мать никогда не верила в это. Ее психотерапевт тоже.

Например, он подарил мне такое чувство, когда кажется, что через минуту ты сойдешь с ума от желания. И при этом ты знаешь, что желание твое исполнится. Он умел рассказать мне сказку о каждом кусочке моего тела. И не было такого места, которого он не коснулся бы или не изведал его вкус. Будь у него время, он перецеловал бы каждой волосок у меня на голове. Все по очереди. При нем мне всегда хотелось раздеться еще больше. У меня было ощущение, что я почувствовала бы, наверное, себя еще более обнаженной, если бы мой гинеколог вынул у меня спираль.

Он никогда не искал эрогенных зон на моем теле. Он считал, что женщина является эрогенной зоной вся в целостности, а в этой целостности самый эрогенный участок — мозг. Элджот слышал о пресловутой G-точке в женском влагалище, но он ее искал в моем мозгу. И практически всегда находил.

Я дошла с ним до конца каждой дороги. Он приводил меня в такие чудесно грешные места. Некоторые из них сейчас для меня святыни. Иногда, когда мы любили друг друга, слушая оперы или Бетховена, мне казалось, что невозможно быть еще нежней. Как будто у него были два сердца вместо двух легких. А может, так оно и было...

Так, например, он подарил мне маленькую красную резиновую грелку в форме сердца. Размером чуть больше ладони. Милый. В Дублине только он один мог придумать что-либо подобное. Потому что только он обращал внимание на такие вещи. Он знал, что у меня страшный предменструальный период, предшествующий еще худшим дням, и что тогда я становлюсь несправедливой, жестокой, эгоистичной, злобной ведьмой, которой все мешает. Даже то, что восток находится на востоке, а запад на западе. Однажды он поехал на другой конец Дублина и купил эту грелку. В ту ночь, когда у меня безумно болело, он встал, наполнил грелку горячей водой и положил мне на живот. Но сперва целовал мне это место. Сантиметр за сантиметром. Медленно, осторожно и невероятно нежно. Потом положил мне эту грелку. И когда я, восхищенная, смотрела на это маленькое чудо, он принялся целовать и сосать пальцы моих ног. Сперва на одной ноге, потом на другой. Он все время смотрел мне в глаза и целовал. Хоть у тебя и не бывает предменструальных периодов, ты все равно ведь способен представить, как это чудесно. К сожалению, я пережила с ним всего лишь три таких периода.

А еще, например, он подарил мне детскую любознательность. Он спрашивал обо всем. Точь-в-точь как ребенок, имеющий право задавать вопросы. Он хотел знать. И научил меня, что «не знать» — это значит «жить в опасности». Он интересовался всем. Все обсуждал, все подвергал сомнению и склонен был поверить всему, как только удавалось убедить его фактами. Помню, как однажды он шокировал меня вопросом:

— Как ты думаешь, Эйнштейн онанировал?

Он научил меня, что следует покоряться своим желаниям, как только они приходят, и ничего не откладывать на потом. Так во время приема в огромном доме какого-то жутко важного профессора генетики в процессе нуднейшей научной дискуссии о «генетической обусловленности сексуальности млекопитающих» он вдруг встал, подошел ко мне, наклонился — все умолкли, глядя на нас, — и прошептал:

— На втором этаже дома есть ванная, какой ты в жизни не видела. Глядя на тебя, я не могу сосредоточиться на дискуссии о сексуальности. Пойдем скорей в эту ванную. — И добавил: — Как ты думаешь, это генетическая обусловленность?

Я послушно встала, и мы пошли наверх. Молча он поставил меня к зеркальной дверце шкафа, спустил брюки, раздвинул мне ноги, и... И «генетически обусловленная сексуальность млекопитающих» обрела совершенно иное чудное значение. Когда через несколько минут мы вернулись и сели на свои места, на миг воцарилась тишина. Женщины пытливо смотрели на меня. Мужчины закурили сигары.

Еще он, например, подарил мне ощущение, что я для него самая главная женщина. И все, что я делаю, для него имеет значение. Каждое утро, даже если мы спали вместе, он, здороваясь со мной, целовал мне руку. Открывал глаза, вытаскивал мою руку из-под одеяла и целовал. И говорил при этом: «Дзень добры». Всегда по-польски. Как в первый день, когда нас представили друг другу.

Иногда, случалось, он просыпался ночью, «пораженный какой-нибудь идеей» — так он это называл, — тихонько вылезал из постели и шел заниматься своей генетикой. Под утро возвращался, залезал под одеяло, чтобы поцеловать мне руку и сказать «дзень добры». Он наивно думал, что я не замечала его уходов. А я даже наносекунды, проведенные без него, замечала.

Он мог прибежать в институт, где у меня были занятия, и сказать, что опоздает на ужин на десять минут и чтобы я не беспокоилась. Понимаешь, невероятно долгие десять минут...

Он подарил мне, например, за эти 88 дней и 16 часов больше пятидесяти пурпурных роз. Потому что я больше всего люблю пурпурные розы. Последнюю он подарил мне в тот последний шестнадцатый час. В аэропорту в Дублине перед самым отлетом. Знаешь ли ты, что, когда я возвращалась из аэропорта, мне казалось, что эта роза самое главное, что мне кто-либо когда-либо дал за всю мою жизнь?

Он был моим любовником и одновременно лучшей подругой. Нечто подобное случается только в фильмах и причем только тех, которые снимают в Калифорнии. А со мной случилось в действительности в дождливом Дублине. Он давал мне все и ничего не хотел взамен. Совершенно ничего. Никаких обещаний, никаких клятв, никаких обетов, что «только он и никогда никто другой». Попросту ничего. Это был его единственный ужасный недостаток. Не может быть для женщины большей муки, чем мужчина, который так добр, так верен, так любит, такой неповторимый и который не ждет никаких клятв. Он просто существует и дает ей уверенность, что так будет вечно. Вот только боишься, что вечность эта — без всяких стандартных обетов — будет короткой.

Моя вечность длилась 88 дней и 16 часов.

С 17 часа 89 дня я начала ждать его. Уже там, в аэропорту. От дверей терминала он отъехал в автобусе. Медленно поднялся по трапу, ведущему в самолет, и на самом верху у самолетной двери повернулся к смотровой террасе, на которой стояла я — он знал, что я там стою, — и прижал правую руку слева к груди. Так он стоял несколько секунд и смотрел в мою сторону. Потом исчез в самолете.

Больше я его не видела.

Первые три дня голодания ничто в сравнении с тем, что я пережила в первые три месяца после его отъезда. Он не написал. Не позвонил. Я знала, что самолет долетел до Варшавы, потому что после недельного его молчания позвонила в лондонское бюро ЛОТ, чтобы увериться, что ничего страшного не произошло.

Он просто прижал руку к сердцу и исчез из моей жизни.

Я страдала, как ребенок, которого отдали на неделю в приют, а потом забыли взять. Я тосковала. Невероятно. Я любила его и потому не могла желать ему плохого и оттого еще больше страдала. Через некоторое время в отместку я перестала слушать Шопена. Потом — в отместку — выбросила пластинки со всеми операми, которые мы слушали вместе. Потом — в отместку — возненавидела всех поляков. Кроме одного. Его. Потому что на самом деле я не способна мстить.

Потом мой отец бросил мою мать. Мне пришлось на полгода прервать учебу и из Дублина вернуться на Остров, чтобы помочь ей. Но больше всего это помогло мне самой. На Острове все просто. Остров возвращает вещам истинные их пропорции. Когда идешь на береговой обрыв, который был тут уже 8 тысяч лет назад, то многие вещи, которые людям кажутся безмерно важными, утрачивают значение.

Спустя полгода после его отъезда, уже перед Рождеством, мне на Остров прислали пачку писем, пришедших на мое имя в Дублин. Среди них я нашла письмецо от Элджота. Единственное за все эти 12 лет. На безвкусной почтовой бумаге какого-то отеля в Сан-Диего он написал:

Единственное, что я мог сделать, чтобы пережить разлуку, это полностью исчезнуть из твоей жизни. Ты была бы несчастлива здесь со мной. Я не был бы счастлив там.

Мы с тобой из разделенного мира.

Я даже не прошу, чтобы ты меня простила. То, что я сделал, простить нельзя. Можно только забыть.

Забудь.
Якуб.

P. S. В Варшаве, когда у меня есть время, я обязательно еду в Желязову Волю. Приезжаю туда, сажусь на скамейку в саду дома Шопена и слушаю музыку. Иногда плачу.

Я не забыла. Но письмо это мне помогло. Хоть я и не согласилась, но хотя бы узнала, как он справился с тем, что было между нами. Это было самое эгоистическое решение из всех известных мне, но я хотя бы узнала, что он что-то решил. У меня было хотя бы это его «иногда плачу». Женщины живут воспоминаниями. Мужчины тем, что они забыли.

Я вернулась в Дублин, закончила институт. Потом отец решил, что я буду вести дела нашей семейной фирмы на Острове. Я выдержала год. Я убедилась, что мой отец — человек с нулевым коэффициентом эмоциональной интеллигентности. Его высокий IQ тут ничего изменить не мог. Чтобы окончательно не возненавидеть его, я решила бежать с Острова.

Я уехала в Лондон. Защитила докторскую по экономике в колледже Куинз-Мери, научилась играть на фортепьяно, ходила на балет, нашла работу на бирже, слушала оперы. Но уже никогда не было такого антракта, который оказался бы важней спектакля. И такого шампанского тоже.

Потом пошли мужчины без всякого смысла. И чем больше их было, тем меньше мне хотелось сближаться с каждым последующим. Дошло даже до того, что порой, когда мы лежали в постели и мужчина целовал меня «там внизу», я «там наверху» все равно чувствовала себя одинокой. Потому что они лишь механически касались меня эпидермой своих губ или языка. А Элджот... Элджот меня попросту «съедал». С такой же жадностью, с какой съедают первую клубнику. И иногда опускал ее в шампанское.

Я так и не сумела полюбить ни одного из этих мужчин, у которых на губах была только эпидерма.

После двух лет пребывания в Лондоне я обратила внимание, что у меня совсем нет подруг, а большинство моих друзей гомосексуалисты. Если не брать в расчет их несколько отличную ориентацию, они часто оказываются по-настоящему мужчинами. Мне повезло встретить лучших из них. Тонких, деликатных, слушающих то, что ты им говоришь. Им не надо притворяться. И если они платят за твой ужин, то вовсе не для того, чтобы тем самым обеспечить себе право стянуть с тебя трусики. Ну а то, что в ушах они носят сережки...

Это же просто гениально — как говорит одна из моих сотрудниц в банке,— по крайней мере есть гарантия, что человек знает, что такое боль, и понимает толк в бижутерии.

Потом ушла из жизни мама. Никто не знает, как это произошло. Она плыла на пароме с Острова в Кале и упала за борт. Тело ее так и не нашли. Зато в ее спальне в шкатулке нашли завещание, написанное буквально за неделю до смерти, и обручальное кольцо, перепиленное пилкой для металла пополам.

Первое время горе мое было так огромно, что я не могла по утрам заставить себя встать. У меня была эндогенная депрессия. Тогда мне больше всего помог прозак. Маленькая бело-зеленая таблетка с чем-то магическим внутри. Помню, как Элджот пытался объяснить мне магию действия прозака. Он говорил, что это как карточный фокус. Картами были какие-то нейропередатчики на синапсы. До конца я так и не поняла. Но знаю, что он действует. Мой психиатр тоже знал это.

А знаешь ли ты, что в депрессии люди чаще всего совершают самоубийство, когда прозак начинает действовать и они уже находятся на дороге к выздоровлению? В разгар депрессии ты совершенно вялый и тебе неохота даже перерезать себе вены. Ты ходишь или лежишь, будто в схватывающемся бетоне. А вот когда прозак начинает действовать, у тебя появляется достаточно сил, чтобы раздобыть бритву и пойти в ванную. Потому те, кто находится на самом дне депрессии, должны принимать прозак в клинике, а безопасней всего, если их еще привязывают ремнями к кровати. Это чтобы они не могли пойти в одиночку в ванную. Однако они вполне способны обмануть бдительность санитаров и пробраться на крышу здания клиники.

После прозака мой психиатр объявил мне, что я должна «произвести практическую ретроспекцию» и поехать в Польшу. Этакий психоаналитический эксперимент, чтобы сократить лежание на диване.

Это было в мае. Я приехала в воскресенье. У меня был подробный план «практической ретроспекции» на все 7 дней: Варшава, Желязова Воля, Краков, Освенцим. Но это был всего лишь план. В Варшаве я почти все время провела в отеле недалеко от памятника, возле которого постоянно стоят часовые. Каждое утро после завтрака я заказывала такси и ехала в Желязову Волю. Там сидела на скамейке возле дома и слушала Шопена.

Иногда не плакала.

В Желязовой Воле я бывала ежедневно. За исключением четверга. В четверг, когда я, как обычно, ехала туда в такси, по радио произнесли его фамилию. Я велела таксисту развернуться и ехать во Вроцлав.

В деканате целый час искали кого-нибудь, кто говорит по-английски. А когда нашли, какая-то милая женщина сказала мне, что Элджот уехал в Германию и вряд ли вернется, потому что «нужно быть полным идиотом, чтобы вернуться сюда».

Как он мог уехать в Германию? После того, что немцы сделали в лагере с его отцом?

Эта милая женщина из деканата не знала его адреса. Да, впрочем, я и не хотела его получить. В тот же вечер я вновь была в Варшаве. Практическая ретроспекция была завершена. Психиатр оказался не прав. Это ни капельки не помогло.

Может, ты знаешь, по какому праву, по какому чертову праву Элджот решил, что я была бы несчастна в этой стране? Почему? Потому что дома серые, потому что в магазинах только уксус, потому что телефоны не действуют, потому что нет туалетной бумаги, потому что кружки для газированной воды прикованы ржавыми цепями? Почему он не спросил меня, что мне действительно необходимо в жизни? Да я вообще не звоню по телефону. Не пью газированную воду, а уксус добавляю всюду, даже в fish'n'chips[1].

Нет! Он даже не удосужился спросить меня. Он, который спрашивал меня обо всем, даже про то, «что ты ощущаешь, когда в тебе набухает от крови тампон».

Он просто прижал руку к одному из своих двух сердец и уехал. А ведь я могла бы вместе с ним копать колодец, если бы оказалось, что там, куда он меня привез, еще нет воды.

А потом и мир, который якобы нас разделил, перестал быть разделенным. Настали такие времена, что вечером я ложилась спать, а ночью в какой-нибудь стране менялся политический строй.

В Лондоне для меня слишком высокое давление. Чтобы выдержать его, надо быть герметичным, иначе все из тебя уйдет. Это чистой воды физика. Но я не умела быть до такой степени непроницаемой. Вдвоем гораздо легче «удерживать крышку». Я же могла быть только одна. Даже если я и позволяла кому-то засыпать рядом с собой, то всегда получалось так, что я удерживала две крышки. А кроме того, мне по определению было трудней. Я ведь родом из деревни. И Дублин ничего не изменил. Остров всегда был деревней. Деревней на береговом обрыве. Самой прекрасной на свете. Однако я не хотела возвращаться на Остров. Потом оказалось, что в этом и не было надобности.

Как-то после оперы и ужина, который на самом деле был дележом под черную икру «остатков» какого-то мелкого банка

---

[1] Рыба с жареной картошкой (*англ.*).

между двумя крупными, директор одного из крупных банков спросил у меня — я была приглашена, поскольку считалась «многообещающим биржевым аналитиком младшего поколения», что в переводе на общепринятый в банке язык означало, что у меня лучшая грудь в отделе ценных бумаг, — так вот, он спросил меня, не живу ли я в Ноттинг-Хилле. Когда я шутливо ответила, что квартира в Ноттинг-Хилле мне не по карману, он улыбнулся, продемонстрировав безукоризненно белые зубы, и сказал, что это очень скоро изменится, но, впрочем, это не имеет никакого значения, «поскольку он всегда живет рядом со мной, где бы я ни квартировала». Я прекрасно поняла его. Мне даже понравился этот его ответ. Он был француз, но говорил — а это просто абсолютное исключение — по-английски с американским акцентом. Понравилось мне также и то, что он, хоть и был самой важной персоной в этой банковской компании, весь вечер в отличие от других был молчалив. Кроме того, здороваясь, он поцеловал мне руку. С ужина мы ушли вместе.

Жил он в отеле «Парк Лейн». И был импотент. Ни один мужчина после Элджота не был так нежен, как он в тот вечер. Когда утром я проснулась в его постели, его уже не было. Через неделю он спросил меня, не хотела бы я руководить «стратегически важным отделом нашего банка в Ноттинг-Хилле». Я не хотела. После ланча я позвонила ему и спросила, нет ли у него какого-нибудь «стратегически важного отдела» в Суррее. Суррей почти как Остров, только что моря нет. В тот же вечер он прилетел из Лиона, чтобы за ужином сообщить мне, что «разумеется, такой отдел есть, существует с сегодняшнего дня». Когда после коктейля у стойки бара мы пошли в «Парк Лейн», там стоял самый лучший проигрыватель компакт-дисков, какой только можно найти за несколько часов в Лондоне. А рядом в четыре ряда стояли несколько сотен дисков классической музыки. Несколько сотен.

Думаю, он любит меня. Он тонкий, чувствительный и с такой грустью вглядывается в мои глаза. Он не большой поклонник музыки, но привозит мне все, что музыкально одаренная ассистентка из отдела рекламы в его банке отыскивает по всему свету в звукозаписывающих фирмах, которые специализируются на выпуске классики. Иногда я получаю диски еще до того, как они появятся в европейских магазинах. Он способен прилететь из Лиона, встретиться со мной в аэропорту и забрать на концерт в Милан, Рим или Вену. Иногда после концерта мы не идем ни в какую гостиницу. Он возвращается в Лион, а меня сажает в самолет до Лондона.

Во время концерта он все время сжимает и целует мне руки. Я этого не люблю. Концерт Караяна — это все-таки не фильм в затемненном зале. Но я позволяю это делать. Он славный мужчина.

Он ничего особенного не требует от меня. Я должна только говорить, как сильно я его хочу. Не больше. Иногда он рассказывает мне о своих дочках и жене. Достает бумажник и показывает их фотографии. Он добрый, заботится обо мне. Три раза в неделю я получаю от него букеты цветов. Иногда их приносят даже ночью.

Я не сказала ему, что люблю пурпурные розы. Для меня это слишком личное.

Я могла бы руководить этим банком в Кэмберли. Уже с завтрашнего утра. Достаточно было бы одного телефонного звонка. Но я не хочу. Предпочитаю быть «многообещающим биржевым аналитиком» и не нести никакой ответственности.

Я все лучше играю на фортепьяно. Много путешествую. В Кэмберли у меня старый дом с садом, где растут пурпурные розы. В уик-энды, если он не прилетает из Лиона, я встречаюсь в Лондоне с моими друзьями, которые носят в ушах серьги, и мы устраиваем всякие безумства. Иногда я навещаю Остров.

Также раз в год я езжу в Дублин на встречу нашего выпуска. Происходит она во вторую субботу мая. В Дублине я ночую в Тринити Колледж. С тех пор как оттуда уехал Элджот, там практически ничего не изменилось. Но в Тринити ничего не меняется с XIX века. Ночью в субботу я удираю со встречи нашего курса и иду по коридорам к кабинету, где он тогда работал. Сейчас там какой-то склад. Но двери все те же. Тогда я тоже неоднократно там стояла. А один раз все-таки решилась постучать. Но то была немножко другая ночь, чем эта. И было это ровно 12 лет назад. Только тогда его день рождения уже кончался, а не начинался.

Потом ухожу оттуда и по пути останавливаюсь у лекционной аудитории, где свет с грохотом загорался и гас, когда он опирался спиной о выключатели, а я стояла перед ним на коленях. Сейчас войти туда нельзя, но через гравированное стекло в дверях все видно. Потом я возвращаюсь на встречу и напиваюсь.

Последнее время я чувствую себя очень одиноко. У меня будет ребенок. Сейчас самое время родить ребенка. Ведь мне уже тридцать пять лет. Кроме того, я хочу иметь что-то принадлежащее одной мне. Что-то, что я буду любить. Ведь если говорить по правде, то больше всего в жизни я хочу кого-нибудь любить.

Несколько дней назад я послала e-mail в «The Sperm Bank of New York», самый лучший банк спермы в США. Они строже всех хранят тайну, делают самые лучшие генетические тесты, и у них самые полные каталоги. Через месяц я лечу на встречу с их генетиком. В принципе это всего лишь формальность. Мне бы хотелось девочку. Я послала им свой профиль. Ты даже не представляешь себе, как много доноров с IQ выше 140! Кроме того, донор должен быть «из музыкально одаренной среды», иметь докторскую степень и происходить из Европы. Мне прислали список фамилий более чем 300 доноров. Я выбрала только тех, у кого были польские фамилии.

Я задумалась, какие глаза были у Элджота. Он говорил, серые. А мне они виделись зелеными. Когда я выбрала зеленые глаза и присовокупила докторскую степень в точных науках, остались только 4 донора. На одном из них я остановлюсь после разговора с генетиком в Нью-Йорке.

Вот уже и утро начинается. Сегодня воскресенье. 30 апреля. Это особенный день. Для этого дня у меня два специальных бокала. Но это на вечер. Вечером я буду слушать «Богему» Пуччини, закурю сигару, привезенную мной из Дублина, и выпью самого лучшего шампанского. В перерыве между первым и вторым актами.

Из твоего бокала тоже выпью. Всего самого прекрасного тебе в день твоего рождения, Элджот...

Дженнифер

P. S. Когда рожу дочку, дам ей имя Лора Джейн.

ОНА: Подъезжали к Франкфурту-на-Одере. Она взяла бутылку минералки и взглянула на него. Включенный ноутбук лежал у него на коленях, а сам он сидел, прижав правую руку к сердцу, и всматривался в окно. У нее тоже иногда бывало, что, глубоко задумавшись над чем-то, она сидела с отсутствующим взглядом. Веки не опускаются, зрачки расширены и совершенно неподвижны. Устремлены в одну точку. Как сейчас у него. Но в этом было что-то неестественное. И рука на сердце, и застывший взгляд. На его лице отражалась печаль. Почти что боль.

Дверь открылась. В купе заглянул старик и принялся громко читать номера мест. Он обратился по-немецки к сидящему:

— У вас на это место билет?

Тот не реагировал. Старик повторил вопрос, и когда тот опять не отреагировал, решился дотронуться до его плеча.

— Простите, у вас тоже билет на это место?

Сидящий выглядел так, будто его внезапно разбудили. Он тут же встал, освободив место старику.

— Нет. У меня нет билета на это место. У меня вообще нет билета. Можете быть спокойны, это ваше место.

Он выключил ноутбук и положил его в кожаную сумку. Осторожно, чтобы никого не задеть, снял свой чемодан. Вывез его в коридор. Сумку повесил себе на плечо. Снял с вешалки пиджак и перебросил его через сумку с ноутбуком. Обернулся к сидящим в купе и грустно взглянул на нее. Попрощался со всеми по-польски и по-немецки и вышел. Больше она его не видела.

@2

ОН: *Жизнь по преимуществу печальна. А сразу потом умираешь.*

До Института генетики Фонда имени Макса Планка легче всего доехать по шестиполосной автостраде, проходящей возле современного здания, в котором находится его кабинет. Это одна из самых загруженных автострад в Мюнхене. Дальше она идет прямиком в центр города, а тут, где находится его институт, отделяет окруженную высоким забором торговую территорию от остального города. Метрах в ста от института, ближе к городу, над автострадой проходит виадук. Одна из опор виадука находится на зеленой полосе, разделяющей автостраду. По немецким правилам у его мотороллера слишком маленькая скорость, чтобы на нем можно было ездить по автостраде, поэтому он по виадуку едет сперва до торговых участков, а оттуда по нормальным улицам до самого дома.

Вчера он вышел из института около одиннадцати вечера. Вообще-то он собирался ехать не на мотороллере, а в метро. Январь в Мюнхене очень холодный, и в свете фонарей на тротуарах искрился ледок. А мотороллер на льду непредсказуем. Он узнал это еще прошлой зимой, когда после падения на замерзшей луже три дня провел с коленом в гипсе. Но стоило ему подумать, что придется четверть часа идти до станции метро, а потом ждать поезда, может, даже все полчаса, он тут же решил, что сегодня еще поедет на мотороллере, «но это уже в последний раз».

Возле средней опоры на левой полосе как раз напротив въезда на виадук лежал на крыше разбитый всмятку и полностью сгоревший автомобиль. На тротуаре по другую сторону автострады по кругу бегала молодая женщина в шубе, толкая перед собой детскую коляску, и что-то отчаянно кричала на непонятном языке. Когда она повернулась к нему, он увидел, что под шубой она совершенно голая. У поребрика стоял, мигая аварийными огнями, серебристый «мерседес» с настежь распахнутыми дверцами. Толстый лысый мужчина, стоящий около «мерседеса», с неподдельной яростью пинал его и что-то кричал в сотовый телефон.

Под виадуком было полно дыма, из багажника разбитой машины еще вырывались язычки огня. Первым инстинктивным побуждением было — бежать. Но продолжалось это какие-то доли секунды. Он остался. Поставил мотороллер на тротуаре у стены. Убедился, что никто не едет, и медленно двинулся к опоре. Он еще не знал, что сделает. Он просто чувствовал, что должен туда пойти. Но он боялся. Страшно боялся. Глаза начали слезиться от дыма.

И вдруг стало светло, как днем. С торговой территории на огромной скорости выехал полицейский автомобиль. Кроме синей мигалки, включаемой в подобных случаях, на крыше полицейского «БМВ» горел мощный прожектор, направляя сноп света на разбившуюся машину. «БМВ» не успел еще остановиться, а из него уже выскочили четверо полицейских с огнетушителями. Через минуту останки автомобиля покрывал толстый слой белой пены. И тут же подъехала красная пожарная машина. Мощные струи воды из водометов на прицепе смыли пену. Когда вода стекла с мостовой, один из пожарных лег и заполз в перевернувшийся автомобиль. Уже через минуту он выполз, вскочил, отбежал к опоре, и его стало тошнить.

Он все это видел, стоя за опорой в нескольких метрах от разбитой машины. А потом какой-то человек в черной кожаной куртке схватил его под руку, бегом отвел на другую сторону автострады недалеко от серебристого «мерседеса».

Женщина в шубе все так же ходила по кругу и что-то говорила самой себе. Ребенок в коляске заходился от плача. Дверцы «мерседеса» были закрыты. Лысый толстяк с сотовым телефоном исчез.

Какой-то миг ему казалось, что все это неправда. Что он случайно оказался на съемках триллера и что через минуту услышит, что объявляется перерыв, а потом будет сниматься еще один дубль. Но это был не фильм. Такое могло случиться только в жизни.

Девушка из Румынии — все это ему рассказал полицейский в черной куртке, который позже записывал его показания в полицейском «БМВ», — проститутка. Ей восемнадцать лет. Чтобы подработать на стороне, она иногда сбегает со своего постоянного места в центре Мюнхена и приходит сюда под виадук. Тут очень хорошее место. Исключительно удачное. Особенно когда в Мюнхене происходит какая-нибудь ярмарка. Всегда можно дополнительно заработать. Девушка стоит на краю тротуара и, когда приближается машина, распахивает шубу, под которой на ней ничего нет. Минет за сорок марок, рукой — тридцать и нормально за шестьдесят. Без презерватива цена утраивается зимой и удваивается летом. Шубу, одну на четырех девушек, они взяли напрокат в театре.

Румынка приехала в Германию без визы и уже беременная. Но даже беременная она стояла на улице. Сейчас ее ребенку шесть месяцев. Сегодня вечером из-за ярмарки все ее подруги «работали», и ей не с кем было оставить малышку. Она решила взять ее под виадук. Летом она так уже делала. Девочка спала, когда она поставила коляску за кусты, что растут на крутом откосе насыпи виадука.

Подъезжала машина. Румынка быстро сбежала на тротуар и распахнула шубу. Серебристый «мерседес» остановился. Она подошла, сунула голову в открытое окно машины, чтобы договориться о цене. И в этот момент произошло нечто страшное. Полицейский в кожаной куртке понизил голос, словно спрашивая, действительно ли он хочет это услышать.

Никто не знает, как это произошло. Может, по виадуку проезжал тяжелый большегрузный фургон, вызвавший вибрацию всего сооружения. Может, девушка по невнимательности и в спешке не до конца нажала тормоз колес коляски.

Может, ребенок в коляске дернулся слишком резво. Во всяком случае, когда она стояла, сунув голову в окошко серебристого «мерседеса» и сговаривалась о цене, коляска с ребенком скатилась с откоса виадука, пересекла тротуар и выкатилась на мостовую. А в этот момент под виадук въезжал на своей «мазде» этот студент. Там действует ограничение скорости до восьмидесяти километров в час, но никто же ему не следует. Особенно ночью. Студент в последний момент, видимо, заметил выкатывающуюся из-за «мерседеса» коляску. Он затормозил. Попытался объехать. На обледеневающем асфальте его занесло. Тот пожарный сказал, что тело студента сплавилось в пламени с металлическим листом корпуса машины, внутри которой все сгорело. С малышом в коляске ничего не произошло. А студент превратился в обугленный труп. Он был единственным ребенком. Родители купили ему «мазду», когда он поступил в институт. Ему не было еще и двадцати. Родители пока не знают. Живут они недалеко. В Эрлангене. И полицейский сказал, что когда он закончит этот протокол, ему придется поехать к ним и рассказать, что случилось. Что сын их погиб, что останки его сплавились с внутренней стороной корпуса машины.

Домой он возвращался в метро. Мотороллер оставил у стены виадука. А дома никак не мог заснуть. Он пробовал читать. Но ничего не получалось. Он не мог сосредоточиться. Тогда он достал вино и включил музыку. Он сидел в спальне на полу возле кровати и пил прямо из бутылки. Думал о родителях этого студента. Ему хотелось бы сказать им, что это можно пережить. Хотел бы сказать, прежде чем к ним явился тот полицейский. И еще он думал об этом полицейском в черной кожаной куртке. Полицейский вдруг показался ему героическим и благородным. Думал он и о румынке. Можно ли жить с таким знанием и не сойти с ума?

Проснулся он рано утром на полу возле кровати. Вставая, задел пустую бутылку. По дороге в ванную он разделся. Включил на самую большую громкость приемник, висящий у окна. Встал под душ. Радио сообщило, что сегодня 30 января 1996 года, вторник. Жизнь продолжается. Как ни в чем не бывало. Опять вышли газеты, и опять такие же автомобильные пробки на тех же самых улицах в тех же самых местах. Когда от него ушла Наталья, больше всего он не мог смириться с тем, что на следующий день жизнь по-прежнему продолжалась. Как ни в чем не бывало. Тогда тоже мир не остановился. Даже на краткий миг. Бог опять ничего не заметил...

Он считал такое настроение постыдной слабостью и немощью, приличной разве что больному старику. После происшествий, подобных тому, что произошло прошлой ночью, он просто не мог не впасть в депрессию. Со всеми ее симптомами: унынием, страхом, стеснением в грудной клетке, вялостью, временами переходящей в оцепенение, ощущением бессмысленности жизни и погребальным настроением. То была патология, и он знал: это следы отчаяния, пришедшие из его прошлого. И тут помогала только работа.

Утром он взял из кухни фирмы несколько банок «кока-колы», заперся у себя в кабинете и никому не показывался на глаза. Он программировал. Хотел до середины дня закончить фрагмент программы, который он обещал отослать в Варшаву. Его институт сотрудничал с Варшавским университетом. Привлечь Варшаву к одному из их проектов предложил он. Благодаря этому он легально посылал программные материалы, которые институт покупал в США, также и в Варшаву, делал с варшавскими коллегами совместные публикации и, что было для него особенно важно, время от времени ездил туда с лекциями. Несмотря на то что он работает и живет в Мюнхене, ему было страшно важно после защиты в Польше продолжать присутствовать в родной стране хотя бы как ученому.

И как раз молодой аспирант подбросил ему идею установить у себя в компьютере программу, которая в последнее время производила фурор в Интернете. Написанная двумя студентами из Израиля и — как почти все лучшее в Интернете — бесплатная, она позволяла в реальном времени устанавливать непосредственный, без задержки, контакт между двумя людьми, подключенными к Сети. И аспирант вовсе не случайно написал Сеть с большой буквы. Интернет постепенно становился чем-то культовым. Особенно для молодого поколения. Назвать его просто сетью, как ничего не значащее переплетение кабелей в банке или учреждении, означало бы отнять у Интернета мистическое очарование чего-то, что объединяет вне зависимости от любых разделений.

Ладно, пусть будет Сеть, подумал он. Культовое отношение у него давно уже прошло. Он пользуется этой Сетью с большой буквы «С» еще с тех пор, когда Интернет был абсолютным таинством, интеллектуальной Камасутрой, а не щелканьем мышкой по ярким, чаще всего синим надписям или иконкам. Но программа, которую рекомендовал аспирант, была действительно интересная. Называлась она ICQ. Авторы использовали буквы «I», «C», «Q», поскольку, произнесенные последовательно, они дают аналог английской фразы «I seek you», что означает «Я ищу тебя». Люди, в чьих компьютерах установлена программа ICQ — и, разумеется, подключенные к Сети, — благодаря ей находили друг друга. У себя в компьютерах они создавали список друзей, которых искали, и ICQ давал им знать, подключены ли их друзья именно в этот момент к Интернету. Это было все равно как войти в зал, осмотреться и определить, кто из друзей там находится. Только залом был весь мир. Не имело никакого значения, что кто-то находится в Сиднее, кто-то в Дублине, а еще кто-то чуть ли не за углом — в Кракове или Гданьске. И это было самое культовое в Интернете. Отныне все оказывалось «за углом».

ICQ оповещает о присутствии друзей и позволяет обмениваться с ними информацией. Без задержек. Немедленно. Своеобразный разговор с использованием клавиатуры. Отсылка коротких e-mail'ов, которые доходят в тот же миг. Это здорово стимулирует беседу.

Но ICQ это не только обмен короткими репликами. Это гораздо больше. Это, например, чат. Английское слово, принятое даже французами, для которых компьютер вовсе не компьютер, а «ординатёр». Однако чат они приняли, потому что чат только так и можно назвать, чтобы он означал то, что означает. А означает «беседа», «болтовня», но в Интернете это подлинный разговор. Без границ. В случае ICQ он заключается в том, что экран компьютера делится на две части. Разговаривающие получают по половинке экрана и пишут свои тексты. Каждый видит процесс написания текста «собеседником». Его нервность, ошибки, промедление. Возможно, это несколько другое, чем дрожь голоса, но тоже эмоционально. И вдобавок тут ни от чего не удастся отказаться. Вульгарное отрицание «а я этого не говорил» тут не сработает. Потому что все зарегистрировано. Можно вернуться к началу экрана и процитировать. А кроме того, весь процесс можно записать на диске компьютера, распечатать или отослать как e-mail по любому адресу. Потому для многих чат является бесповоротным разговором. Авторизованным по определению. Как протокол признания или записанное на пленку интервью. Любое высказывание, любая ложь, любое обещание могут быть вновь продемонстрированы на экране. Притом, чтобы начать чат, можно находиться где угодно. Для этого достаточно компьютера, Интернета и программы, обеспечивающей возможность чата. Такой программой, например, является ICQ. Но есть и другие. Много других. Расстояние роли не играет. Сигналы в Сети расходятся со скоростью света.

ICQ – это была гениальная идея. Все гениальные идеи возникают из простейших основных потребностей. Здесь основной потребностью было неограниченное общение. Когда оказалось, что благодаря Интернету можно преодолеть расстояние, появление чего-то наподобие ICQ стало лишь вопросом времени. Потому что люди с самого начала любили общаться.

Аспирант из Варшавы тоже хотел постоянно общаться с ним, потому и подкинул мысль насчет ICQ. Когда им нужно было обсудить состояние проекта, последние замыслы, ошибки в программе, а также погоду в Варшаве и цены на пиво в Мюнхене, они просто открывали чат на ICQ и разговаривали.

Подобное общение было необходимо: они вместе писали программу. То есть каждый из них писал свой кусок. В самом начале они установили, как эти два куска сложатся, чтобы все функционировало. Большие программы сейчас пишут только так. Каждый делает свой кубик, а потом они складываются вместе. И чтобы сделать качественные кубики, а потом правильно сложить их, вовсе нет необходимости встречаться и даже быть знакомыми. Для этого вполне достаточно Интернета. Он вспомнил, с каким интересом читал о совместном инженерном проекте, реализованном фирмой «Мерседес-Бенц». Над проектом работали в Японии, на Западном побережье США и в Германии. Группа в Японии начинала программировать. Когда она кончала рабочий день, в свои кабинеты после завтрака приходили немцы, а когда они уходили домой, работу от них перенимали программисты из Калифорнии. Каждая группа результаты своего трудового дня пересылала по Интернету «сменщикам»: японцы немцам, немцы американцам, американцы японцам. Таким образом работа над проектом в «Мерседес-Бенц» шла круглые сутки.

Он тестировал свою часть на большом компьютере фирмы. Несколько сотен метров кабеля соединяли компьютер на его столе с быстродействующим мейнфреймом, находящимся в большом кондиционированном зале рядом с институтской кухней. Если бы аспирант из Варшавы хотел запустить свой «кусок» на их мюнхенский компьютер, ему потребовался бы только очень длинный кабель. И более ничего. Однако тянуть такой кабель не было необходимости. Он уже существовал. Интернет.

Но аспиранту в Варшаве не было надобности ничего запускать в Мюнхене. Он тестировал свою часть в Варшаве и потом пересылал готовую, используя одну из многих возможностей ICQ. То же самое делал и он, протестировав свою часть. Но только до четырнадцати часов. Потом просыпалось Восточное побережье США, и Интернет «замедлялся». Особенно это было заметно, если сравнивать время доступа к веб-страницам. Америка сразу же после пробуждения включала свои модемы, принималась читать пришедшие ночью e-mail'ы и утреннюю интернетовскую прессу, а также открывать свои чаты.

Благодаря Интернету и ICQ у него возникало впечатление, что варшавянин находится в соседнем кабинете и они не навещают друг друга только от недостатка времени или же по лености. Рабочий день они начинали вместе по ICQ, устанавливали план контактов и оставались нон-стоп в Сети. Это называлось быть online. На всякий случай, если бы одному из них пришло в голову что-то важное и он захотел немедленно проинформировать о том партнера.

Но сегодня утром он хотел быть в кабинете совсем один. И внезапно он осознал, что быть совсем одному означает также нежелание соединяться со всеми теми, кто был в его списке ICQ. Однако и реальные люди из соседних комнат были так же нежелательны, как и виртуальные. И неважно, откуда они — из Варшавы, Сан-Диего, Базеля, Дублина или Гамбурга. В любой момент они могли спросить: «Как себя чувствуешь, Якуб?»

И довольно часто спрашивали. А сегодня он не хотел отвечать на подобные вопросы. Главное, потому что пришлось бы задуматься над ответом. Работая же, он думал только о том, что пишет. А самое главное — ему нельзя было задумываться о себе.

Однако выбора у него не было. Он не мог выключить ICQ. У них началась очень важная фаза проекта, и он обещал в Варшаве, что постоянно будет на связи. Так что утром он включился в ICQ, надеясь, что не найдется заботников, которые станут интересоваться его самочувствием. И ему почти удалось. До половины пятого никто его не тревожил. И только тогда в правой нижней части монитора начал мигать символ в виде маленькой желтой карточки. Знак, что кто-то прислал ему сообщение по ICQ и, вероятнее всего, дожидается ответа. Он отпил «колы» из банки и щелкнул по желтой карточке.

Я все еще немножко влюблена, еще полна остатками бессмысленной любви, и мне так грустно сейчас, что захотелось кому-нибудь сказать об этом. Какому-нибудь совершенно чужому человеку, который не сможет меня обидеть. Наконец будет хоть какая-то польза от этого Интернета. Я попала на тебя. Могу я тебе рассказать?

С минуту он чувствовал себя как человек, который случайно прочитал письмо, адресованное другому. Прежде всего он должен был увериться, что оно назначено ему. И если да, узнать, почему именно ему. Он написал:

Вы уверены, что хотите именно меня одарить своим доверием? И если да, как получилось, что вы попали именно на меня?

В этот момент она открыла чат.

ОНА: Послушай, ты — Якуб, ты — поляк и уже много лет живешь в Мюнхене. Ведь так? Я выбрала тебя, потому что ты достаточно анонимен, находишься достаточно далеко и достаточно долго живешь в Германии. Для меня это гарантия, что ты не подстроишь мне какой-нибудь сюрприз. Хочешь ли ты, чтобы я тоже обращалась к тебе на «вы»? Будет не так камерно и интимно. Но если ты хочешь...

ОН: Все это нетрудно было узнать. Регистрируясь в ICQ, следовало сообщить о себе кое-какие данные. То, что она сообщила, в точности совпадало с тем, что он вписал в регистрационный формуляр. ICQ позволял гарантированно прочесывать банк данных всех, кто вписан в него, по разным критериям. Так она нашла его.

Она была провоцирующе непосредственна. Да, именно так. Он улыбнулся. В первый раз за этот день. И напечатал:

В принципе, больше всего сюрпризов устроили миру немцы, но я не собираюсь их оправдывать. Разумеется, ты можешь обращаться ко мне на «ты». Даже если тебе всего 13 лет.

ОНА: Скажи только, какое у тебя образование. Это не нахальство. Всего лишь любопытство. Мне бы хотелось иметь с тобой общую частоту.

ОН: Это уже теряло характер провоцирующей непосредственности. И смахивало уже на наглость. Ему трудно было поверить в искренность ее утверждения «это не нахальство». Но если она собиралась его спровоцировать, то ей это удалось. Он нервно застучал по клавишам:

Образование? Нормальное. Как у всех. Магистр математики, магистр философии, доктор математики, доктор информатики.

ОНА: Господи! Ну я и попала! Тебе что, уже под семьдесят? Если так, то это замечательно. Значит, у тебя есть опыт. Ты выслушаешь меня и дашь совет, ведь верно?

ОН: Читал это он с улыбкой. «Сейчас это называется, — подумал он, — по-английски self-conscious, по-немецки Selbstbewusst, а как же это будет по-польски? Эгоцентризм? Нет. Слишком уничижительно. Самоуверенность и сосредоточенность на своих потребностях? Похоже, на польском это не удастся определить одним словом, как по-английски или по-немецки».

Если это грустно, то не выслушаю. А подозреваю, что грустно. Семидесяти мне еще не исполнилось. И все-таки не рассказывай мне, пожалуйста. Сегодня ничего печального. Даже не пытайся. Напиши лучше e-mail по адресу Jakub@epost.de. Я борюсь с печалью в среднем 24 часа в сутки. Сейчас я порекомендовал бы тебе крайние средства: химия либо спиртное. А вот завтра я внимательно прочитаю твой e-mail и дам совет.

Впрочем, тебе не нужны советы. Просто ты должна кому-то рассказать, поделиться, а твой психотерапевт сегодня занят или в отпуске.

ОНА: Ты считаешь, что славянам может помочь психотерапевт? Ведь они и так все всегда знают лучше. Кроме того, у меня впечатление, что все психотерапевты в Польше либо пишут книжки, либо организуют издательства, либо состоят на постоянной работе на телевидении или радио. Ты продолжаешь еще оставаться славянином?

ОН: Наверное, уже нет. Я не пью водку, пунктуален, держу слово и не устраиваю восстаний. Но психотерапевт у меня был еще в Польше. Но это было так давно, что его называли еще психиатром, а организация издательства каралась еще суровей, чем самогоноварение.

ОНА: И помог тебе психиатр?

ОН: Сам психиатр — нет. Но то, что я услышал в его приемной, очень помогло.

ОНА: У тебя был болен разум или душа?

ОН: Минутку! Так не пойдет! Эта дамочка постучалась в монитор его компьютера, как чужой человек в дверь, и теперь собирается вызнать всю его подноготную. Но не успел он отреагировать, как пришло следующее ее сообщение.

ОНА: Да, знаю. Я зашла слишком далеко. Все из-за этой виртуальности. У меня ощущение, что сам факт нашей взаимной анонимности подтолкнул меня задавать такие вопросы, которые я ни за что бы не задала, если бы познакомилась с тобой в поезде или в кафе. Извини.

ОН: Она права. Интернет, он такой. Немножко напоминает исповедальню, а разговоры — нечто наподобие групповой исповеди. Иногда ты оказываешься исповедником, иногда — исповедующимся. Это результат расстояния и уверенности, что всегда можно вытащить штекер из гнезда.

Здесь ничего не отвлекает внимание. Ни запах, ни внешность, ни слишком маленькая грудь. В Сети свой образ создаешь словами. Собственными словами. Никогда не известно, сколько времени штекер будет в гнезде, и потому сразу переходишь к главному и задаешь по-настоящему существенные вопросы. Но даже задавая их, кажется, не ждешь полной искренности. Впрочем, в этом-то как раз он не был уверен. И потому всегда отвечал искренне. «Если не знаешь, что сказать, говори правду». Он не помнил, кто из философов давал такой совет, но философ этот, несомненно, был прав. Кроме того, опыт у него был не слишком большой. До сих пор он вел подобные виртуальные беседы только с аспирантом из Варшавы. Он напечатал:

Ты думаешь, можно отличить больной разум от больной души? Спрашиваю это из любопытства. У меня было все больное. Каждая клеточка. Но это уже прошло. Может, я не вполне здоров, однако, вне всяких сомнений, излечен.

ОНА: Знаешь, а ты меня тронул. Не знаю пока точно почему, но тронул. Мне пора идти домой. Рада, что могла тебе написать. Напишу еще. До завтра.

ОН: Береги себя. Имя у тебя красивое.

Она без предупреждения завершила этот чат. Отключилась от Интернета. Была offline. Исчезла так же неожиданно, как появилась. Уже не прочла его последнее сообщение. Глядя на экран монитора, он подумал, что без нее

неожидан...
правом углу...
по ней, в надеж...
ном смысле так о...
она оставила на серь...

Внесешь меня в список св...
ICQ.

Он задумался. Когда она так неож... чат, у него возникло ощущение, как у ... прервали на полуслове. В большинстве ра... альной жизни — это он решал, о чем гово... ...да заканчивать беседу. А тут у него было впечатл... что в этом интернетовском диалоге контроль был у нее. В течение нескольких минут она вытянула из него то, чего он не рассказал бы никому, если тот не является его другом. Он долго удивлялся себе. С другой стороны, уже заранее радовался завтрашнему контакту.

Он возвратился к программе. Варшавский аспирант оповестил о новой версии своей части, которая ждет его и готова для тестирования. Он ее тестировал и комментировал до позднего вечера, но закончить все равно не смог. В последний раз он открыл ICQ и отправил в Варшаву сообщение, что они получат его отчет не позже чем завтра в полдень. Когда в Варшаве аспирант утром придет к себе в кабинет и включит ICQ, то сразу же увидит его информацию.

С минуту он смотрел на список своих друзей в ICQ. Открывало его на самом верху ее имя. Он думал о ней, и у него было странное ощущение, что сегодня во второй половине дня в жизни его произошла какая-то перемена.

Когда он выключал компьютер перед уходом домой, глаза у него слезились. Он надел куртку и спустился в лифте на первый этаж. Он решил пройти к виадуку на автостраде и оттащить свой мотороллер в институт. Заиндевелый, мотороллер все так же стоял у стены виадука. Там по-прежнему пахло гарью. В свете фар подъезжающего автомобиля он увидел, как на другой стороне к поребрику подбегает, распахивая шубу, девица. Под шубой она была голая. Машина проехала мимо, не снижая скорости.

...румынка. На него мгно-
...и ненависть. Злобно толкая
...рил шаг почти до бега.

...Ей вовсе не нужно было сейчас идти домой. Она ...говорилась встретиться с мужем в 17 часов. Но если бы она продолжила и дальше разговаривать с Якубом, то не успела бы сделать то, о чем внезапно подумала. Неожиданно ей захотелось узнать о нем как можно больше.

Она запустила на своем компьютере программу поиска. В поле запроса вписала его имя и фамилию. В точности так, как он записал их на информационной карте ICQ. Система поиска дала ей двадцать восемь адресов интернет-страниц, на которых он упоминается хотя бы раз. Она принялась открывать их одну за другой.

Большинство упоминаний оказались ссылками на его статьи или доклады, которые он читал на научных конференциях в самых разных экзотических местах. Ее всегда удивляло — да и сейчас тоже удивляет, — почему научные проблемы лучше всего обсуждать в Гонолулу, на Французской Ривьере, в Новом Орлеане, на острове Мадейра, в Сингапуре или в австралийском Кэрнсе у Большого Барьерного рифа... Видимо, даже ученым нужно что-то интересное на вторую половину дня. А быть может, все дело в их женах, которым надоели конференции в этом скучном Париже.

Три первые публикации были на польском языке. Они относились к тому периоду, когда он еще жил в Польше и работал во Вроцлавском университете. Все остальные на английском, и напечатаны они в основном в США. Она не смогла бы сказать, о чем они. Но догадалась, что он занимается разработкой программ, которые используются в генетических исследованиях. Она попыталась понять самую короткую статью, но отказалась, как только обнаружилось, что в словаре иностранных слов, который был у них в конторе, отсутствует большинство терминов, использованных в тексте.

Из короткой биографической справки явственно следовало, что он действительно обладает, «как каждый», всеми этими званиями, которых спокойно хватило бы на четырех человек. Кроме того, на основании дат выхода трех первых польских публикаций она прикинула, что ему не должно быть больше сорока.

Страница со списком его публикаций, своего рода электронная научная автобиография, имела всего один личный акцент. После названия первой статьи на польском языке он сделал сноску. Текст ее, напечатанный мелким шрифтом, содержал следующую информацию:

«Эта статья является результатом исследований в рамках моей магистерской работы. Ни одна моя публикация не важна для меня так, как эта. Полностью и всецело посвящаю ее Наталье».

Она несколько раз перечитала сноску. Этот мужчина, к которому полчаса назад она обратилась в Интернете, начинал поражать ее. Да, именно так. Поражать. Редко кто признается, что он преисполнен печали. И никто, что он был психически болен. И при этом он был так гениально мудр. И теперь еще вот это. Во-первых, какие-то «секвенции генов», какая-то «оптимизация нелинейных алгоритмов», какая-то «рекурсия второго порядка», а под конец «полностью и всецело посвящаю ее Наталье». Она знает его всего тридцать минут, а уже поймала себя на том, что ревнует его к какой-то женщине.

Она вызвала карточку с адресом электронной почты, который он сообщил ей. Jakub@epost.de. Она принялась писать. Через несколько минут ей позвонил муж, который ждал ее в машине внизу.

— Слушай, — сказала она ему, — подожди меня минут пятнадцать в кафе на той стороне улицы. Мне тут нужно закончить одно важное дело.

У нее было удивительное ощущение, что этот e-mail, который она сейчас писала ему, необыкновенно важен.

ОН: На следующий день он первым был в институте. Кристиана, ассистентка в секретариате, встретила его в кухне у кофейного автомата. Обычно она приходила раньше всех, но и исчезала тоже первая. Смеясь, она бросила ему:

— А я-то думала, что ночные клубы закрываются только в восемь утра.

— Крисси, — ей нравилось, когда ее так называли, — как это тебе удается в семь утра иметь настроение, какое у туристов на Сейшелах бывает в десять перед завтраком?

Она прекратила смеяться, посмотрела ему в глаза и сказала:

— А ты проведи как-нибудь со мною ночь и узнаешь.

Взяв стаканчик с кофе из автомата, она вышла из кухни. Никогда нельзя было понять, когда Кристиана говорит серьезно, а когда в шутку.

Он выбрал в автомате двойной эспрессо и возвратился к себе в кабинет. Почтовая программа на его компьютере за это время перенесла с институтского сервера все адресованные ему письма. Кроме ежедневно приходящих научных или информационных бюллетеней, раздражающего электронного мусора в виде идиотской рекламы вроде пришедшего сегодня предложения задешево приобрести участок для строительства на Багамах и нормальной научной корреспонденции, сегодня был e-mail от нее.

Его это даже не особенно удивило. Надо сказать, был один момент, когда он ехал на работу в метро и внезапно отложил газету, задумавшись, а сильно ли он будет разочарован, если она больше не напишет ему и исчезнет без всяких объяснений так же, как и появилась.

Ему давно уже не приходилось отрываться от чтения газеты, чтобы думать о женщине.

Он также отметил, что мысли о ней доставляют ему удовольствие. И это удовольствие совершенно другого рода, чем от мыслей о векторном представлении траверсированных узлов в сетках Петри. Абсолютно ничего похожего. Она была вызывающей, подумал он. Да, именно так. Женщину, которую встречаешь в реальной жизни, можно определить как вызывающую по ее внешности, по тому, как она двигается. Но и в Интернете в некотором смысле действовал точно такой же механизм. Вызывающий облик, слишком яркая, не соответствующая времени дня косметика, демонстративное покачивание бедрами или чрезмерно глубокое декольте были заменены в Сети преувеличенной непосредственностью либо провокативными или слишком глубоко нацеленными и чересчур личными вопросами. Такое поведение очень часто прикрывает неуверенность, робость, страх, комплексы или простую впечатлительность. В метро он задумался, не действует ли и у нее этот же самый механизм. Он не смог сдержать улыбку, вспомнив ее вопрос: «Скажи только, какое у тебя образование».

Потом он поймал себя на том, что ему хочется, чтобы она была красивая. И в этом смысле виртуальность ничегошеньки не меняет. Мужчины до того тщеславны, что жаждут, чтобы даже в Интернете с ними знакомились только красивые женщины. И неважно, что в данном случае красота не играет никакой роли. Она незрима и потому несущественна. Но мужчины, даже совершенно случайно выбранные для знакомства, хотят верить и по преимуществу свято верят, что являются настолько исключительными, что привлекают внимание только красивых женщин. Он представлял себе, как многие из этих мужчин, сидя у своих компьютеров, втягивают животы либо прикрывают остатками волос слишком большие залысины. Этакая инстинктивная реакция истинных самцов, перенесенная с пляжа в Интернет. Неужто эволюция остановилась и только меняет декорации? А может, то, что сейчас происходит, на самом деле называется эволюцией?

По правде сказать, он не знал, что в данном случае означает «красивая». И опять подумал о Наталье. Неужели красивой была только она одна? Неужели так будет всегда?

Да, он был бы разочарован, если бы она не написала ему. Очень разочарован. И, выходя утром из метро, он был в этом абсолютно уверен. Теперь же, увидев этот e-mail, почувствовал... он даже не знал, как это назвать... почувствовал, что она его не обманула. Он сразу начал читать:

Варшава, 30 января

О твоем существовании я узнала около 16.30. Сейчас в Варшаве всего 17.15, а ты уже сумел удивить меня, поразить, заинтересовать, растрогать, вызвать зависть, опечалить и обрадовать. В последнее время у меня мало переживаний, оттого я острей воспринимаю подобные чувства.

Ты был прав, когда сказал, что ни в каком совете я не нуждаюсь. Мне попросту надо было высвободить это из себя, кому-то рассказать. Теперь я даже знаю, что меньше всего я хотела бы рассказать это тебе. Кроме того, это вдруг стало слишком банальным, чтобы тратить на это твое время.

У меня столько информации о тебе, что мне захотелось, чтобы и ты что-то узнал обо мне. Мне 29 лет, я живу в Варшаве, и уже пять лет с мужчиной, который является моим мужем, у меня длинные черные волосы, а цвет глаз зависит от моего настроения.

Ты даже не представляешь, как я рада, что у меня в компьютере есть ICQ и у тебя тоже.

С 16.30 я радуюсь.

До завтра.

Если позволишь.

Он несколько раз перечитал этот e-mail. И всякий раз, доходя до фрагмента о муже, взглядом перескакивал через несколько слов. А при последнем чтении попросту не заметил его.

Включая свой ICQ, он взглянул на часы. «Может, она уже пришла», — подумал он.

ОНА: На работу она пришла гораздо раньше, чем обычно. Муж уезжал утренним поездом в Лодзь, и она попросила, чтобы он взял ее и довез по пути на вокзал до ее фирмы. Муж удивился, зная, как она любит утром поспать. Если бы не два будильника, поднимающие трезвон один за другим, она никогда и ни за что не встала бы вовремя.

А она действительно очень любила поспать. Особенно в последнее время. Ей снились необыкновенные сны. Вечером она из ванной шла в кухню, выпивала кружку теплого молока и заранее радовалась снам, которые она увидит. Иногда она просыпалась среди ночи, прекрасно помня последний сон, пила молоко и вновь возвращалась в сновидение. В то самое сновидение и в то самое место, на котором оно прервалось.

Сны были словно побег. Они с мужем переживали трудный период их брака. Все стало каким-то поверхностным. Муж захлебнулся богатством, которое приносили ему его проекты. Он впал в зависимость от денег и работы. Никогда раньше у него не было денег, и теперь он не умел справляться с ними. Внезапно все, что можно было купить, оказалось вполне достижимым. Нужно было только реализовать очередные проекты. Машина, стоящая у дома. Новая квартира в хорошем районе, где эта машина не казалась диссонансом. Всякая техника, которая через полгода оказывалась устаревшей.

Он работал с рассвета и до рассвета, воскресенье путал с четвергом. Покупал новую технику. Брал новые проекты. «Еще один год, и все. Мы только купим тебе машину и дачу около леса», — говорил он, когда она спрашивала, нельзя ли продлить уик-энд на денек и поехать в Закопане.

«И вообще просто поговорить, как раньше», — думала она.

Они не разговаривали, «как раньше», уже очень, очень давно. У них становилось все больше техники и все меньше общения. Как-то она, не подумав, пожаловалась на это матери. И услышала, что она дура, не понимающая, какой замечательный, работящий муж ей попался. Ее родители радовались каждому новому приобретению в их доме так, словно они сами это купили. У нее было впечатление, что отец, если бы только мог, приходил бы к ним на ночь и помогал бы ее мужу делать все эти проекты. Они гордились ее богатством и с наслаждением рассказывали о нем всем, кто желал, а порой и не желал слушать.

Они гордились зятем, а она увлеклась бельгийцем. Они встретились снова меньше чем через два месяца после той берлинской «сходки». В Варшаве. Когда он явился к ним в контору с букетом цветов, загорелый, пахнущий хорошим одеколоном и, как всегда, безукоризненно элегантный, и сказал секретарше, что забирает «мадемуазель» — хотя прекрасно знал, что она замужем, — на бизнес-ланч в «Бристоль», она почувствовала себя выделенной из всех.

У него было время. Снова у мужчины было время на нее! Он слушал ее, был остроумен, деликатен, предупредителен и привлекал к себе взгляды всех женщин в ресторане. После он присылал ей мейлы и толстые, яркие, пахнущие его одеколоном приглашения на совместные поездки в Париж, Будапешт или Берлин. Порой она задумывалась, а что бы на самом деле произошло, если бы она набралась смелости принять однажды такое приглашение.

А он звонил. Говорил спокойным голосом. Слушал. Шептал. Иногда шептал по-французски. Это ей нравилось больше всего. В серой, скучной жизни их фирмы он был как открытка, присланная из отпуска и пробуждающая мечты о переменах и экзотике. Она уже начала считать, что является для него кем-то исключительным.

А меньше месяца назад, сразу же после Нового года, их фирма устроила встречу в Щирке с самыми крупными своими клиентами. И он тоже должен был там быть! Она знала, что он приехал раньше и встречал в Щирке новогодний праздник. Она с радостью предвкушала эту поездку. Правда, чуть-чуть побаивалась возможных сценариев, возникавших у нее в голове в связи с ним, но, невзирая на это, а может, как раз благодаря этому, была счастлива и возбуждена.

Она устроила так, чтобы быть в Щирке днем раньше. Хотела сделать ему сюрприз. В пансионат она с вокзала приехала на такси. Уставшая после целого дня в поезде. И первое, что она увидела, когда вошла в ярко освещенный холл, где находилась стойка портье, был «ее» бельгиец, сидящий в баре рядом с портье и целующий маленькую шатенку, которая с готовностью подставляла его губам шею, куда и были нацелены его поцелуи. Они держались за руки. Ее он не заметил, так как сидел спиной ко входу.

За все три дня пребывания в Щирке она не обменялась с ним ни словом, если не считать вежливых «здравствуйте». В принципе, у нее не было никакого права на его верность и даже что-либо гораздо менее существенное в том же роде. Кроме его ухаживаний и интереса к ней, а также того, что у нее закружилась голова, ничто их не связывало. Но бельгиец вполне мог не знать о том, что у нее закружилась голова, и имел полное право целовать в шею всех шатенок в этом пансионате.

И тем не менее она чувствовала себя уязвленной и преданной. Исподтишка она присматривалась к нему во время этой встречи в Щирке. И теперь он не казался ей таким уж безукоризненным. Оказывается, он очень низкорослый и делает чудовищные ошибки в английском. А сверх того, в один из вечеров она увидела в баре, что он уложил прическу гелем. Ей показалось это смешно и до неприличия претенциозно.

Тем не менее ей нужно было время, чтобы излечиться от бельгийца. Она пыталась сблизиться с мужем и найти у него хоть капельку нежности, в которой она так нуждалась. Она жаждала обычного разговора. О книжке, о фильме, о предназначении. О чем-то, что не связано было с будничными делами, покупками, деньгами и воскресными обедами у матери. Но у мужа не было для нее времени в перерывах между работой над проектами. Да, по сути дела, и перерывов этих не было.

И тогда она начала видеть сны. Она выпивала молоко, ложилась в постель и смотрела сны. Утром просыпалась словно очистившаяся. Как будто все, что мучило или беспокоило ее, она пропустила через фильтр подсознания и очистила в сновидениях. Однажды, но это уже было гораздо позже, она затронула эту тему в разговорах с Якубом. Он написал ей нечто, с чем она полностью согласилась:

«Сон, всякий сон — это психоз. Со всем, что присуще психозу: смешением чувственных ощущений, безумием, абсурдом. Своего рода кратковременный психоз. Безвредный, начинающийся с согласия человека и кончающийся по его воле пробуждением. Очищающий. Так, по крайней мере, утверждает Фрейд. А он был знаток этой сферы».

Но со вчерашнего дня все стало иначе. Бельгиец вдруг оказался несущественным. Точь-в-точь как соученик из начальной школы, чье имя припоминается, словно в тумане. Сегодня ей опять снился сон, но утром она прервала сновидение без обычного недоверия, что это действительно конец и что надо начинать думать. Сегодня ей хотелось как можно скорей приехать на работу. Вчера она открыла чуть больше десятка из двадцати восьми интернетовских страничек с его именем и фамилией. И сегодня хотела, прежде чем войдет в ICQ, просмотреть остальные. Поэтому она рано встала и попросила мужа подвезти ее к фирме. Чтобы у нее было время заняться этим, прежде чем придут остальные сотрудники.

Она открывала страницу за страницей. И уже утрачивала надежду. Всюду информатика, генетика, какие-то бессмысленные отчеты о конференциях, статьи, которые были выше ее понимания. То была, кажется, предпоследняя страничка в списке из 28 адресов. Она щелкнула мышью и появился текст: «Боже, помоги мне быть таким человеком, каким считает меня моя собака». Она улыбнулась. Подумала, что это поразительно мудрая просьба. Потом улыбалась почти все время. Это была его собственная, личная интернет-страничка! Тоже генетика, но на этот раз его собственные гены.

Он рассказывал о себе. Она знала, как нелегко выбрать интересную информацию о себе и выставить ее для всеобщего обозрения на веб-странице. Когда-то она тоже подумывала сделать в Сети свою страничку, но отказалась от этого намерения — главным образом потому что не знала, что рассказать о себе, чтобы это не выглядело безвкусно и банально.

А он очень здорово обошел эту трудность: он сосредоточился на других и через других рассказывал о себе. Он говорил, как важны для него Моцарт, Шопен, Моррисон, какие стихотворения Рильке он знает наизусть, а какие только собирается заучить (кстати, мысленно улыбнулась она, кто в наше время еще учит стихи наизусть?). Рассказывал, какие книги читает и что о них думает, а какие больше никогда в жизни не возьмет в руки. Представил химические формулы некоторых веществ и очень интересно рассказал, как чувствует себя при их недостатке или избытке. Она была потрясена, читая, что с человеком может сделать допамин и на что нужно обращать внимание, чтобы справиться с дефицитом или переизбытком тестостерона.

Он демонстрировал неправдоподобно красивые фотографии Нового Орлеана и убеждал всех, что это один из самых замечательных городов на свете. Кроме Нового Орлеана, он упоминал Дублин, Бостон, Вроцлав, Принстон, остров Уайт (она не имела ни малейшего представления, где находится этот остров), Сан-Диего, Куала-Лумпур и Краков — словно станции на линии пригородной железной дороги. У его мира не было границ. Он рассказывал о науке, о Вселенной, о мудрости и мозге. Мозг был его страстью.

Когда позже она проанализировала его страничку, то пришла к выводу, что он скорей всего человек несмелый. Он не мог напрямую писать о себе. Он рассказывал о том, что думает, что чувствует, чем восхищается и даже хочет, ссылаясь на стихи, авторитеты и науку.

Из этой страницы она не узнала ничего, что могло бы ее встревожить. На ней не упоминалась женщина — за исключением женщины из стихотворения Рильке, — которая занимала или сейчас занимает какое-то место в его жизни. Для нее это была ценная информация.

Если бы ей нужно было одним словом охарактеризовать его на основе этой интернет-страницы, то она использовала бы, пожалуй, одно-единственное — впечатлительность. А вторым словом, пришедшим ей на ум сразу же после впечатлительности, было «печаль». Его страница была исполнена печали. Печали и грусти. Она не знала, по чему или по кому, но ей было совершенно ясно: он грустит.

Ну а кроме того, вся его страница была похвалой мудрости. Она задумалась, прочитав последнюю фразу: «Будь мудрей других и не показывай им этого...» В этот момент пришла секретарша, которая не сумела скрыть удивления, увидев ее за компьютером. До сих пор — а они работали вместе уже пять лет — не случалось такого, чтобы она пришла раньше секретарши. Та, правда, ни словом это не откомментировала, но было видно, что она ищет повод пройти к ксероксу или полкам с делами у окна и по пути бросить взгляд на экран монитора.

Секретарша эта была самое любопытное существо из всех, кого ей довелось встречать в жизни. И теперь всякая аноректически худая женщина — а именно к такому типу принадлежала секретарша — автоматически ассоциировалась у нее с безмерным любопытством. А уж эта ее худоба! Непристойная, провокационная, вызывающая и недостижимая худоба! После взгляда на нее не хотелось пить даже минеральную воду, потому что возникало подозрение, будто и в ней слишком много калорий. Как-то ей пришло в голову, что секретаршу при ее худобе вполне можно переслать по факсу.

Мнение об аноректически худых женщинах начало у нее медленно, но неуклонно меняться только после того, как польское телевидение приступило к демонстрации сериала «Алли Макбил». Когда она стала обнаруживать некое сходство с собой в невротических отклонениях либо поведении сверхвпечатлительной главной героини, такой же тощей, как их секретарша, ее предубеждение начало потихоньку развеиваться.

Она закончила чтение его интернет-страницы и ощутила тревогу.

«Только бы он был, только бы захотел быть, только бы не исчез», — обеспокоенно подумала она.

Она включила свой ICQ. Он был online.

Она напечатала: «Якуб, я по тебе скучала».

ОН: Он работал. Заканчивал тестировать программу для отсылки в Варшаву. Точнее, ждал, работая. Наконец-то! ICQ дал знать, что она online. Он щелкнул на мигающей желтой карточке в правом нижнем углу экрана.

Никакого «здравствуй», никакого «как себя чувствуешь?». Сразу же: «Якуб, я скучала по тебе». Он стиснул зубы. Как всегда, когда случалось нечто, с чем он не знал, как справиться или как отреагировать. Его отец тоже так делал.

Он уже давно, то есть много лет, был убежден, что никто по нему не скучает. Это был его собственный выбор. Нет ничего несправедливей, чем скучать по кому-то без взаимности. Это даже хуже, чем любовь без взаимности. Стократ хуже. После Натальи он уже ни по кому и ни по чему не мог скучать. Как будто все в нем выгорело. Разве что иногда по родителям. Верней, не скучал, а тосковал. В дни их рождения, годовщины смерти или день поминовения усопших.

И ему казалось, поскольку сам он не был способен скучать, что честней жить так, чтобы и по нему никто не скучал. Но и это не получилось. После того послания от Дженнифер он понял, что не всегда удается так жить. Это случилось не то в апреле, не то в мае прошлого года. Ему никак не забыть то парализующее чувство вины, какое он ощутил, прочитав в поезде, следующем из Берлина в Варшаву, ее электронное письмо. Раньше ему не доводилось читать столь потрясающего рассказа о том, как можно тосковать по другому человеку. Он напечатал:

Здравствуй. Как я рад, что ты есть. Я ждал тебя.
Ждать. Не то ли это же самое, что скучать?

Она открыла чат.

ОНА: Нет. Для меня нет. Когда я жду, я не просыпаюсь в 5 утра, отказываясь от самых лучших снов. И не прихожу на работу, когда еще нет семи. Когда я жду, молоко не кажется мне безвкусным. А когда скучаю, да.

ОН: Запомню. Особенно насчет молока. Я спросил, потому что мне казалось, что уже много лет по мне никто не скучает. И когда вместо «здравствуй» я читаю такое, то в первый момент мне захотелось обернуться и посмотреть, не сидит ли кто-то позади меня. Но позади меня никто не сидит.

ОНА: Это было написано тебе. Только тебе. У меня впечатление, что ты привыкнешь. Вот увидишь.

ОН: Расскажешь что-нибудь о себе? Я уже знаю. Что ты видишь сны. Любишь молоко и скучала по мне. А можно узнать что-то еще?

Большие ли у тебя глаза? Лоб высокий? Ножка маленькая? Засыпаешь ли ты на боку? Пушистые ли у тебя волосы? Говоришь ли ты по-английски? Любишь ли ходить под дождем? Любишь ли оперу? Облизываешь ли губы языком? Веришь ли в Бога? Любишь ли ягоды?

ОНА: Вопросы на экране появлялись один за другим. Как будто у него был готов какой-то неупорядоченный список, и он просто перепечатывал его. Некоторые вопросы никто ей ни разу не задавал. Никто никогда. И муж тоже. А она с ним живет уже пять лет. Она напечатала:

Скажи только одно: почему ты все это хочешь знать?

ОН: Потому что... я тоже скучал по тебе.

ОНА: Я все тебе расскажу. У нас ведь, правда, много времени?

Уже с первого дня разговоры с ним были подобны переживаниям, которые не забываются. Объяснений она бы привести не смогла, но не считала, что происходящее между ними развивается слишком быстро. Вчера в эту пору она его еще не знала. А сегодня через минуту ответит ему, на каком боку она засыпает. И если бы он спросил ее, спит ли она голая, она без колебаний ответила бы: да, голая. В Интернете ли причина или в отсутствии у нее переживаний, а может, это просто он так действует на нее, заставляя быть такой откровенной? А возможно, ей хочется наконец рассказать кому-то о себе и быть уверенной, что этот кто-то хочет выслушать ее и у него есть на это время?

ОН: Внезапно ему захотелось знать о ней все. И неважно, что он ее не видит. Она сама расскажет ему то, что он мог бы увидеть. Расскажет своими словами. И это будет именно так, как хотела бы она, чтобы он видел ее. И он в это поверит и такую будет забирать ее — мысленно — домой и в свое воображение. Ибо в Интернете самое главное — слова и воображение.

Каждый разговор, каждая встреча с нею в Интернете воссоздавали настроение свидания. Они были по-своему торжественны, он ждал их, и никогда не было известно, как они кончатся. Кроме того, фраза «Якуб, я скучала по тебе», которой она каждое утро приветствовала его, всякий раз его трогала.

Приветствовала она его так почти каждый день. За исключением суббот и воскресений. И оттого в понедельник это «Якуб, я скучала по тебе» звучало как подтверждение, что все продолжается. Потому после 30 января понедельник стал его любимым днем недели.

С понедельника по пятницу они разговаривали обо всем. О Боге, о деньгах, о погоде в Варшаве, о том, какой крем лучше всего для смешанной кожи, об Интернете, о генах и хромосомах, о цвете ее волос, об оттенке ее голоса, о методах предупреждения беременности, о музыке, об упадке философии, о математике. О запахе ее духов вечером и утром. Обо всем. Любая тема, если он обсуждал ее с ней, становилась захватывающей. Любая что-то сообщала о ней.

Он потряс ее сообщением, что у него нет машины и что он с радостью, как только кончится зима, вновь оседлает свой мотороллер. Он никогда не забудет ее юмористический комментарий:

У тебя нет машины? В Германии без машины? — удивилась она. — А что же ты делаешь в уик-энды? Ведь немцы в уик-энд занимаются главным образом мытьем своей машины. Я слышала, что в Германии только душевнобольные, студенты да коммунисты не моют по субботам свои машины.

А потом приписала, что если все-таки он решится купить что-то, чтобы было что мыть по субботам, то пусть купит внедорожник, лучше всего полноприводный «мицубиси».

Но ты все это прекрасно знаешь и без меня, — приписала она в конце.

Само собой, ничего этого он не знал. Впрочем, у него не было и малейшего желания знать. Это должен знать продавец в фирме «Мицубиси». Но тот факт, что она знала подобные вещи, показался ему... очень «секси». Этот совет относительно полного привода она дала ему в конце дня. А он после ланча никак не мог остановиться и все попивал прекрасное «мерло» из Чили, которое он совсем недавно открыл. Он представил себе, что они на природе, очень и даже очень off-road, и у них просто замечательные возможности исследовать полный привод...

Разумеется, не знаю, — ответил он, — но запомню: полный привод.

И добавил, тотчас же пожалев об этом:

Какого цвета белье на тебе сегодня?

Уж слишком это было впрямую. Они были знакомы всего два месяца. Она не ответила. Только спросила:

А какого цвета белье ты охотнее всего снял бы?

Если бы она спросила, например: «А какой цвет тебе нравится больше всего?» — это не произвело бы такого действия.

Зеленый. Все оттенки зеленого, — ответил он ей.

Зеленый. Запомню. А сейчас, Якуб, я должна уже идти. Не работай слишком много в этот уик-энд.

И она исчезла, не дожидаясь ответа, оставив после себя лишь уведомление системы ICQ: User went offline.

Как он ненавидел это уведомление! Особенно по пятницам в конце рабочего дня. Внезапно в его кабинете становилось так пусто. И в нем поднималось чувство, являющееся смешением горечи, обиды на нее, разочарования и одиночества. Всего сразу.

Он прекрасно знал, что тут нужно просто переждать. А кроме того, выбора у него не было. Она не принадлежала ему. И потому всегда в пятницу у него в кабинете или в холодильнике в кухне вина было больше. Когда она выходила из ICQ и возвращалась в свой реальный мир, там, в Варшаве, он залпом выпивал бокал вина и тотчас же наливал следующий.

Началось это у него уже в начале марта. В середине апреля он обнаружил, что уик-энд — это такие два дня, в которые незачем идти на работу. А с конца апреля он скучал по ней уже по-настоящему. Случалось, что в субботу вечером он садился на мотороллер и ехал через весь Мюнхен в институт, чтобы проверить, не написала ли она ему. «Может, она что-нибудь оставила на работе и пришла в субботу забрать, а там компьютер стоит, вот она и написала», — думал он.

Однако же нет. Ничего она на работе не оставляла. И в субботние вечера в его электронном почтовом ящике не было никаких посланий от нее. Каждый раз он чувствовал себя слегка разочарованным, но ни разу ей об этом не сказал. А потом наступал понедельник. У кофе был такой замечательный вкус. Он включал компьютер. Маленькая желтая карточка сулила конец ожиданию. Он щелкал по ней, читал: «Якуб, я по тебе скучала», и обещание исполнялось. На целых пять долгих дней. До пятницы.

Только в пятницу утром нужно было не забыть купить побольше вина по дороге на работу.

ОНА: С тех пор как она стала переговариваться с ним по ICQ, служебный кабинет превратился как бы в место тайных свиданий. И все ей в нем стало вдруг нравиться. Компьютер, прежде такой серый, слишком большой и слишком шумный, цветы на подоконниках, которые она забывала поливать, ее старинный письменный стол, и даже запах новых духов секретарши, чья худоба перестала быть неким укором, когда она что-нибудь ела при ней, даже йогурт нулевой жирности. Секретарша вдруг прекратила быть для нее существом с фотографии из репортажа о голодающей Эритреи. Теперь она могла съесть при ней целый кулек «коровок» и ни разу не подумать о калориях.

Вдруг ей стало безразлично, что муж опять взял несколько проектов на несколько следующих месяцев и что совершенно точно до конца сентября они не поедут в отпуск в Закопане, да и вообще никуда. Примерно с конца марта главным для нее стало прочитать утром e-mail от него, до обеденного перерыва сделать как можно больше из того минимума, что от нее требовали в фирме, и сразу же потом встретиться с ним по ICQ. Идеальным вариантом было разговаривать с ним до самого ухода. Но такое удавалось редко, так как обоим приходилось работать. Но иногда все-таки получалось. Однако всегда перед ее уходом с работы они встречались в Сети, чтобы попрощаться,— если только он находился у себя в кабинете в Мюнхене, а не путешествовал или не вынужден был выйти до нее.

Они разговаривали практически обо всем. Каждый будничный день обо всем, что становилось небудничным. И с каждым словом, с каждой фразой он делался ей все ближе. Она никак не могла вспомнить, чем заполняла время в этом кабинете, прежде чем отыскала его.

Не разговаривали они только о ее муже и его женщинах. Эти две темы им так и не удалось ввести в их беседы. То, что не возникала тема ее мужа, было как бы следствием неписаного уговора между ними. Когда же она заметила, что, описывая свою жизнь, он полностью умалчивает о том, что она обозначала множественным числом, она решила перейти на единственное. Поначалу она не понимала его позиции. Позже, когда они стали необходимы друг другу и их дружба, хоть они и не называли ее так, постепенно становилась чем-то, преисполненным нежности и интимности, она поняла, что так будет гораздо лучше. И для нее тоже.

Тему его женщин она затрагивала напрямую либо укрывала в вопросах или в провокациях к комментариям. Чаще всего он просто-напросто игнорировал такие вопросы. Но изредка реагировал, отвечая:

Когда-нибудь я расскажу тебе об этом. Подробнейшим образом. Но не теперь. Извини.

Она узнала только, что сейчас он одинок и единственная женщина, с которой он беседует о любви и «Героической симфонии» Бетховена,— она. Это ее успокоило, но не надолго. Тревожная жажда узнать его прошлое не отпускала ее.

А он был такой деликатный. Загадочным образом чувствовал, почти безошибочно, ее настроения. Никогда не пытался развеселить ее шуткой, если подозревал, что ее грусть отнюдь не является оборотной стороной смеха. А однажды ни с того ни с сего спросил:

У тебя всегда эти периоды проходят болезненно?

Откуда он знал, что она испытывает страшные боли? В такие дни он не пытался с ней дискутировать, так как прекрасно знал, что женщины в этот период часто бывают непредсказуемы. Чаще всего что-нибудь ей рассказывал, не выспрашивая ее мнения. Начинал он обычно так: «А сейчас сядь поудобнее, расслабься и слушай». В один из таких дней она спросила его:

Якуб, тут везде говорят, пишут, а теперь даже и поют о генах. Каждый считает своей обязанностью иметь собственное мнение на эту тему. Я знаю, что в Америке занимаются дешифровкой генома. Это обязательная тема не только разговоров, но и восторгов. Нынче прямо-таки полагается восхищаться геномом, и не только собственным. Расскажи мне, пожалуйста. Как расшифровывают этот самый геном. Так, чтобы я поняла. При этом прошу не забывать, что меня ничего не связывает с генетикой, кроме того, что я знаю тебя и имею гены.

Предполагая долгий разговор, она включила чат.

ОН: Почему тебе захотелось узнать это именно сейчас?

ОНА: Главным образом потому, что ты уже давно не рассказывал мне ничего интересного, а ты ведь знаешь, как я люблю читать то, что ты рассказываешь. А кроме того, я на уик-энд пригласила нескольких знакомых. Одного из них я не выношу, терплю только потому, что он является мужем и в этом качестве самой большой жизненной ошибкой моей сотрудницы, с которой я дружна. Обычно он прочитает что-нибудь в энциклопедии и весь вечер выпендривается. Мне уже давно хочется проучить его. Я громогласно спрошу его за столом, как на практике дешифруется геном. Уверена, что этого он еще не прочитал, и тут-то я при всех растопчу его своей эрудицией. Точней сказать, твоей. Надеюсь, после этого вечера он будет посылать к нам свою жену, а его ноги в нашем доме больше не будет.

ОН: Прекрасный повод. Ты просто восхищаешь меня своими идеями. А с геномом все довольно просто.

ОНА: Погоди минутку. Я только что устроилась поудобнее в кресле. Когда я держу ладонь на животе, мне не так больно. Ну а теперь рассказывай.

ОН: Хорошо, но сначала скажи мне, какой у тебя живот. Плоский, выпуклый, загорелый или совсем белый?

ОНА: Пожалуй, с этого дня и с этого вопроса постоянной темой в их беседах стала телесность. Вопрос этот был — как ей показалось — тестом, как далеко можно зайти, спрашивая про ее тело.

«Уже давно он мог бы зайти куда как дальше», — растроганно подумала она, прочитав этот вопрос.

Впоследствии ее тело часто становилось темой их разговоров. Деликатно, но систематически он расспрашивал ее обо всем. Больше всего его интересовали ее глаза, губы, руки. Однажды он написал:

Я вчера был в парфюмерном магазине и видел, как женщины с удовольствием прыскали себе на внутреннюю часть запястья новые духи, а потом нюхали их. Глядя на них, я вдруг понял, с каким наслаждением я целовал бы твои запястья.

И он сразу же задал тот самый вопрос. Впервые он отважился на такое. До той поры он старательно обходил все темы, которые могли бы вынудить ее рассказать что-то о других мужчинах в ее жизни. Из прошлой или из нынешней. А тут он вдруг спросил:

Кто-нибудь целует тебе запястья?

Ей тогда стало так грустно. Она коснулась пальцами экрана монитора. И почувствовала, что должна ответить.

Никто никогда не целовал и не целует мне запястья. Ни с какой стороны. До тебя никто даже на секунду не проявил интереса к моим запястьям. — И она тут же допечатала: — Когда мы встретимся, ты ведь будешь их целовать, да?

Тогда он ей ничего не ответил.

ОН: Наверно, я не дождусь от тебя ответа. Расскажешь мне про свой живот в другой раз.

А теперь вернемся к геному. С тех пор как появились компьютеры, определение последовательности строения ДНК, которая содержится в ядре каждой клетки, стало задачей не столько генетиков, сколько программистов. И поскольку всю работу, если уж честно, ведут они, я с них и начну. Генетики и биологи только предложили идею, как предоставлять им данные для обработки. А данных этих много, безумно много. И сейчас ты поймешь, как много.

Как ты несомненно знаешь, ген — это не что иное, как последовательность около 3,5 миллиардов простых органических оснований, которые располагаются подобно ступенькам лестницы между двумя нитями из фосфата и сахара. Эти тончайшие нанометрические нити свиваются в знаменитую двойную спираль, о которой нынче у каждого есть что сказать.

Благодаря химическим связям основания образуют пары, составляющие ступеньки лестницы, которые соединяют обе нити. У этих оснований есть названия: гуанин, цитозин, аденин и тимин. Но куда известней их инициалы — Г, Ц, А, Т. Расшифровка генома состоит всего лишь в установлении очередности пар АТ и ЦГ в этой лестнице. Не более того. Необходимо установить очередность около 3,5 миллиардов пар букв АТ или ЦГ. Много ли это? Если бы каждая буква А, Т, Г и Ц была шириной всего один миллиметр, то после расположения всего генома в ряд он оказался бы длинней голубого Дуная. А это как-никак самая длинная река в Европе. Чтобы прочесть их все, потребовалось бы более ста лет. Немало, да?

Чтобы переработать столько данных, нужно иметь много компьютеров и хорошие программы. У одной из главных фирм, уже давно занимающейся расшифровкой генома, операционная мощность компьютеров, установленных в ее лаборатории в Роквилле, значительно больше, чем во всем Пентагоне. К счастью, никому это не мешает. Без этого нельзя даже и думать о расшифровке ДНК. Количество информации, производимой генетической лабораторией средней величины, в 20 тысяч раз больше, чем та, что заключена во всех произведениях, созданных гениальным и исключительно творчески плодовитым Бахом в течение всей его жизни.

Как получать данные о последовательности оснований в ДНК, придумали, разумеется, биологи и генетики. Пятнадцать добровольцев в США, которым гарантировали сохранение анонимности, дали согласие на извлечение нитей ДНК из ядер клеток их крови и спермы. Нити эти ввели в клетки любимой биологами-экспериментаторами бактерии E. coli, и клетки эти, содержащие человеческую ДНК, размножаются в сногсшибательном темпе. Колонии E. coli производят ДНК, как маленькие фабрики. Над этими колониями перемещаются роботы, которые проверяют размноженные бактериями E. coli нити ДНК, отбирают лучшие экземпляры, а также делят нить на 60 миллионов коротких фрагментов. Каждый такой фрагмент содержит не более 10 тысяч пар АТ или ЦГ. Фрагменты эти отправляются в капиллярные трубки, составляющие часть технологически изощренных устройств для дешифровки генома.

Я могу, конечно, сообщить тебе названия и параметры роботов и этих устройств, чтобы ты могла окончательно пришибить этого умника, питающегося энциклопедией. Скажи мне, если ты хочешь.

Капиллярные трубки засасывают кусочки нитей ДНК. Они перемещаются вдоль стенок капилляров вверх и ступенька за ступенькой выходят наружу. АТЦГЦГАТ... и так далее. Каждая такая ступенька или пара оснований, как только она выходит из капилляра, тут же освещается сильным лучом лазерного света. А поскольку ступенька — это основание, то есть химическое соединение, она испускает флюоресцирующий свет определенного спектра. Спектр пары оснований, вышедших наружу из капилляра, тотчас преобразуется в численную величину и передается в компьютер для анализа.

Лазер, направленный на капилляр, излучает свет с частотой в диапазоне синей части спектра, оттого слегка затемненные лаборатории, где анализируется ДНК, выглядят, если смотреть на них в окна, как таинственные голубые залы из научно-фантастических фильмов. Как-то я провел несколько дней в одной из таких лабораторий в Бостоне. По вечерам я иногда подходил к окнам, за которыми в голубоватом полусвете цвета ясного неба роботы и тончайшие механизмы пытались расшифровать то, что, возможно, зашифровал Творец. И когда забываешь обо всех этих компьютерах, лазерах и капиллярах, можно подумать о том, что ты являешься свидетелем гигантского труда, предпринятого человеком. И мне неизменно тогда приходили мысли о мудрости, о Боге и о том, какое это великое счастье — участвовать в таком труде.

Знаешь ли ты, что синева, царящая в лабораториях, может быть так же прекрасна, как синева моря?

Ты по-прежнему сидишь в кресле и читаешь этот текст или уже заскучала и уснула? Боль уже немножко прошла?

ОНА: Когда он закончил писать, она продолжала неподвижно сидеть в кресле и думала, что совершенно случайно повстречала необыкновенного человека. И что ей хочется, чтобы он был всегда. Рядом с ним, как ни с кем другим на свете, она чувствовала себя по-настоящему избранной и единственной.

Впервые, сидя в этом кресле, она испугалась, что он может перестать быть частью ее жизни. Она уже не представляла себе такого. И задумалась, почему ощутила это именно сейчас, читая о синеве лабораторного зала, где машины занимались расшифровкой гена.

ОН: Рассказывая тебе все это, я начисто забыл про собрание, о котором нам объявили еще на прошлой неделе. В последнее время я с тобой забываю о многих вещах. Только что мне позвонили и сказали, что все дожидаются одного меня. Придется идти. Прямо сейчас. Извини.

Встретимся позже. Береги себя.

ОНА: Он ушел, и сразу стало так пусто и ужасающе тихо. Она напечатала:

Вдруг так тихо сделалось в моем мире без тебя.

ОН: Собрание затянулось. Только через два с лишним часа он смог вернуться к компьютеру у себя в кабинете.

Он взглянул на часы. Было уже очень поздно.

«Ее уже определенно нет online», — разочарованно подумал он, глядя на мигающую в правом нижнем углу экрана монитора желтую карточку, оповещающую о ее сообщении.

Он щелкнул по карточке и прочел. И сразу почувствовал, что задыхается. Тревога, страх и стеснение в грудной клетке. У него дрожали руки. Он-то думал, что это уже прошло, присыпанное толстым слоем песка событий его жизни, с лихвой искупленное всем, что он пережил после тех дней. Однако запись боли в одном пространстве памяти нельзя стереть записями счастья в других.

Он прочел это одно-единственное предложение, и все вернулось. С тем же отчаянием, болью, слезами, неконтролируемым подергиванием век, стискиванием кулаков и бессилием. Точно так же. Как тогда, он почувствовал солоноватый привкус крови из прикушенной губы. Короткое, неглубокое дыхание. Это вернулось с абсолютно всеми симптомами. Даже с тем же неодолимым желанием закурить. А он ведь уже семь лет не курил.

Подперев левой рукой подбородок, он, как парализованный, сидел перед монитором и со слезами на глазах вглядывался в эту фразу. Через минуту он осознал, что не хотел бы, чтобы кто-нибудь сейчас вошел к нему в кабинет и увидел его в таком состоянии. Он встал со стула и пошел в душевую. Освежившись холодной водой и придя немного в себя, он возвратился к компьютеру и написал ей e-mail.

Ты неоднократно спрашивала меня о женщинах. Но смирялась с тем, что я или не отвечаю, или откладываю ответ на неопределенное время. Но вот ты написала это предложение, и настала пора рассказать тебе об этом. Правда, делаю я это скорей ради себя, чем для тебя. То, что ты прочтешь, иногда будет ошеломляющим и, вне всяких сомнений, преисполненным печали. Поэтому, если не хочешь печали, не читай это сейчас. И поэтому я пишу тебе e-mail вместо того, чтобы рассказать это по ICQ. Основная причина — чтобы ты могла выбрать момент, когда решишь это прочитать.

Не читай, если тебе плохо. Тебе станет еще хуже. Прочти, когда ты будешь в серьезном настроении и склонная к рефлексии. И не плачь. Все было оплакано уже столько раз.

Представляешь, я даже понятия не имею, как могут выглядеть твои глаза, когда в них стоят слезы.

В принципе, в моей жизни до сих пор имела значение только одна-единственная женщина. Ее звали Наталья. Встретила она меня случайно. И тоже в январе. В точности как ты меня.

В тот день очередь к окошку с супом в политехнической столовке была исключительно длинной. Я сидел рядом с окошком, как раз напротив тазиков с ложками и хлебом к супу. Девушка с черными волосами, повязанными шелковым платком, и в обтягивающей коричневой юбке в цветочек стояла в очереди вместе с элегантной пожилой женщиной. Они не разговаривали, но было видно, что они вместе. Девушка получила тарелку супа. Она уже подходила к тазику с ложками, и тут кто-то нечаянно толкнул ее. Я ощутил горячую жидкость на руках и на лице. От боли я вскочил со стула. Она поставила тарелку на мой стол. Мы стояли лицом к лицу. Я уже собирался сказать какую-нибудь грубость, но глянул на нее. Она испуганно смотрела на меня. Должно быть, выглядел я плачевно — с остатками супа на волосах, лице, рубашке. Она молитвенно сложила руки и смотрела на меня с таким испугом в глазах. Она прикусила губу, и глаза у нее были полны слез. Она смотрела на меня и ничего не говорила. В какой-то момент она издала непонятный, странный звук, повернулась и побежала. Мне стало не по себе.

— Не убегайте! Ничего страшного не произошло. Вы меня не ошпарили. Правда. Ничего не произошло.

Пожилая дама из очереди побежала следом за ней.

Так я впервые столкнулся с Натальей.

С того дня мне страшно хотелось снова встретить ее. Воспоминание о ее огромных зеленых глазах, полных слез, и молитвенно сложенных руках не давало мне покоя. Я приходил в столовку, садился на то же самое место напротив окошка — если было занято, я дожидался, когда оно освободится, — и высматривал ее. Я приходил в разное время. Но ее не было. Ее не было больше месяца.

Как-то в воскресенье я ехал в трамвае в библиотеку. Набит он был битком. Люди как раз возвращались из костелов. Я стоял лицом к окну и на одном из поворотов почувствовал, как кто-то давит на меня и прижимает к стеклу. Я обернулся. Выбора у нее не было. Она стояла, всем телом прижатая ко мне. Была она чуть ниже меня. Ее глаза пристально всматривались в мои. Я чувствовал ее волосы у себя на лице. Удивленный, я выдавил из себя:

— Это вы...

Она закрыла глаза. Ничего не говорила. Мы ехали, притиснутые друг к другу. Мне хотелось, чтобы это кончилось. Как можно скорей. У меня была эрекция, и она, несомненно, чувствовала ее.

Я вышел не у библиотеки, а на той же остановке, что и она. Прячась, я пошел за ними. Потому что она опять была с той элегантной женщиной. Они свернули на улицу рядом с остановкой. Я запомнил, в какой они вошли дом. Я потом часто приходил к нему. Высматривал ее. Через несколько недель я уже знал, в котором часу она выходит, когда возвращается, какой у нее зонтик, какие туфли, как она ходит, в каком окне чаще всего появляется, в какие садится трамваи. Всюду она ходила в обществе той элегантной женщины.

Она была красива. Слегка вздернутый носик, вишневые губы, зеленые глаза. Волосы либо зачесанные коком, либо распущенные. Всегда в юбке до земли. В темных блузках либо свитерках. Иногда с платком на шее. В ушах маленькие сережки. Большая грудь. Я страшно любил смотреть на ее ягодицы, когда она шла на высоких каблуках. Видел-то я ее главным образом сзади. И мне все время хотелось узнать, какой у нее голос и как она пахнет.

Спустя месяц я решился. Это было в четверг. Я знал, что в четверг они никуда не уходят. В цветочном магазине я купил все ландыши, какие были. Я нажал звонок и внезапно почувствовал, что хочу убежать. Однако не успел. Открыла та элегантная женщина.

— Я мог бы поговорить с... — у меня совершенно вышибло из памяти все, что я намеревался сказать, — с...

— С Натальей? — с улыбкой подсказала она.

— Да, наверно. С Натальей.

— Я ее мама. Не можете. Но все равно входите. Наталья у себя в комнате.

Я не обратил внимания на ее странный ответ и вошел, пряча за спиной букет ландышей. Мать Натальи провела меня в большую комнату, на стенах которой висело множество картин. За письменным столом напротив окна сидела спиной к двери она, Наталья.

Она никак не отреагировала на то, что мы вошли. Мать быстро подошла к ней и встала перед столом, словно не желая испугать ее, и указала пальцем на меня. Наталья повернулась и взглянула. Ситуация была какая-то пугающе странная. Я не знал, что делать. Наталья сидела, глядя на меня. Молчала. Ее мать не вышла из комнаты.

— Это тебе. Ты любишь ландыши? — спросил я, протягивая ей букетик.

Наталья встала. Подошла ко мне. Взяла ландыши. Прижала их к губам. В этот момент к нам подошла ее мать и сказала:

— Наталья очень любит ландыши, но сказать вам это она не может. Она глухонемая.

Наталья смотрела на меня, все так же не отнимая букет от губ. Несомненно, она знала, что сказала мне ее мама. Несколько секунд я переваривал услышанное...

Знаешь, что я подумал? Что я подумал в этот необычный миг?

Я подумал: «Ну и что? Что из того, что она глухонемая?»

И я произнес:

— Несмотря на это, не могли бы вы на минутку выйти из комнаты и оставить нас одних? Очень вас прошу.

Она молча вышла. Мы с Натальей впервые оказались наедине. До меня все-таки по-настоящему не дошло, что она не может услышать меня.

— Меня зовут Якуб. После того как ты облила меня супом, я не переставая думаю о тебе. Мог бы я иногда встречаться с тобой? Ты не против?

Это так невыносимо грустно, что, должен признаться, я плачу, когда пишу тебе это. Это, наверно, из-за вина и Б. Б. Кинга, которого я сейчас слушаю. «Three o'clock blues». Да, наверно, из-за этого. Пожалуй, у Б. Б. Кинга нет ничего печальней, чем этот блюз. Но, впрочем, мне хочется быть сейчас грустным. Блюз соткан из печали. Так тебе скажет любой негр в Новом Орлеане.

Наталья неподвижно стояла, глядя на меня. Она не помогала мне. Она никогда не помогала мне в разговоре. Во всем остальном — да. А в разговоре — нет. Я с первой минуты вынужден был непрестанно чувствовать, что она калека.

Я подошел к ее столу, нашел листок бумаги и стал писать.

«Зачем тебе это? — написала она в ответ, пытливо глядя мне в глаза. — Зачем ты хочешь встречаться со мной? Ты будешь приходить сюда, и мы будем вот так переписываться? Ты пригласишь меня в кино, а я даже не смогу тебе сказать, понравился мне фильм или нет? Ты пригласишь меня к своим друзьям, а я не произнесу ни слова? Зачем тебе это?»

Она плакала. И тут в комнату вошла ее мать.

— Знаете, вам, наверное, лучше пойти. Наталья сейчас должна уходить. Большое спасибо за ландыши.

Когда я выходил из комнаты, Наталья стояла спиной к двери.

На третий день после этого Наталья сидела в политехнической столовке на моем месте напротив окошка, где выдают супы. Она была одна. Я сел рядом с ней. Она протянула мне листок. Я прочел:

«Меня зовут Наталья. Я не переставала думать о тебе, с тех пор как облила тебя супом. Могли бы мы иногда встречаться?»

Пожалуй, я уже тогда был в нее влюблен. Месяц спустя я уже по-настоящему любил ее. Она была мне дороже всех, была самая красивая, самая отзывчивая. Единственная. Она угадывала мои мысли. Знала, когда мне холодно, а когда чересчур жарко. Читала книги, которые нравились мне. Покупала все только зеленое. Когда она узнала, что я люблю зеленый цвет, все у нее стало зеленое. Платья, юбки, ногти, макияж. И бумага, в которую она заворачивала подарки для меня. Она купила проигрыватель и пластинки, чтобы я мог вместе с ней слушать музыку.

Представляешь? Она покупала мне пластинки, которые никогда не могла услышать, и просила меня, чтобы я рассказывал ей музыку. Все должно было быть так же, как с любой женщиной, у которой все в порядке со слухом.

Она ждала меня около университета или политехнического института, чтобы первой узнать, как я сдал экзамен. И всегда все знала первая. Она была ужасно горда мною. И писала мне об этом.

Моя мама с ней не познакомилась. Она слишком рано умерла. А вот отец уже спустя месяц после их знакомства называл ее не иначе как «наша Наталка».

С ней все было просто и естественно. Однажды она пригласила меня на ужин. Купила российского шампанского. Ее матери в ту ночь не было дома. Она поставила пластинку. Ушла на минуту в ванную и вернулась в прозрачной блузке. Лифчика на ней не было. Она подошла ко мне и рядом с бокалом с шампанским положила записку:

«Якуб, ты доводишь меня до смеха, доводишь до слез. А сегодня я весь вечер думала, что в последнее время я больше всего хочу, чтобы ты довел меня до оргазма».

Трусики она тоже сняла. Она была неистова. Прикосновение действовало на нее совершенно по-другому. Она давала мне целовать и сосать обе свои руки. В ту пору она все делала губами.

Она умела губами или подушечками пальцев нежно касаться моей кожи миллиметр за миллиметром. Могла сосать один за другим пальцы моих ног. И доводила меня этим до неистовства. Она всегда просила меня, хоть это и абсурдно, ведь она же ничего не слышала, шептать — именно шептать, а не говорить,— что я чувствую, когда мне особенно хорошо. В сущности, я все время шептал.

Ради нее я научился стенографировать. Это было просто. Я был лучшим студентом в группе. Кстати сказать, стенография оказалась полезной и на лекциях. Вот только однокурсники мои были не слишком довольны. С тех пор как я стал стенографировать, они не могли пользоваться моими лекциями.

Потом на специальных курсах я учился языку глухонемых. Целый год, показавшийся мне бесконечным. Помню, однажды я пришел к ней, и вот после ужина мы остались вдвоем в комнате. Я встал перед ней. Указательными пальцами обеих рук два раза под ключицы. Потом этими же пальцами дважды в направлении собеседника. Она расплакалась. Упала передо мной на колени и плакала. Два раза под ключицы. Два раза в направлении собеседника. Это так просто. «Я люблю тебя». Два раза под ключицы...

Мы даже различались очень красиво. Она не соглашалась с моим культом науки. Считала, что можно быть умным, не прочитав ни одной книжки. И в то же время втайне от меня читала те же самые книги, что я, чтобы быть в курсе и иметь возможность дискутировать со мной. Она якобы не находила ничего замечательного в математике, однако провоцировала меня доказывать ей, что она не права. Главным образом потому, что она открыла, что я страшно люблю переубеждать ее и красоваться перед ней. В ее дневнике, который потом попал мне в руки, были аккуратно вклеены под соответствующими датами все мои записки, заметки, клочки бумаги с математическими уравнениями или теоремами, которые я ей объяснял. На некоторых листках поверх интегралов, уравнений и графиков были отпечатки ее губ.

Когда я с ней познакомился, она жила с матерью. Ее родители развелись, когда ей было 9 лет. Он — астроном по образованию, а по месту работы чиновник в городском комитете партии, куда он перешел, когда ему не удалось закончить аспирантуру в установленный министерскими положениями срок. Она — реставратор, причем настолько выдающийся, что, несмотря на «провинциальность» Вроцлава, именно ее Министерство культуры сделало своим экспертом и консультантом.

Они как раз начали строить дом. Их богатство и успехи не вызывали нормальной и искренней польской зависти. Им можно было иметь чуточку больше, чем другим. В компенсацию за глухонемую дочку.

Они были спокойной, гармоничной супружеской парой. До того самого дня, когда он пришел домой пьяный, замкнулся с матерью Натальи в комнате и объявил ей, что на самом деле он хотел бы жить в их новом доме не с ней, а с Павлом, коллегой по службе, которого он любит и рядом с которым хотел бы засыпать и просыпаться по утрам. Наталья помнила только, что мать выбежала из комнаты и на бегу ее рвало. В тот же вечер отец Натальи ушел из их квартиры.

Представляешь, как он должен был любить этого Павла, чтобы прийти и сказать об этом жене? В те времена? Да еще в такой стране, как Польша? Он, партийный работник? Партийные работники по определению должны быть гетеросексуальными. И хоть в «Капитале» на сей счет не написано ни слова, но это и без того очевидно. Классово очевидно. Партийный секретарь не может быть педом. Он может быть педофилом, но не педом. Педиками бывают только ксендзы и империалисты.

Она могла уничтожить его. Выскоблить его самого бритвочкой из истории, но что еще хуже, убрать его номер из телефонных книжек всех сколько-нибудь значительных людей города. Для этого было достаточно одного звонка в городской комитет. Но она этого не сделала. Несмотря на ненависть, унижение, боль оставленной женщины и, вне всяких сомнений, жажду мести.

Знаешь, я и сейчас еще поражаюсь ему. Вне зависимости от того, что Наталья сильно страдала от его поступка, я поражаюсь его верности себе.

Мать так никогда и не сказала Наталье, что в действительности произошло, почему они разошлись с отцом. Правду она узнала от него. Он поведал ей все в один из сочельников. Она вышла вынести мусор, было уже темно. И тут она увидела его, пьяного, дрожащего от холода, на скамейке около помойки. Он сидел с бутылкой водки и смотрел на окна их квартиры.

Мать воспитывала ее без посторонней помощи. Ни разу она не произнесла ни одного худого слова про отца. Ни разу не попыталась помешать ее встречам с отцом. Но ни разу и не согласилась на то, чтобы он пришел к ним в дом.

Когда ее брак рухнул, Наталья стала для нее единственной целью жизни. Если бы она была уверена, что, дыша, отнимает у Натальи кислород, она научилась бы не дышать и уговаривала бы других последовать ее примеру. Трудно было любить Наталью при такой матери. Она смирялась с моим существованием, как смиряются с гипсом на сломанной ноге. Без него не обойтись, но все пройдет, и все станет как раньше, без гипса. А пока придется потерпеть и на некоторое время постараться раздобыть костыль.

Но я «не проходил». Я отнимал у нее Натку, Натуню, Наталку, Натоленьку... Кусочек за кусочком. Так ей казалось. Но это было неправда. Как-то она уехала на две недели для реставрации архитектурных памятников Таллина. Я все это время был рядом с Натальей, но она время от времени хлюпала носом, скучая по матери.

С самого первого дня Наталья описывала мне свой мир. Именно описывала. Потому что она либо писала, либо пользовалась стенографией. Она писала всюду. На листках бумаги, которые всегда носила с собой, мелом на полу и на стенах, губной помадой на зеркале или на кафеле в ванной, а то и палкой на песке пляжа. Ее сумочка и карманы вечно были заполнены тем, что можно использовать для письма. Я не знаю того, что она не смогла бы описать.

Видела она гораздо больше. Прикосновение могла описать цветами, их оттенками либо интенсивностью. Не способная слышать реальный мир, она воображала, как могут выражаться звуки падающих из кухонного крана капель, смеха или плача ребенка, вздоха, когда она меня целует. Своими описаниями она творила совершенно иной мир. Куда более прекрасный. Через некоторое время и я стал воображать себе звуки. Главным образом на основании ее описаний и чтобы «слышать» так же, как она. Я думал — через некоторое время это стало у меня навязчивой идеей, — что когда так произойдет, тот факт, что она не слышит, станет всего лишь ничтожной помехой.

Я прямо-таки надоедал ей просьбами рассказывать, как она воображает себе звуки. Спустя несколько месяцев после нашего знакомства как-то вечером в один из тех дней, когда кто-то из так называемых слышащих снова обидел ее, а я, не обращая внимания на ее настроение, попросил описывать звуки, она раздраженно отказалась, нервно написав стенографическими знаками на зеркале в ванной:

«Зачем тебе эти дурацкие описания больного воображения неполноценной глухонемой истерички на инвалидной пенсии, которую может унизить любой хам только лишь потому, что ему кажется, будто он во много раз лучше меня, поскольку слышит?»

И по мере того как она нервно писала, знаки становились все более неразборчивыми, точь-в-точь как все невнятней становится голос человека, который кричит, выражая обиду и отчаяние. Я помню, как подошел к ней и прижал ее к себе. Потом смыл губкой с зеркала ее надпись и тем же маркером написал, для чего мне эти описания и как они мне важны. Она, прильнув ко мне, плакала, как ребенок.

Знаешь ли ты, что глухонемые плачут точно так же, как люди, которые нормально слышат и говорят. Они издают совершенно те же самые звуки. Должно быть, плач, вызванный страданиями или радостью, был первое, что выработали люди. Еще до того, как научились говорить.

С того дня она записывала для меня в особой тетради свои представления о звуках, а я заучивал их, как стихи. Наизусть. Я никогда так и не узнаю, удалось ли мне выучить хотя бы самые главные.

Когда я ехал в автобусе, я представлял в соответствии с ее описанием звук закрывающихся дверей и на следующей остановке сравнивал его с действительным. Сидя в столовке, я старался предвидеть и описать языком Натальи грохот бросаемых в металлические тазы ножей, ложек и вилок еще до того, как потная баба притащит ведра с ними из смрадной мойки. А ты знаешь, Наталья, как все, сидящие близко, морщила лоб и прижмуривала глаза, когда ножи и вилки с грохотом сыпались в тазы.

Проходя по парку, я сравнивал мое воображение о его звуках с тем, что слышал в действительности. Особенно я это чувствовал именно в парке. Наталья — хотя никто, включая и родителей, в точности не знает, когда она оглохла, — должно быть, слышала эти звуки. И запомнила! Ее описания с невероятной точностью совпадали с действительностью.

Звуки, голоса, звуковые волны, физика их возникновения, принципы их приема, механизмы их сохранения стали наряду с математикой и философией темой моих исследований и изучения. На лекции по акустике я ходил и в политехнический, и в университет. Я стал обнаруживать, что мы погружены в звуковой эфир, и, если говорить правду, тишина — это представление поэтов, писателей и глухонемых. Тишины не существует. Где нет пустоты, то есть всюду там, где можно дышать и есть движение, тишины нет.

Я прочитал все о человеческом ухе, знал функции, строение и возможные болезни каждого его участка. Я побывал у двенадцати ларингологов, специализирующихся на аудиологии, во Вроцлаве и трех в Варшаве. Ко всем им я обращался как человек, внезапно утративший слух. Четверо из них были профессорами. И знаешь, что я установил? Быстрей всех распознавали во мне симулянта те, кто недавно закончил медицинский. От них я больше всего и узнал.

Ты обратила внимание, что уши, так же как почки, легкие и глаза, — органы парные?

Помню, во время визита у одного ларинголога в Варшаве, уже после того, как стало ясно, что я примитивно симулирую, я спросил о пересадке уха. Я думал, что мог бы отдать Наталье одно мое ухо, потому что слышать можно и одним. Но он высмеял меня и вообще отнесся как к психически больному. И представляешь, недавно я прочел в «Laryngology Today» – интерес к звукам сохранился у меня до сих пор – статью этого варшавского врача о возможности пересадок практически всех важных фрагментов уха.

Я верил, что Наталья когда-нибудь снова будет слышать, как дети верят, что когда-нибудь они станут взрослыми. Это всего лишь вопрос времени и терпения.

И однажды это время пришло. Без фанфар и предупреждений. Незаметно, прозаически и случайно. Я занимался – в основном ради денег – организацией через институтский «Альма-тур» съездом Польского хирургического общества. Гостиницы, залы для заседаний, экскурсии по городу. Ничего особенного. Обычный организационный и туристический стандарт. Несколько сотен злотых в дополнение к стипендии.

Для меня хирурги – это бесспорная элита медицины. Художники. На мой взгляд, у них гораздо больше извилин в мозгу по сравнению с другими врачами, а кроме того, они являются обладателями демонических рук, от которых зависит жизнь или смерть. Так что нет ничего удивительного в том, что в Польше из всех не вылезающих из стрессов врачей хирурги гораздо чаще умирают от цирроза разрушенной алкоголем печени, впадают в зависимость от всевозможных опиатов или попросту, когда уже совсем не в силах выбраться из депрессии, скальпелем взрезают себе вены. Так было тогда, в доисторические для тебя времена военного положения, и так продолжается и сейчас. Хирурги разрушают печень тем же самым спиртным, а у них всегда были доллары на «Певекс»[1], либо «Певекс» сам приходил к ним в сумках пациентов, опиаты всегда были и есть под рукой, ну а ежели нет, не секрет, где находится ключ от того самого «стеклянного шкафа», а венам абсолютно все равно, взрезают их скальпелем из гэдээровского Дрездена или из

---

[1] «Певекс» – в ПНР система магазинов, торговавших дефицитными западными товарами за свободно конвертируемую валюту, аналог существовавших в СССР магазинов «Березка».

Франкфурта-на-Майне, куда после падения стены перенесли эту дрезденскую фабрику, уволив попутно три четверти рабочих. «Богатые» хирурги в нынешней Польше статистически в этом смысле ничем не отличаются от «бедных» хирургов в ПНР.

Вечером первого дня съезда состоялся так называемый «бал хирургов». Именование этой пьянки балом было провокативным и, пожалуй, эксцентричным преувеличением. Ни на одном съезде я не видел столько водки. По причине своих политических убеждений я, естественно, не бывал ни на каких настоящих «съездах», но все равно я не могу поверить, будто у членов партии печень лучше и что они способны выжрать больше спиртного.

К тому же бал, по крайней мере для меня, ассоциируется с женщинами. А вот для хирургов нет. Из заявленных почти 800 участников съезда женщин было всего лишь шесть. Приехали же только две, а хирурги не привозят с собой на съезды — этому их и даже дантистов учат еще на первом курсе — ни жен, ни любовниц, ни невест. Рядом с ними невозможно пить без угрызений совести до самого утра. Это я узнал от хирурга, кстати сказать трижды разведенного, который на этом балу сидел за одним столом со мной.

Я представлял организаторов. То есть следил главным образом за тем, чтобы водка была охлажденная и чтобы на столах она не иссякала. Такова была договоренность. Когда трижды разведенный хирург напился вдупель еще до подачи горячего и рассматриваться как партнер для разговора уже не мог, я огляделся вокруг. Оказалось, что за нашим столом сидел пожилой мужчина, почти старик, с серебристо-белыми кудрявящимися волосами и водянистыми серыми глазами за очками в толстой черной оправе, склеенной в одном месте коричневой липкой лентой. В слишком тесном вытертом костюме неопределенного цвета и зимних ботинках, хотя дело происходило в исключительно жарком июле, он был похож на украинского крестьянина, который нарядился на свадьбу единственной дочки во все, что у него есть самого лучшего. Рядом со стариком сидела одна из тех двух женщин, что приехали на съезд. Вскоре выяснилось, что она никакой не хирург, а вовсе даже личный переводчик и секретарь этого старичка. А тесный костюм вводил в заблуждение. Старичок был вовсе не украинским крестьянином, а знаменитым хирургом и нейрохирургом из Львова. Почетным гостем этого съезда. И в первой половине дня, до того как прийти выпить на этом балу с польскими коллегами, он был удостоен звания доктора honoris causa самого крупного медицинского института Польши.

Каждую минуту к старику подходили люди. Я с изумлением убедился, что пьяные польские хирурги способны в один миг протрезветь и с глубочайшим вниманием слушать своего знаменитого коллегу. Выслушав, они пожимали ему руку и отходили. Мне это напомнило сцену из «Крестного отца», где Дон Корлеоне пожимает руки членам своей мафии. Даже голос у него был похожий — такой же хриплый и слабый, как у Марлона Брандо.

И вдруг я услышал, как переводчица выпалила буквально одним духом:

— Врожденная глухота в большинстве, а может, и во всех случаях связана с повреждением центральной нервной системы, а конкретно структур, отвечающих за преобразование звуковых волн в электрические сигналы.

И она добавила — небрежно, словно речь шла о ремонте мотоцикла:

— Но мы во Львове с этим справляемся без проблем. Мы используем, то есть профессор использует, имплантат улитки. Это такое устройство для регистрации звуковых волн на уровне центральной нервной системы, но есть одно условие: аппарат, проводящий звук, то есть наружное и среднее ухо, не должен быть поврежден. И тогда... — Она внезапно прервалась, повернулась ко мне и с испугом и возмущением визгливо закричала: — Извините, но вы мне больно сжали руку. Что вы себе позволяете?

— Ради бога, простите. Но вы сказали такое, что я утратил контроль над собой. Еще раз прошу меня простить. Не могли бы вы повторить, что вы во Львове имплантируете? — спросил я, изо всех сил стараясь сохранять спокойствие.

Она отодвинулась от меня как можно дальше и сказала:

— Вам я ничего не собираюсь говорить. Можете сами спросить у профессора.

Было четыре часа утра, когда я вылетел из университетской аудитории, в которой происходил этот «бал». Мать Натальи открыла, только когда я начал уже колотить в дверь ногами. Наталья с испугом взглянула на меня, когда я ворвался к ней в комнату, зажег свет и разбудил ее. Я сел на край ее тахты.

Тебе никогда не понять, как бывает, когда хочешь кому-то рассказать что-то страшно важное и не можешь!

Я прижимал Наталью к себе, целовал ей руки и говорил об имплантате улитки, о том, что она будет слышать, что я познакомился с самым крупным специалистом, что американцы тоже туда приезжают, что имплантаты из Японии, что потом ей останется только научиться говорить, что я безумно люблю ее и что она это скоро услышит, что у нас будут дети, которые тоже услышат, когда я им буду рассказывать о своей любви к ней, и что я вовсе не пьяный.

Мать Натальи сидела по другую сторону тахты напротив меня и плакала. Наталья, не понимая, в чем дело, испуганно смотрела то на мать, то на меня. И вдруг мать Натальи вскочила и стала знаками объяснять, что произошло. Никогда до сих пор она не делала это так быстро и так агрессивно. Это поистине было похоже на крик. Думаешь, на языке жестов нельзя кричать?

Я взял с письменного стола у окна папку с бумагой для рисования, разложил несколько листов на ковре и принялся писать. Наталья ходила по комнате. Она смотрела на мать и читала то, что я писал на полу. Она была так красива с огромными от удивления и блестящими от слез глазами, взлохмаченными волосами, в просвечивающей, когда она приближалась к столу, где стояла настольная лампа, ночной рубашке, которую, казалось, распирала ее большая, высокая грудь. Даже в такой момент я не мог, глядя на нее, не испытывать желания.

В 8 утра я стоял у кабинета отца Натальи. Он почти не разговаривал со мной. Узнав, в чем дело, он указал мне на кресло, подал нераспечатанную пачку сигарет и стал звонить. Руки у него ходили ходуном от волнения. Порой ему было трудно набрать правильно номер. Я сидел в кресле напротив него и разглядывал кабинет. Всюду были фотографии Натальи.

Он все устроил. Направление из Министерства иностранных дел вместе с рекомендательным письмом министра здравоохранения, служебный заграничный паспорт, чек на получение валюты в сумме, двадцатикратно превышающей тогдашний годовой лимит, а также «распоряжение о госпитализации на отделение» с подписью какого-то важного партийного бонзы из Львова.

Через одиннадцать дней Наталья выехала во Львов с Восточного вокзала в Варшаве. На вокзале мы были за два часа до отправления поезда. Я курил сигарету за сигаретой, она была счастлива. И только мать Натальи была на удивление грустна и все время осматривалась вокруг.

У меня кончились сигареты. Я побежал к киоску на соседнем перроне. На скамейке за ним сидел отец Натальи. Меня он не заметил.

Когда поезд исчез за поворотом, мать Натальи взяла меня под руку, и мы пошли по перрону к спуску в туннель. Когда мы уже были в туннеле, она вдруг остановилась, подняла мою ладонь и коснулась ее губами. Она не произнесла ни слова, только смотрела мне в глаза. Мы так стояли несколько секунд.

Операцию Наталье должны были делать через две недели. Ее отец ежедневно звонил во Львов в клинику. Потом он перезванивал мне, а я — матери Натальи. Между собой ее родители так и не разговаривали.

Странное это было чувство — знать, что, возможно, Наталья стоит у телефона, но поговорить с ней нельзя. Чувство бессилия.

Наталья писала письма. Каждый день по три письма: матери, отцу и мне.

Она писала чудесные письма. Я это знаю точно. Ее мать читала мне каждое полученное ею письмо. Дважды. Один раз по телефону, сразу после того, как вскрывала конверт, а потом еще раз вечером за ужином. Я каждый вечер бывал у нее.

Я же прочитал ей всего одно письмо. Точней сказать, не прочитал — продекламировал. И то только через три года. Я знаю его на память. И никогда не забуду.

Никогда.

Якуб, милый!

Я так по тебе скучаю, что у меня даже в ушах шумит. Представляешь? У меня, у глухой, шумит в ушах, оттого что я скучаю по тебе. Я не могу с этим совладать. Ты был всегда. Просто пришел с улицы, и так стало. Ты был всегда, с тех пор как я люблю тебя. Но и прежде тоже. Потому что никакого «прежде» до тебя не было.

Знаешь, я всегда немножечко скучала по тебе, даже когда ты был рядом со мной. Скучала как бы чуть-чуть про запас. Чтобы потом, когда ты пойдешь домой, не так сильно скучать. Но это все равно не помогало.

Говорила ли я тебе, что, когда я стану слышать, я первым делом научусь произносить твое имя? На всех языках. Но прежде всего по-русски.

А когда я вернусь, то сяду к тебе на колени, положу руки тебе на плечи и буду целовать твое лицо. Сантиметр за сантиметром. Обещай, что не разденешь меня, пока я все его не исцелую.

До операции осталось всего только два дня. Я жду. Это такое торжественное ожидание. Я чувствую себя так, будто приближаюсь к посвящению в очередную тайну.

Якуб, милый. Ты ведь понимаешь, что я даже не пытаюсь описать, как я тебе благодарна. Потому что это невозможно описать. Хотя ты знаешь, что я умею описать все.

Тут нет ни одного костела. А мне так хотелось бы помолиться. Но я все равно молюсь. Я взяла у мамы маленький деревянный крестик. Теперь кладу его на подушку и молюсь перед ним, но мне хочется перед операцией хотя бы раз помолиться в настоящем костеле. Наверно, Бог знает, что делает. Нашел же Он мне тебя.

Как ты думаешь, я не оглохну от хаоса звуков, который обрушится на меня, когда я стану слышать? Не смейся, меня вправду это беспокоит.

Меня перевели в другую палату. Не знаю почему. В той было очень славно. Нас было шестнадцать женщин, и там стояли двухъярусные кровати. Я никогда раньше не спала на втором ярусе.

А сейчас я в двухместной палате. Это, наверное, отец постарался. Тут в двухместных палатах лежат только те, у кого родители важные шишки, либо они сами важные шишки.

Я в одной палате с мужчиной! Его зовут Витя, и ему 8 лет. Витя тоже не слышит с рождения. Приехал он сюда из Ленинграда. Он чудесный мальчик. Маленький блондин с живыми глазами. Он немножко похож на тебя с той фотографии, где тебе 9 лет и ты стоишь с родителями и братом.

Мы с Витей рассказываем друг другу разные истории. Понятно, знаками. Знаешь, Витя объясняется знаками по-русски. Некоторые знаки у них совсем другие. Так что я заодно учусь у него русскому.

Мы с Витей часто гуляем во дворе перед бараками этой больницы. Там большущие экскаваторы копают глубокую яму.

Я никогда еще не видела ничего подобного. Эти экскаваторы похожи на заржавевшие танки, у которых стволы пушек заменили ковшами. Но вообще тут все как на старых фотографиях моего дедушки. А экскаваторы копают котлован, потому что тут собираются строить новое здание клиники. Так сказал нам профессор. Профессор стыдится этих бараков и ждет не дождется, когда будет построена новая клиника.

Витя любит забираться в эту яму. А я делаю вид, будто не знаю, где он, и ищу его.

Еще только два дня до операции. Это будет пятница. Я как раз выяснила, что ты родился в пятницу. Это будет опять счастливая пятница, правда ведь, Якуб?

Я люблю тебя.

Наталья.

P.S. Вдруг так тихо сделалось в моем мире без тебя.

Утром в пятницу я перед институтом зашел в костел. А потом весь день у меня были занятия. Вечером я должен был быть у матери Натальи. Я выбежал из института и помчался к автобусной остановке. Перед въездом на паркинг стояла черная «Волга». Передняя дверца ее была открыта, на сиденье рядом с водителем сидел отец Натальи и курил. Он увидел меня. Бросил окурок на асфальт, встал, поправил галстук и пошел ко мне. Подойдя, остановился и, стоя буквально в нескольких сантиметрах от меня, произнес совершенно чужим, неестественным голосом, как будто в сотый раз повторял заученную формулу:

— Сегодня утром Наталья умерла. Вчера во дворе клиники на нее наехал экскаватор. Мальчику, которого она пыталась оттолкнуть, чтобы экскаватор не задавил его, придется ампутировать обе ноги. Он не заметил экскаватор, а услышать его не мог. Экскаваторщик, когда это все произошло, был пьян. Его ищут со вчерашнего дня.

Я больше не мог этого слышать. С какого-то мгновения каждое слово, которое он произносил, было как удар камнем по голове. Я рукой затыкал рот. Он пытался говорить дальше, кусал меня за руку. А когда он высвободился, я побежал от него. И только слышал, как он кричит мне вслед, и крик его был похож на вой:

— Якуб, погоди... Якуб, не убегай... Не делай этого... Не оставляй меня одного, умоляю тебя. Ее нужно привезти оттуда. Я это не смогу... Якуб, сволочь...

Помню, в детстве, когда кто-нибудь во дворе обижал меня, я мчался домой. И снова было как в детстве. Когда отец открыл мне дверь, я прижался к нему. Он ни о чем не спрашивал меня. Да, было как в детстве. Боль чуть утихла.

— Наталья погибла, — прошептал я ему в плечо.

— Сынок...

В ту ночь я понял, почему отец пил, когда умерла мама. В ту ночь водка была как кислород. Снова можно было дышать.

Утром я стоял у дверей квартиры Натальи. Мне открыла молодая женщина в шапочке медсестры.

— Хозяйки нет дома. Придите, пожалуйста, через несколько дней, — сказала она мне.

И в этот момент за спиной у нее появилась мать Натальи. Она была совершенно седая. За эту ночь она поседела.

Медсестра захлопнула дверь. Сбегая по лестнице, я услышал душераздирающий крик.

Внизу меня ждал в такси отец.

— Ты должен привезти ее тело. У тебя еще два часа, чтобы купить в банке рубли. Туда без рублей не въедешь. Звонил отец Натальи.

Это был маленький банк на окраине Вроцлава. Кассовый зал, до предела наполненный табачным дымом. Несколько раз заворачивающаяся очередь к одному-единственному открытому окошку. У стены металлическая пепельница на железной ножке, набитая окурками.

За стеклом сидел молодой жирный кассир. Он все время жрал бутерброды, которые доставал из серого промасленного бумажного мешка, лежащего рядом с калькулятором. На стол, за которым он сидел, у него изо рта падали крошки сыра и помидора. Через час подошла моя очередь.

— Рублей нет, — невнятно пробурчал он, проглатывая очередной кусок бутерброда. — Рубли у нас бывают по понедельникам и средам. Так что приходите в понедельник.

— Понимаете, я не могу в понедельник. У вас должны быть рубли. Мне нужно получить их до воскресенья.

Он удивленно воззрился на меня и демонстративно громко произнес, и куски непроглоченной булки летели у него изо рта в стекло, отделяющее его от меня:

— Я никому ничего не должен. А если вам так спешно и вы желаете получить русские деньги до воскресенья, то можете обменять доллары. Они их с удовольствием принимают.

Он триумфально смеялся и смотрел на очередь в надежде, что она тоже разделит его ликование. Однако никто в очереди не засмеялся, словно все предчувствовали, что произойдет через несколько секунд.

Я сунул руку в щель между стеклом и стойкой, пытаясь схватить его. Удивленный, он резко отпрянул. Потом я уже не владел собой. Я отошел от окошка, спокойно подошел к пепельнице, схватил ее и изо всех сил ударил массивным основанием по стеклу, за которым сидел кассир. За спиной я услышал крик. Кассир давился булкой, когда я изо всех сил сдавливал ему горло. Мне безумно хотелось убить его.

Не помню, что было потом. Вспоминаю только, как, скованный наручниками, я ехал в милицейской «нисе», рыжий веснушчатый «мусор» охаживал меня дубинкой, а я плевал кровью на железный пол.

Меня выпустили через 48 часов. Обвинили меня во всем, в чем только можно: в попытке поджога общественного здания, нападении на служащего государственной администрации, взломе, а также в попытке отнять валюту. Сначала меня вышибли из университета, а через две недели и из политехнического.

Наталья прилетела через неделю. Никто за ней не поехал. Ее отец лежал без сознания в больнице. На другой день, после того как он сообщил мне о смерти дочери, он пьяный шел по трамвайным путям домой. Около трамвайного парка из-за поворота выехал первый утренний трамвай. Вагоновожатый заметить его не мог. Свидетели говорили, что, когда трамвай ехал прямо на него, он даже не пытался убежать.

Обычно трупы привозят в специальных цинковых гробах. Это записано даже в Конвенции прав человека ООН. Наталья же прилетела в холодильнике, в котором в самолетах обыкновенно хранят пластиковые коробки с ужином, что подают пассажирам вечерних рейсов. Из холодильника вынули решетчатые металлические полки и поместили в него тело Натальи. Во Львове для нее не нашлось цинкового гроба, а отец ее лежал в больнице без сознания и не мог позвонить какому-нибудь тамошнему начальнику, чтобы поискали.

На кладбище я пошел через несколько часов после похорон. Там уже никого не было. Могильный холмик из желтого песка был весь закрыт венками и букетами цветов. Я стоял и смотрел на белую табличку с ее именем и фамилией. Слез у меня уже не было. Я думал о том, как вынести молчание Бога. Внутри у меня была пустота. На кладбище я пришел без цветов. Мне было все равно. И никаких во мне не было чувств, кроме злобы по отношению к Богу. Но так мне только казалось. Я бросил взгляд на могилу и на венки. Самый большой лежал около креста. На черной ленте я прочитал надпись золотыми буквами: «Ты ведь знаешь, что ты не ушла. Любящие тебя мама и Якуб».

Бывают такие моменты, когда боль до того сильна, что невозможно дышать. Природа придумала хитрый механизм и неоднократно испытала его. Ты задыхаешься, инстинктивно пытаешься справиться с удушьем и на миг забываешь о боли. Потом боишься возвращения удушья и благодаря этому можешь пережить горе. Там, возле могилы, я не мог дышать. Там это случилось со мной впервые.

Удушье — это не единственный отвлекающий механизм. Второй — физическая боль. Но ее ты должен сам причинить себе. Это не должна быть ежедневная боль, сопутствующая отчаянию. Не та, что начинается сразу после пробуждения и которую чувствуешь во всем теле — от кончика ногтя на большом пальце ноги до кончиков волос на макушке. Это должна быть совсем другая боль. Контролируемая и четко локализованная. Причиненная лезвием бритвы или горящей сигаретой. При этом ты замещаешь свое внутреннее страдание физической болью, которую можно локализовать. И тем самым ты перенимаешь над ней контроль.

Потом, в последующие месяцы, мне казалось, что я живу в наказание. Я ненавидел утра. Они напоминали мне, что у ночи бывает конец и что нужно вновь как-то справляться со своими мыслями. Со снами все-таки было легче. Бывало, я неделями не вылезал из постели. А если все-таки вылезал, то для того только, чтобы проверить, действительно ли отец унес из дома всю водку. Иногда мне становилось так плохо, что отец ночью бежал куда-то, где тайно продавали спиртное, приносил бутылки, и мы пили. Тогда я еще не знал названия этому. Теперь-то мне известно: я впал в страшную, гигантскую депрессию.

Отчаяние я превратил в философию. Все, что не было трагическим, безнадежным, душераздирающим, было абсурдно. Абсурдом, например, было есть, чистить зубы, проветривать комнату. Отец мой делал все, чтобы вытащить меня из этой ямы. Первым делом он взял неиспользованный за два года отпуск. Потом отказался от ночных дежурств, чтобы все время быть рядом со мной. Он делал такое, что мне и в голову не пришло бы. Втайне разбавлял водку водой, чтобы я пил, но не так пьянел, брал в библиотеке книги и часами читал их мне, не спрашивал о моих планах на будущее.

Состояние удушья стало повторяться. У меня была астма. Психосоматическая, искуснейшим образом взращенная мозгом астма. Бывали у меня также состояния страха. Поначалу я боялся, что задохнусь. Потом боялся, что задыхаюсь слишком редко и что, наверно, как-нибудь настанет окончательный приступ удушья. Потом уже боялся всего. Я просыпался ночью и боялся. Не могу даже сказать чего. Просто лежишь с широко раскрытыми глазами и обливаешься пóтом от страха, трясешься от страха и не знаешь, кого или чего ты боишься. С какого-то времени в моей комнате никогда не гасился свет. Иногда я мог заснуть, только если около моей кровати сидел отец.

Примерно через полгода после одной из ночей, во время которой я запивал антидепрессанты водкой, закрашенной, чтобы успокоить отца, лимонадом, я проснулся под респиратором, привязанный к кровати кожаными ремнями. Привез меня сюда отец, который уже не мог смотреть, как я чахну, травя себя всем, что хотя бы на минуту способно пригасить боль и горе. Во время дежурства он загрузил меня, бесчувственного, в свою карету «скорой помощи» и привез в эту психиатрическую больницу.

Представляешь, что он чувствовал при этом?

Официально я приехал сюда на детоксикацию. Маленький гнусный барак с ржавыми решетками на окнах, находящийся на дальней окраине Вроцлава. Кроме горсти разноцветных таблеток утром и вечером, больше всего — должен тебе признаться, хоть я и испытываю от этого стыд, — лечили меня трагедии и описания страданий других людей. Благодаря этому внезапно все то, что случилось со мной, обрело свое место в общей системе. Оно уже не заполняло всецело пространство и мой мозг. Неожиданно наружу вновь прорвались сострадание, жалость и осмысленность существования. В той трясине уныния, абсурда, ненависти и обиды на мир это было как веревка, держась за которую можно было понемножку, постепенно подтягиваться и выбираться наверх.

Сильней всего я ощутил это в тот день, когда в приемную при кабинете, куда я должен был пройти для очередного обследования, медсестра вкатила инвалидную коляску, в которой сидел ксендз Анджей. Так там называли истощенного до предела мужчину, неизменно сидевшего целыми днями в коляске перед зарешеченным окном в конце коридора около уборной.

Здесь же, в приемной, на расстоянии метра от меня, он выглядел как загримированный актер из фильма о концлагере. Наголо обритый, как новобранец, на черепе глубокий шрам длиной в несколько сантиметров. Черная щетина на землистого цвета лице, выступающие кости нижней челюсти, глубокие глазные впадины даже при огромных глазах казались слишком большими, размера этак на два больше, чем положено.

Левая рука у него сползла с подлокотника коляски и безвольно, тяжело свисала. Коротковатый рукав штопаной-перештопаной, покрытой пятнами пижамы задрался, и на предплечье можно было прочесть вытатуированную когда-то черными, а теперь выцветшими чернилами надпись «Бога нет». Неровная и растянутая, выглядела она как неумело накорябанная строчка в тетрадке первоклассника. На коже вокруг надписи было множество красных выпуклых шрамов.

Мужчина сидел в своей коляске прямо напротив и широко раскрытыми глазами рассматривал меня. Я отводил взгляд, а когда через минуту снова поднимал глаза, он все так же неподвижно пялился на меня. Веки его, казалось, никогда не опускаются.

— Да не обращайте на него внимания, — сказала мне медсестра, видя мое замешательство. — Он так смотрит, с тех пор как его к нам привезли. В сочельник будет ровно два года. Он даже спит с открытыми глазами.

Мне было неловко оттого, что она рассказывает о нем, как будто его здесь нет. Она это заметила и, опережая мое замечание, объяснила:

— Он не слышит. Его проверяли, исследовали. Он точно не слышит.

Медсестра встала, передвинула коляску. Теперь мужчина всматривался в стену рядом с моей головой. Дверь кабинета врача открылась, и молодой человек в белом халате сказал:

— Магда, можешь вкатывать ксендза.

Медсестра вскочила, вкатила коляску в узкую комнату, заставленную белыми шкафами. Закрыла дверь и села рядом со мной на скамейку. Закурила сигарету, взяла с подоконника горшок с засохшим желтым папоротником. Горшок был полон окурков.

— А почему вы называете его ксендзом? — поинтересовался я.

— Так он действительно ксендз. Формально он до сих пор остается ксендзом. Только теперь он как овощ. И таким останется. А когда он умрет, ни один ксендз не похоронит его. — Она глубоко затянулась и добавила: — Уж очень сильно он согрешил. Даже если Господь Бог его простил, то курия уж точно не простила.

И медсестра за те двадцать минут, что мы сидели с ней в этой прокуренной комнатке, рассказала мне самую потрясающую историю любви из всех, какие я знаю. Вплетенная в эту историю человеческая трагедия подействовала на меня стократ лучше, чем все психотропные средства, которые я глотал после смерти Натальи. Сейчас ты прочтешь — я даже не спрашиваю, хочешь ли ты этого, — рассказ о беспредельном людском фанатизме. Рассказ этот каждый католик должен знать, как десять заповедей.

Как ты думаешь, сколько католиков в Польше знают грехи десяти заповедей? Что до меня, я про Польшу ничего не могу сказать, но зато знаю, что в католической Испании около 14%. То есть целых 14 человек из ста знают, какую нарушают заповедь, когда грешат. В Польше, наверное, процент знающих и грешащих больше. Но это вовсе не заслуга ксендзов и уроков катехизиса. Это заслуга Кесьлёвского.

Анджей, едва начал говорить, был не такой, как другие. Он сразу пошел в третий класс. Одновременно он учился в музыкальной школе и играл там на гобое. Кроме того, в 8 лет он начал играть на органе в ближайшем костеле. Викарий заметил, что когда на органе играет маленький Анджей, люди охотней заходят в костел и жертвуют больше денег.

Для родителей Анджей был причиной постоянной гордости. Кстати, единственной причиной. Сами они достигли не слишком многого. Другие ездили в отпуск в Болгарию, покупали польские «фиаты» и мебельные стенки, а у них был только Анджейка. Мало того что он был их гордостью, он был оправданием их житейской неуспешности. Этакий пример передачи генов. Пусть нам немногое удалось в жизни, зато у нас талантливый сын. У Анджея, будь он девочкой, при таком напоре ожиданий должна была бы развиться по меньшей мере анорексия.

Два года он учился на архитектурном факультете во Вроцлаве. Общежития он не получил, и его мать, участвующая в церковном хоре и вообще активная прихожанка, устроила ему комнату у иезуитов. Поначалу предполагалось, что это только на месяц. А там что-нибудь найдут. Затянулось же это на два года. Анджей учился, играл на органе во время мессы, молился вместе с монахами и все больше отдалялся от реального мира.

Сразу же после Пасхи он запаковал свои пожитки в небольшую дорожную сумку, сел в поезд и поехал в Краков. Там он вступил в орден доминиканцев и поступил в духовную семинарию. Он уединился в келье. Наконец-то он был счастлив. Его переполняли гармония и душевный покой. Родители, когда поняли, что произошло, две недели не показывались на глаза соседям по дому. Монастырь в сравнении с архитектурой — это чудовищная деградация. Мать перестала участвовать в спевках хора и в делах прихода.

Ночами Анджей дольше, чем все остальные монахи, выстаивал на коленях перед распятием. Каждую ночь без изъятия. Прекратил он только тогда, когда из потрескавшихся синяков на коленях стала сочиться кровь, оставляя следы на каменных плитах. Чаще других он лежал крестом в часовне. Одиночество, способствующее общению и единению с Богом, он сделал философией своей жизни.

Знаешь ли ты, что по убеждению людей одиночество — наихудший род страданий? И представление это универсально для всего мира. В Нью-Йорке так же, как и на Новой Гвинее, люди цепенеют от страха перед одиночеством и покинутостью. Известно ли тебе, что по одному из древнейших индийских мифов Создатель вызвал мир из небытия только лишь потому, что чувствовал себя одиноким? Известно ли тебе также, что американские учебники психиатрии квалифицируют отшельничество как форму психического расстройства?

Но наряду с одиночеством он и науку воспринимал как способ угодить Богу. Анджей выучил шесть языков, был незаурядным теологом и философом. Восемь месяцев он пробыл с миссией в Нигерии. Получил стипендию папской академии и поехал в Рим. Через три года в мае он с докторской степенью возвратился в Краков. А в августе был назначен руководителем группы, отправляющейся с паломничеством в Ченстохову.

Все любили брата Анджея. Он пел с ними блюзовые баллады о Боге, демонстрировал видеокассеты с концертами духовной музыки, играл на гитаре у костра и на органе в придорожных костелах. Утренние молитвы с ним были как подлинные разговоры с Богом. Во время их можно было получить ответы на вопросы, которые всегда хочется задать, но никак не удается сформулировать. Любили брата Анджея и женщины. И некоторые вовсе не за молитвы, гитару и гобой.

И вдруг — они были уже недалеко от Ченстоховы — проезжавшая мимо колонны паломников косилка серьезно ранила двух человек. В крохотной деревенской амбулатории в Почесной никого не было. Врач в отпуске; до Мышкова далеко. Привели ветеринара. С ветеринаром пришла сестра Анастазия. Монахиня-кармелитка из Люблина. Второй раненый паломник был из ее группы.

Нервничающая молодая девушка в серой летней рясе, в веревочных мокасинах и очках в тонкой проволочной оправе. Говорила она очень тихо. Почти шепотом.

Ветеринар сказал, что одному раненому надо сделать переливание крови, а второго следует отвезти в Мышков. И брат Анджей и сестра Анастазия заявили, что отдадут кровь. Через несколько минут ветеринар вышел из маленькой лаборатории в задней части дома и объявил:

— У вас обоих одинаковая группа крови. И одинаковый резус-фактор.

Анджей не мог оторвать глаз от Анастазии, когда та расстегнула рясу и обнажила левую руку, кровь из которой по трубке текла в пластиковый контейнер.

До самого конца пути они, дотоле не подозревавшие о существовании друг друга, вдруг оказывались рядом. Во время утренних молитв Анджея Анастазия стояла на коленях в толпе около бивуака его группы и молилась с ним вместе. Еду они неожиданно готовили вместе. А во время вечерних костров она держалась на расстоянии, но всегда поблизости.

На следующий день они должны были прийти в Ченстохову. Это был их последний бивуак. Вечером Анджей пошел помолиться в маленький костел на краю деревни, в которой они остановились. Перед алтарем на бетонном возвышении стояла на коленях, склонив голову, Анастазия и молилась, прижав правую руку к левой груди.

Он тихо подошел и опустился рядом с ней на колени. Но так не должно было быть! Он вовсе не хотел, чтобы их тела соприкоснулись. Просто он преклонил колени слишком близко и коснулся ее. А она не отодвинулась.

Молились они об одном и том же. Потом они рассказали друг другу. С одной стороны, им хотелось чувствовать эту близость. С другой, они просили Бога избавить их от этого желания. Уже тогда, уже там, в первый момент, в том деревенском костеле, Анджей впервые ощутил угрозу, которую таит в себе этот мир. И вдруг в костел вошел приходский священник, чтобы погасить свечи. Они в панике отпрянули друг от друга. Уже там, в первые же минуты, они знали, что мир не одобрит этого.

Еще в Ченстохове перед самым концом паломничества он коснулся ее руки. Чтобы ощутить. И запомнить. Сразу же после он убежал и всю ночь провел в молитвах. Он мучился от невыносимой раздвоенности.

Представляешь, что такое измена всеведущему Богу? Скрыть ее никаким образом невозможно. И дело даже не в том, что невозможно скрыть поступки. Мысли не укроешь! Желания, волнения, мечты.

Он убивал эту любовь, как только мог. Он бежал в Рим. Выпросил себе трехмесячную научную командировку. Побег оказался совершенно безрезультатным. Каждое утро он просыпался и ждал письма от нее.

Он не должен был ждать! И тем не менее ждал.

Она не должна была писать ему письма! И тем не менее она писала.

Он не выносил, когда она обращалась к нему в письмах «брат Анджей».

Из Рима он возвращался поездом. В Кракове он не вышел. Доехал до Люблина. Он хотел сказать ей, что так не должно быть. У него все было подготовлено. От самой Вены он готовил в поезде речь, которую скажет ей. Выверил в ней каждое слово.

Он стоял перед ее монастырем. Она вышла к нему. Но он не произнес ни слова из тех, что подготовил. Они стояли в воротах и не смотрели друг на друга. Стояли, опустив головы, уставясь в землю. Они боялись собственных мыслей. Грехом было уже то, что они стояли рядом. Грехом было уже то, что после того сельского костела под Ченстоховой он все время думал о ней. Грехом было то, что она снилась ему. Грехом было то, что во сне она вовсе не была монахиней Анастазией. Грехом было то, что во сне у нее были губы, которых он касался пальцами.

Вдруг Анастазия ушла обратно в монастырь. Но через минуту вернулась, взяла его за руку, и они побежали. Они остановились в каком-то парке. Она встала за деревом и приникла губами к его губам. Ее язык раздвинул их и протискивался сквозь его стиснутые от удивления и волнения зубы. Монашка в рясе почти в самом центре Люблина целовалась с монахом в рясе!

Этот поцелуй был как инициация. Потом уже был только грех. Они устраивали свидания почти по всей Польше. Чем дальше от Люблина и Кракова, тем лучше. За руки они держались, только когда оказывались одни. На людях они прикасались друг к другу лишь украдкой и на мгновение. Так они давали знать друг другу о своем желании. О Боге они не упоминали, хотя все время ощущали его осуждение. И только через год после того поцелуя в парке во время первой их ночи, когда они, нагие, бесстыдно наслаждались, он сказал ей, что любит ее больше, чем боится кары. Любой кары.

Настоятельница монастыря кармелиток в Люблине узнала о романе сестры Анастазии из анонимки, посланной офицером Службы безопасности, который давно уже пас брата Анджея. Брат Анджей был важный объект. Поездки в Рим, визиты экуменических групп из США, контакты с прицерковной молодежью. Он отказался сотрудничать? Проявление юношеского романтизма. Теперь уже не откажется. Теперь уж не повторится то, что случилось в процессе давней провокации с военными лагерями. Из-за него тогда полетело несколько голов, причем даже в Варшаве.

Призвали его в военные лагеря вопреки закону. Но это было во время военного положения. Законы можно было устанавливать вечером и менять утром. Ему прислали повестку о призыве в летние военные лагеря для слушателей духовной семинарии. Это была явная, шитая белыми нитками провокация. Очередное преследование, чтобы его сломать. Ведь монахов было нельзя призывать ни на какие учебные сборы.

Таких, как он, оказалось много. Целый взвод. Таких же наивных или неинформированных молодых монахов. Их собрали на полигоне неподалеку от Дравска.

Он провел на этих сборах ровно 11 часов. На вечерней поверке пьяный капрал приказал им молиться. Хриплым голосом он выкрикивал, как команды, строки «Отче наш», а они должны были хором повторять их за ним. Он стоял в строю вместе с остальными и молчал, пытаясь подавить в душе презрение к себе за то, что все еще находится тут. И наконец капрал проорал:

— Аминь. Я сказал «аминь», скоты. Громче, мать вашу, «аминь».

И тогда Анджей вышел из строя, подошел к капралу и с размаху дал ему пощечину. После первого же ответного удара в лицо он рухнул на землю. Избитого, со сломанным ребром, с головой, рассеченной пряжкой солдатского ремня, истекающего кровью из носа и ушей, его оттащили на перевязку в барак неподалеку от их палаток. Ночью от потери крови он потерял сознание. Пришлось отвезти его в госпиталь. Все выплыло наружу. Вмешался епископат. Какой-то важный работник госбезопасности в Варшаве вынужден был уйти в краткосрочный отпуск, а брат Анджей против своей воли вошел в историю оппозиции в Польше.

Но тогда это была, как говорили в Варшаве, любительщина провинциальных краковских детективов. Теперь он подпишет обязательство о сотрудничестве без единого удара и единой капли крови. И не понадобится выбивать ему зубы. А епископат? Епископат и пальцем не шевельнет. Епископат не допустит, чтобы всем стало известно, что «монах, получивший докторскую степень в Ватикане, безнаказанно трахает монашку из Люблина».

Настоятельница кармелиток отослала сестру Анастазию на полгода в крохотную деревушку в Бещадах, а также отправила письмо настоятелю доминиканского монастыря в Кракове. Но тот никак не отреагировал, так как письма не прочел. Служба безопасности перехватила его. Роман должен был продолжаться. Ничто не должно было ему мешать. Главным образом из идеологических соображений.

И он продолжался. В пустых хижинах пастухов в Бещадах, в гостинице в Жешове, в Кракове, куда Анастазия приехала ночью автостопом на два часа. Продолжался, потому что письма их перлюстрировались, а телефонные разговоры прослушивались.

Настоятельница кармелиток, обеспокоенная отсутствием реакции из Кракова, сама поехала туда. Через неделю брата Анджея перевели в Свиноуйсьце. Место должно быть как можно дальше от Бещад, и перевод должен выглядеть унизительным. Его лишили права служить мессу. Два факультета. Папская академия. Лучший проповедник в Кракове. Такого приходского священника в Польше до той поры не было.

Когда он приехал в Свиноуйсьце, кто-то подбросил копию анонимки Службы безопасности в трапезную монастыря в Люблине. Мир должен был узнать о них. Сестра Анастазия стала балластом. Идеологическим балластом. Кстати сказать, это была чистая правда. Невозможно шантажировать целый орден из-за того, что в нем состоит единственная нимфоманка, не способная иначе уладить проблему.

Неожиданно с ней перестали разговаривать. Ей нельзя было прийти вечером в часовню, что она обычно делала до тех пор. Она за все получала выговоры. Ее всячески донимали. В один из дней на столе в трапезной оказалось распечатанное письмо от него. Полное нежности, любви, признаний. Когда она села на свое место, у нее было ощущение, что все глядят на нее с отвращением.

Террор этот продолжался больше полугода. Но она не отреклась от него. Напротив. После каждого нового унижения, после каждой новой обиды она все больше укреплялась в убеждении, что он достоин любви.

Его же мир испытывал еще безжалостней. Как-то в исповедальню ему подбросили использованный презерватив. В почтовый ящик кто-то опустил открытый конверт с вырезанными из газет фотографиями девочек, жертв священников-педофилов. «Возмущенные» прихожанки регулярно писали епископу. В течение полугода Анджея несколько раз переводили с места на место. Но он все равно продолжал любить ее. И ждал. Он не знал, чего ждет, но верил, что все это должно кончиться. Как срок в чистилище. Когда-нибудь он кончается, а потом наступает вечное блаженство.

Однажды сестра Анастазия исчезла. В тот день кто-то вывел из монастырского гаража машину. Сестра Анастазия поехала на ней в Ченстохову. На обратном пути в двух километрах от амбулатории в Почесной на прямом сухом отрезке шоссе она выехала на встречную полосу. Прямо под огромный датский рефрижератор. Следов торможения не было. Ее машина буквально въехала под радиатор грузовика. Анастазия умерла на месте. Ее всю искромсало. Никто из Люблина не приехал — даже на опознание.

Служба безопасности постаралась, чтобы результаты вскрытия стали широко известны и там, где случилось это происшествие, и в Люблине. У сестры Анастазии в крови обнаружили алкоголь и валиум, а в матке спираль.

А через месяц было Рождество. После мессы, когда все уже разошлись по домам и радовались приходу в мир младенца Иисуса, в маленький костел в Бяловежи вошел брат Анджей. Из каменной чаши у входа в костел он набрал освященной воды в бутылку из-под оранжада. Подошел к алтарю, поставил на него бутылку со святой водой, бутылку водки и маленький пластиковый пузырек с черной тушью. Высыпал горсть таблеток. Из пиджака достал набор игл для татуировки. Тушь из пузырька смешал со святой водой. Оперся на стол. Он стоял как раз напротив распятия. И стал наносить татуировку.

Утром пришли женщины зажечь свечи перед мессой. Возле алтаря учуяли запах водки обнаружили там брата Анджея. На его окровавленном левом предплечье можно было прочесть надпись: «Бога нет».

Медсестра оборвала рассказ. Дверь кабинета отворилась, и санитар в белом халате выкатил коляску с ксендзом Анджеем. У меня было ощущение, что, проезжая мимо меня, он мне улыбнулся. Медсестра погасила сигарету, ткнув ее в горшок с пожухлым папоротником. Она подошла к коляске и молча покатила ее.

Санитар стоял в дверях кабинета и смотрел на меня, ожидая, когда я войду. Я не пошел туда.

В этой комнатке я понял, что хоть я и страдаю от любви к Наталье, но любовь наша была прекрасной, исполнившейся, и ее никто не осуждал и не клеймил. Любовь, она всегда такая. Именно так нас учит Церковь. Но если вдруг она окажется не по нраву курии, тогда ее нужно уничтожить, растоптать, оплевать, надругаться над ней, заклеймить, осквернить и унизить. Лучше всего уничтожать такую любовь во имя любви к Богу. Такое в истории бывало много раз.

В тот же вечер отец по моей просьбе отвез меня в карете «скорой помощи» домой. Моя комната ждала меня. Мой письменный стол, мои книжки, мамина фотография над выключателем, письма Натальи, перевязанные зеленой ленточкой, на полке над письменным столом. Чистая благоухающая постель. Я ощутил нечто, что нормальные люди называют радостью. Всего лишь на короткое мгновение, но я знал, что она вновь была во мне. Я вернулся. С единственным решением: заткнуть ту черную дыру в душе. Заткнуть, забетонировать и жить так, чтобы она больше не раскрылась.

Я стал другой. Тихий. Неразговорчивый. Задумчивый. Напуганный. Я не пил. Я читал. Просыпался и читал. До вечера.

Ты знаешь, что книжки могут стать бинтом и гипсом?

Отец привык к моему молчанию. Он приходил в мою комнату и сидел со мной. Ничего не говорил, просто сидел. И радовался.

Однажды к нам в дверь позвонили. На площадке никого не было. А на придверном коврике лежал пакет из серой бумаги, перевязанный розовой резинкой. Отец принес его в комнату. Я его развернул. Там были две мои зачетки и листок с машинописным текстом. В нем сообщалось, что по решению ректоров обоих высших учебных заведений я восстановлен в студентах. Всего-навсего. И ни слова объяснений.

Я подошел к окну. По улице, опираясь на палку, шел отец Натальи. На паркинге у пекарни он сел в черную «Волгу» и уехал.

В октябре все опять стало как прежде. Не было только Натальи. То есть была, но не могла прийти. Так я сказал себе. Сказал себе, что просто она не может быть со мной. А так она есть. Случалось, я забывал об этом и высматривал ее. Особенно после экзаменов. Выходил из аудитории и взглядом искал ее. Привычка. Мне хотелось, чтобы она прижалась ко мне. Она всегда так делала.

В столовку я не ходил. Был там всего раз. Сразу же в октябре. Спустя две недели после начала учебного года. Там как раз был тот же самый суп. У меня случился приступ астмы.

А ты знаешь, что астматики, когда у них начинается приступ, должны выйти? Даже если там, куда они выходят, меньше воздуха, они все равно должны выйти. Это такой синдром погони за кислородом. Парадоксальный, потому что само поспешное бегство отнимает кислород.

А знаешь, что даже в тюрьмах заключенным-астматикам позволяют выходить из камеры во время приступа? Иногда в камеру гораздо меньших размеров и без окон. Но даже это действует. Потому что тут всего лишь синдром — причина в мозгу, а не в легких и бронхах.

Я вышел только на минуту. Потом вернулся. Есть я ничего не ел, но просидел перед окошком, где выдавали суп, до конца обеда. Судорожно вцепился в край стола, но не убежал. Раздатчицы посмеивались, глядя на меня. То была первая моя настоящая победа над страхом. Психотерапевт из психической лечебницы под Вроцлавом был прав. Единственное, чем можно победить фобию, это бороться с фобией. Это действенный метод. На принципе прививки. Делаешь прививку подсознанию.

Формально я потерял целый год. В обоих институтах. Еще недавно мне это было абсолютно безразлично. Потому что бессмысленно. До абсурда неважно. Но теперь все изменилось. Занятия стали моей жизнью. Они заглушали или утихомиривали демонов. И к тому же замечательно заполняли время. Для меня ничего не могло быть целительней, чем одновременная учеба по двум совершенно разным специальностям. Мне казалось, что если я позволю «им» — хотя я не вполне точно знал, кто такие эти «они»,— отнять у меня этот год, то это будет все равно как если бы я вторично позволил оплевать себя недожеванной булкой с помидором тому малорослому, слюнявому и на километр воняющему глупостью кассиру из банка.

И я не позволил. В декабре в обоих институтах мне дали разрешение нагнать упущенное. К концу сентября следующего года я сдал последний пропущенный экзамен.

В тот день на могиле Натальи лежали каштаны. Она любила каштаны. Должно быть, рано утром их положила ее мать. Я пошел сообщить ей про экзамен. Наталья была бы мною горда. Она всегда гордилась мной.

Указательные пальцы обеих рук дважды под ключицу. Потом два раза в направлении собеседника. «Я люблю тебя».

Это так просто...

Якуб.

P. S. Береги себя.

— Не могли бы вы на минутку встать из-за стола? Всего на минутку. Я быстренько пройдусь пылесосом, — услышал он за спиной женский голос.

Он резко обернулся в испуге. За его стулом стояла молодая уборщица. Он сидел спиной к двери и не слышал, как она вошла. Турчанка с платком на голове, работает тут всего несколько дней, кого-то замещает. Она стояла с трубкой пылесоса в руке и улыбалась. Но, увидев его лицо, быстро отошла к двери.

— Ой, простите! Простите, — торопливо говорила она испуганным голосом. — Я думала, в это время в кабинете уже никого нет. Обычно я стучу в дверь. Но я завтра утром уберу. Это ведь не срочно. Не буду вам мешать работать.

Закрывая дверь, она бросила:

— И не надо плакать. Все будет хорошо.

Он подошел к полке с книгами у окна. Открыл форточку. В комнату ворвался успокаивающий своей регулярностью гул автострады. Он взял книжку, которую купил месяц назад и которая ждала своей очереди на верху высокой стопки книг, «обязательных для прочтения».

Он решил не возвращаться домой. Сегодня не хотелось встречаться с пустотой квартиры. Тут у него, по крайней мере, есть Интернет. Он вдруг почувствовал, что сегодня хочет оставаться рядом с Интернетом. И еще почувствовал, что скучает по ней и ждет не дождется наступления утра.

«Чтение всегда помогает скоротать время», — подумал он.

Впервые ему хотелось скоротать ночь. Чтобы встретиться с нею. Как можно скорей.

ОНА: Она ждала его. Сегодня она была непонятно расчувствовавшаяся. Когда он внезапно на полуфразе вышел на собрание, о котором вспомнил в последний момент, стало вдруг так пусто и тихо. Возможно, это прозвучит напыщенно, но с какого-то времени без него ее мир и вправду становился опустевшим и тихим.

Мир ICQ, чата и Интернета только кажется тихим. Ведь звуки тоже лишь вопрос воображения. Звуки и голоса можно переживать, не слыша их. С ним Интернет был полон звуков. Она смеялась, а порой и взрывалась хохотом. Если он чем-нибудь ее растрогал, шептала ему. Вскрикивала — разумеется, когда была одна в кабинете, — если он ее рассердил или возмутил. Нетерпеливо стучала по столу клавиатурой или мышью, дожидаясь его ответа или комментария. Слушала музыку, когда он ее об этом просил. Выговаривала слова, которые иногда, считал он, обретают значение, только если их громко произносят или нашептывают, а не просто читают. Общение с ним редко бывало тихим.

Потому, если он исчезал или — что случалось гораздо чаще — она отходила от компьютера, в ее мире становилось тихо, как на опустевшем стадионе. Но речь шла вовсе не о такой тишине. И не о такой пустоте. Себя-то она неплохо знала.

И когда она написала последнюю, чуточку излишне чувствительную, как она отметила через минуту, фразу о тишине, наступившей в ее мире, то неожиданно поняла, что охотно приходила бы сюда, на свое рабочее место, и в субботу, и в воскресенье. Даже если бы ей за это перестали платить. А еще охотней приходила бы сюда ночью. Он часто работает по ночам. Иногда она думала, что хорошо было хоть раз иметь его в online всю ночь. Работа в этом кабинете стала теперь чем-то третьеочередным. Надо было поскорей сделать то, что на какое-то время гарантирует ей спокойствие и неприставание со стороны шефа, секретарши и сотрудниц, и сразу вернуться к Якубу. Он всегда был под рукой: ICQ, чат, e-mail. Это ведь он открыл ей, что в Интернете все «на расстоянии вытянутой руки». Надо только знать, как вытянуть руку. Она уже знала и узнавала все больше и больше. На обложке толстого тома, который она читает уже неделю, значится «Анализ рынка». Но на самом деле обложка взята с другой книжки, чтобы обмануть любопытную секретаршу, а под ней находится потрясающе захватывающее чтение — «Internet Unleashed», что в вольном переводе означает «освобожденный Интернет». И подумать только, что совсем недавно она, потому что ей лень было читать многостраничную инструкцию, не могла вставить кассету в видеомагнитофон.

Это становилось опасным. Она угрожающе близко подбиралась к состоянию, когда мужчина опять заполняет весь ее мир. Ей не хотелось этого. Это должна быть дружба. Отнюдь не любовь! Сейчас она впервые, думая о Якубе, использовала это слово. Она не хотела никакой любви. Любовь включает в себя страдание. И оно неизбежно, хотя бы при расставаниях. А они расстаются каждый день. Дружба — нет. Любовь может быть неразделенной. Дружба — никогда. Любовь преисполнена гордыни, эгоизма, алчности, неблагодарности. Она не признает заслуг и не раздает дипломов. Кроме того, дружба исключительно редко бывает концом любви. И это не должна быть любовь! Самое большее — асимптотическая связь. Она должна непрестанно приближать их друг к другу, но так и не наградить прикосновением.

Да она и не любит его! Это просто очарованность женщины, на которую не обращает внимания муж. К тому же он виртуальный. Она не может с ним взять и согрешить. Хотя сегодня она чувствовала, что, несмотря на это, ей хочется сорваться с этой асимптоты и прикоснуться к нему. Неужто это было бы грехом?

Она ждала его, однако он не возвращался с собрания. Надо было что-то делать, чтобы настроение улучшилось. Ей всегда помогала парикмахерская. Она позвонила пани Ивоне. Та могла принять ее. Правда, только после восьми вечера. Но ей некуда было спешить. Мужа дома нет. Вчера он уехал куда-то по служебным делам. Она ответила, что с удовольствием придет даже позже.

Пани Ивона была хозяйкой одного из самых необычных парикмахерских салонов, который сама она предпочитала называть «студией». Он находился в центре Варшавы неподалеку от Политехнического института. На втором этаже довоенного дома. На стенах современная графика, кожаные кресла, помощница, встречающая у входа, записи в компьютере о том, какие «процедуры» предпочитают клиентки. Изысканная музыка в «студии» и даже в туалетах, где пахнет жасминовым дезодорантом. Островок роскоши на втором этаже серого дома. Пани Ивона знала, что посещение парикмахерши — переживание куда более интимное, чем даже визит к гинекологу. У нее не только укладывают волосы. У нее зачастую начинают строить планы на жизнь.

Когда она вошла, жизнь в «студии» все еще била ключом. Почти все кресла были заняты. Ивона оторвалась от головы клиентки и подошла к ней. Они уже давно были на «ты». Она делала прическу только у Ивоны.

— Подожди чуточку. Я освобожусь, прежде чем ты допьешь кофе.

Она села в свободное кресло около столика с газетами. В тот же миг практикантка подала ей на серебряном подносе чашку с кофе.

Она почувствовала вкус своего любимого сорта виски. Подняла голову и с благодарной улыбкой взглянула на Ивону.

«Откуда ей известно?» — подумала она.

Ивона была, пожалуй, самая эффектная из всех знакомых ей женщин. Около тридцати лет, длинные белокурые волосы, неизменно безукоризненный сдержанный макияж. Облегающие брюки, мини-юбки, длинные юбки с разрезом чуть ли не до паха. Почти всегда декольте. Узкие ладони с ногтями, обещающими боль, если их вонзить в спину. И грудь. Великолепная грудь.

Ивона отлично знала, какие мысли и чувства переполняют мужей и женихов, ожидающих своих жен и невест и алчно поглядывающих на нее из-за газет, которыми они маскировали свою заинтересованность ее телом.

И она тоже знала. Как-то — дело было летом — она пришла сюда, не записавшись предварительно. Естественно, ей пришлось ждать. Почти два часа. Со своего кресла она насмотрелась на этих мужчин. Они жадно — заметно было, что мозги у них стекли вниз, — наблюдали за каждым движением Ивоны. В тот жаркий вечер на Ивоне были обтягивающая оливковая блузочка, открывающая живот, и черные в облипочку брюки. И была она босиком. Фоном служили песни Брайана Адамса. Наклоняясь над головой клиентки, она выпячивала попку. На спине над узким пояском черных брюк видна была красно-синяя татуировка. Роза, наполовину прячущаяся под брюками, наполовину открытая взглядам.

Ах, как она понимала всех этих мужчин! Она сама не могла оторвать взгляд от татуировки. Наберись она смелости, она сделала бы такую же, правда, чуть поменьше и на ягодице. Ее тоже возбуждала эта татуировка. Как-то она даже спросила мужа, не хочет ли он, чтобы у нее на попке была маленькая татуировка, которую будет видеть только он. Он высмеял ее.

— Такое может прийти в голову только пьяному матросу, — закончил он свою отповедь.

Она даже обиделась. Ведь она хотела это сделать для него.

— Как ты узнала, что мне сейчас необходим виски в кофе? — полюбопытствовала она, когда Ивона взялась наконец за ее волосы.

— Вид у тебя был такой... Я велела влить тебе в чашку двойную порцию. Влила?

— Не уверена. Сейчас я вообще ни в чем не уверена. Но, наверно, да, потому что действует гениально.

Ивона наклонилась и тихо спросила:

— Тебе сегодня ночью кто-нибудь растреплет волосы или сделать попрочней?

— Не растреплет, потому что находится далеко и даже не знает, как мне этого хочется. Но делай так, как будто он растреплет.

Ивона никак не откомментировала ее слова. Они говорили о моде, о том, что, несмотря на отпускную пору, Варшава забита машинами и что неплохо было бы куда-нибудь рвануть отсюда. Лучше всего на Майорку.

И вдруг Ивона ни с того ни с сего бросила:

— А ты скажи ему, что хочешь. Все равно ведь ты совершаешь грех, потому что хочешь.

Она улыбнулась отражению Ивоны в зеркале.

«Зачем людям психотерапевты, — весело подумала она. — Надо просто чаще ходить в парикмахерскую. Ничего странного, что тут всегда толпы».

Да, она правильно решила. Парикмахерша всегда помогает. От Ивоны она вышла почти в десять вечера. Было очень тепло. Виски, новая прическа, звезды на небе. Она испытывала блаженство. «В Интернете трудно рассказать, что такое блаженство. Это можно только показать ему», — мелькнула у нее внезапная мысль.

По пути к стоянке такси она прошла мимо одного из факультетов Политехнического института. Вдалеке, в одном из зданий в глубине парка за оклеенным плакатами забором, звучала громкая музыка. Стоянка такси находилась в небольшом кармане как раз напротив высокой лестницы, ведущей к главному зданию Политеха.

Она собиралась перейти на другую сторону улицы и вдруг остановилась. «Стоп, стоп,— подумала она,— я ведь тут когда-то была. И тоже вечером. Ну да, здесь! Я же отсюда высылала свой первый в жизни e-mail. У компьютера не было даже мыши. И монитор был такой смешной, с регулировочными рычажками».

— E-mail! — почти что выкрикнула она.

Она повернулась и побежала вверх по лестнице. С трудом открыла тяжелую дверь. Холл, освещенный лампами дневного света, был затянут густой пеленой табачного дыма. Облака дыма в свете ламп становились то голубыми, то темно-синими. Да, это здесь. Скорей всего здесь. Только тут всегда стоит такой дым.

Вдоль стен на длинных узких столах с металлическими ножками стояли мониторы компьютеров, помигивающие белым, зеленоватым или янтарным фоном экранов. Возле каждого монитора сидели люди — поодиночке или небольшой компанией. Звучал только мерный стук клавишей да приглушенный шум разговоров.

То был перст судьбы. Она опишет ему состояние блаженства. Немедленно. Пока ощущает его. И как можно лучше. Она огляделась. Все компьютеры были заняты. Ничего. Она подождет. Время у нее есть. Она выбрала монитор в конце холла у самого гардероба. Подошла и встала за спиной длинноволосого молодого человека. Обратилась к нему самым воркующим — как правило это действовало — голосом:

— Скажите, если бы вам нужно было срочно, действительно срочно, посмотреть, есть ли вам e-mail, но у вас не было бы доступа к Интернету, потому что вы не являетесь студентом, вы попросили бы меня, чтобы я обеспечила вам доступ?

Юноша обернулся, посмотрел на нее, громко рассмеялся и сказал:

— У вас я мог бы попросить даже руки. Но прежде, конечно, попросил бы о доступе. К вам. Знаете, я уже все равно собираюсь уходить, так что можете чувствовать себя как дома. Только, пожалуйста, не забудьте потом меня отключить.

Он встал, уступая ей место, и оказался очень высоким и худым.

— Вы сможете сами конфигурировать серверы своей электронной почты? Если нет, я с удовольствием вам помогу, прежде чем уйти.

Она улыбнулась и серьезным тоном ответила:

— Я многое умею делать сама, но вот это — нет. С того времени, когда умела, мне помнится, что на компьютерах, у которых нет «Виндоуз», это кошмарно трудно. Это ведь UNIX, да?

— Да. Старый, добрый UNIX. Сюда в коридор нам ничего лучше не дают. Они поддерживают только IRC и отсылку и прием электронной почты. Но и то слава богу. В университете даже такого коридора, как у нас тут, нет. Дайте мне исходящие и входящие электронные адреса. Я вам сейчас все сконфигурирую.

Она достала из сумочки черную записную книжку и продиктовала ему оба адреса. «Якуб прав, — подумала она, пока студент вводил эти данные, используя какие-то таинственные команды. — Названия серверов входящей и исходящей почты — все равно что группа крови. Их всегда надо иметь записанными при себе».

— Готово. Теперь вам остается лишь вести свой пароль и прочитать почту. Правда, писать тут довольно сложно.

Она благодарно посмотрела на него.

— Вы даже не представляете, какое большое дело сделали для меня. Благодарю вас. Я справлюсь, напишу. Вспомню, что и как нужно.

Как только студент отошел, она быстро набрала на клавиатуре свой пароль доступа к электронной почте. Есть! Она смотрела, как на экране появляется e-mail с его именем и фамилией.

А чего она так обрадовалась? Ведь почта от Якуба приходит ежедневно. Ежедневно. С тех пор как они «подружились», он пишет ей каждый день. Без принуждения, без просьб и даже частенько без награды в виде ее ответов. И это ее так трогает. Он даже, наверное, не представляет, до какой степени трогают ее ежеутренние послания. Иногда всего два предложения, а иногда два десятка страниц. У нее уже целая папка его писем. Он называет их «листками», дает номера, датирует и определяет по темам. Всегда дает какое-нибудь ключевое слово, например «о задумчивости», «о генах», «о грусти», «о твоих волосах» и множество других. Этакое прелестное извращение педантичного математика. Но система отменная. Если ей, к примеру, захочется перечитать (а в последнее время ей очень часто хочется) его e-mail с ключевым словом «любовь», то найти его очень легко. Если захочет узнать, что он писал 18 июня, то тоже никаких трудностей не возникнет. Так же, как нет ничего проще узнать, о чем он думал, когда писал ей из Сан-Диего или Бостона.

Но e-mail на экране был без даты, без обозначения места написания и не помечен никаким ключевым словом, и это ее несколько удивило. «Не похоже на Якуба», – подумала она и начала читать.

Она, выпрямившись, сидела на стуле, положив руки на бедра. У нее не было сил пошевелиться. Куча гигиенических салфеток в пятнах от смазанной косметики укрывала содержимое сумочки, вываленное на стол. Сама сумочка валялась на полу, придавленная ножкой стула, на котором она сидела. Глаза щипало, губы были соленые от слез. Она слышала собственный голос:

– Сейчас встану. Еще только минутку. Поднимусь со стула. Соберу все в сумочку. Встану и выйду отсюда.

Она встала. В дверях ее кто-то остановил, схватив за руку.

– Вы оставили сумочку и кучу мусора у монитора. Так не полагается. Пожалуйста, уберите за собой, – услышала она негодующий голос смотрительницы.

Она молча вернулась к монитору. Стало уже немножко легче. Она подняла сумочку с пола. Широко, как только возможно, раскрыла ее, подставила под край стола и одним движением смела в нее все, что лежало на нем. Закрыла сумочку, прищемив скомканные гигиенические салфетки.

А когда выходила, смотрительница взглянула на нее так, словно она была нанирявшейся наркоманкой.

Она села на лестнице перед зданием и помешала парочке, которая самозабвенно целовалась несколькими ступеньками ниже. Они мельком бросили на нее взгляд, и парень шепнул:

— Смотри, что делает эта сумасшедшая...

Указательные пальцы обеих рук два раза под ключицы, потом два раза в направлении собеседника. Это так просто...

ОН: После двух часов чтения у него появилось чувство вины: ему стало казаться, что он впустую тратит время. С недавних пор, если он долго не пользовался компьютером, такое ощущение у него возникало довольно часто. И совершенно зря, поскольку трудно назвать пустой тратой времени анализ публикаций, на которые он будет ссылаться в своих работах или с которыми будет полемизировать. Непонятно с чего, но уже какое-то время подобные состояния у него стали повторяться. Уж не первые ли это признаки зависимости от машины?

Он решил вернуться к докладу, который он готовил для симпозиума в Женеве. Он радовался этой поездке. Они получили сенсационные данные и хотели их огласить. И он понимал: решение шефа, чтобы доклад делал он, было своего рода отличием.

Проект действительно был необыкновенный. Уже семь лет на одном из островков у западного побережья Ирландии проводились генетические исследования всех, абсолютно всех жителей. Поскольку остров был почти полностью изолирован от мира и отъезды, а равно и приезды людей на него случались крайне редко, можно было говорить о практически не нарушенной истории генов целой популяции на замкнутой территории. Остров был интересен и еще по одной причине: в склепах двух тамошних церквей нашли саркофаги с исключительно хорошо сохранившимися останками. Благодаря климату, а также сухости в склепах гробы сохранились неповрежденными, а трупы подверглись мумификации. Самому старому захоронению было восемьсот лет, самому позднему — четыреста. Генетический материал, взятый из мумий, оказалось возможным сравнить с материалом, полученным от ныне живущих островитян. И хоть он шутил, что любые обобщения, сделанные на основе исследования ирландцев, крайне рискованны, тем не менее этот проект стал настоящей сенсацией в генетике. Анализ данных производился по его программе. В Женеве он должен был представить результаты первого этапа.

Он открыл запись последней версии доклада, но, прежде чем начать писать, спустился этажом ниже в кухню — взять из холодильника початую бутылку калифорнийского «шардоне». Он взял бутылку и достал из морозильника бокал, который поставил туда несколько часов назад. В последнее время он не забывал ставить бокал в морозильник. Уже давно он открыл, что нет ничего вкусней, чем холодное «шардоне» (лучше всего из Монтерея) в покрытом изморозью бокале. А кроме того — и это тоже стало немножко удивлявшим его правилом,— лучшие тексты он писал после того, как выпьет вина. А текст доклада в Женеве должен быть на самом высоком уровне...

«Ничего удивительного, что Стейнбек так хорошо писал,— подумал он.— Известно же, что он пил и вдобавок жил в Монтерее».

К себе на этаж он поднялся в лифте. В эту пору институт уже опустел. У него в кабинете, освещенном только настольной лампой, стоящей рядом с монитором, оклеенным желтыми листочками, напоминающими, что он должен, но все равно забудет сделать, раздавался лишь успокаивающий шум вентилятора в компьютере. Чувствовал он себя уютно и хорошо: у него был компьютер, было вино и были идеи насчет доклада.

Кабинет, и это тоже он недавно осознал, постепенно становился для него чем-то большим, нежели местом работы. Он приносил сюда то, что другие люди, как правило, держат дома: книжки, приемник с проигрывателем компакт-дисков, комплект полотенец, плед, подушку, кроссовки (на тот случай, если захочется позаниматься бегом в ближнем парке — правда, до сих пор у него такого желания не возникало), костюм, два галстука, картины, а также горшки с цветами, которые стояли всюду, где только было место, свободное от книг, заметок и дискет. Да, кабинет для него становился домом.

Она тоже присутствовала здесь, в этом «доме». А где еще ей место? Ведь именно сюда она «постучалась» в первый раз. Тут были даже ее вещи! Она их присылала ему. Он все время обнаруживал маленькие пакетики в своем почтовом ящике. Для того чтобы ощущать присутствие женщины в доме, вовсе не нужно наличие зубной щетки в ванной комнате. Это может быть нечто совершенно иное.

Например, зеленые свечи — ароматизированные, витые, гладкие, высокие, низкие, но обязательно зеленые. Потому что он любит зеленый цвет.

Или книги. По всему кабинету лежали книги от нее. Прочитанные ею. С ее пометками шариковой ручкой на полях либо прямо в тексте. Купленные в двух экземплярах. Причем прочитанный экземпляр неизменно посылался ему. А второй оставался у нее. Чтобы был под рукой, когда они будут говорить об этой книжке.

Или же почтовые открытки. Из каждого города, где она побывала и где у нее не было доступа к Интернету, она посылала ему открытки. Из Кракова прислала как-то целых восемнадцать штук.

«Только на восемнадцатой я поместила то, что сказала бы тебе в первый же час по ICQ. Мне не хватало этого. Очень не хватало. Некоторые открытки повторяются. Извини. У киоскерши было только двенадцать разновидностей».

Но это мог быть и ее лифчик. Как-то он спросил, какого цвета сейчас у нее белье. Было это вечером. Он выпил слишком много вина. Звучала музыка. И получилось както само собой. Сперва она проигнорировала его вопрос. Но через час вернулась к нему. Тоже излишек вина. И музыка тоже. Видимо, и у нее это вышло само собой, потому что она написала:

«Я не могу описать тебе этот цвет. Он на границе между оливковой зеленью и бирюзовым. Я сейчас сняла лифчик и положила в конверт. Сам увидишь, какого он цвета».

Через четыре дня он обнаружил в почтовом ящике небольшой пакет. Он прекрасно помнит, что всякий раз, прикасаясь к оливково-бирюзовому лифчику губами, он чувствовал запах духов. И еще помнит, как он был возбужден.

Да, кабинет стал его вторым домом. Притом именно здесь она бывала чаще всего. Хотя не только здесь. Но только в кабинете у него было ощущение, когда они бывали вместе в Интернете, что он пригласил ее в гости к себе в дом. Причем «бывать» означает разговаривать с ней на ICQ, открывать с нею чат, писать ей или получать от нее электронную почту. Ее присутствие в его жизни было связано с компьютером. И он умел связать определенный компьютер с конкретным воспоминанием. На подсоединенном в номере цюрихской гостиницы к Интернету ноутбуке с заполненным до предела диском она впервые написала: *«Я тосковала по тебе и не могла дождаться понедельника»*. А от цветного «Макинтоша» в Интернет-кафе в Берлине он узнал, что *«в последнее время она больше всего боится слов „никогда" и „всегда", а еще также „ничто" и „никто"»*. А на сверхмощном компьютере Cray в Штутгартском университете он получил e-mail, где она в первый раз написала: *«Еще раз благодарю тебя за все, а главное, за то, что ты есть»*.

Воспоминания о виртуальных свиданиях с ней — это главным образом воспоминания об эмоциях. А также запавшие в память характеристики клавиатур, мониторов либо программ, с помощью которых он обменивался с нею информацией. Иногда он мысленно улыбался, подумав, что воспоминания их будут выражаться в таких, к примеру, гипотетических вопросах:

— А помнишь, какое нежное письмо ты писала мне под вечер, когда я сидел в резиденции IBM в Гейдельберге за серым компьютером с клавиатурой в пятнах кофе и отсутствующей клавишей «z»? У этого компьютера был старый монитор с ностальгическим экраном янтарного цвета, и мы с тобой условились, что отсутствующее «z» будем заменять цифрой «восемь». Теперь такие мониторы уже не выпускают.

— А ты помнишь?

Неужто их воспоминания останутся навсегда такими же? Клавиатуры, мониторы, быстродействие модемов, почтовые программы или названия серверов, позволявших им открывать чат?

А в сущности, почему бы и нет? Неужели скамейка под старым каштаном более романтична, чем компьютер без буквы «z» на клавиатуре, находящийся за стеклянной стенкой в притемненном компьютерном центре?

Все зависит от того, что произошло на скамейке и что благодаря этому компьютеру.

Для большинства преимущество скамейки очевидно и не подлежит сомнению. Главным образом благодаря соседству объекта, обонянию и осязанию. Слова на скамейке отходят на второй план. Но он и не спорил. Он только считал, что словами можно заместить и запах, и прикосновение. Да, словами можно прикасаться. И еще нежней, чем руками. Запах можно описать так, что он обретет и вкус, и цвет. А когда от слов исходят нежность и аромат, тогда... тогда надо чаще отключать модем. На скамейке в такие минуты обыкновенно отключается рассудок.

Но он все равно предпочел бы сидеть на скамейке.

Отличное было «шардоне». «Доклад для Женевы может немножко подождать», — подумал он, наливая второй бокал. Он поудобнее уселся на вертящемся кресле и положил ноги на стол. Подумал, что сегодня был в определенном смысле переломный день. Теперь все будет по-другому. Как по-другому, он пока еще не знал, был лишь уверен в одном: что-то изменится. Этот e-mail о Наталье...

До сих пор он еще никому так подробно не описывал свои страдания. Не хотел. Да и потребности не было. Отец и так все знал без слов, а другие... Другие просто не имели значения. А вот ей он захотел рассказать все. Каждую подробность. Про каждую слезинку. И он сделал это. Почему? Потому что она далеко и не увидит слез? Или потому что больше нет никого другого, чтобы рассказать, а рассказать страшно хочется? А может, это чистой воды эгоизм? Желание поделиться с кем-нибудь печалью прошлого и тем самым уменьшить ее бремя? А быть может, она теперь так много для него значит, так важна, настолько настроена с ним в резонанс и настолько достойна доверия, что он уже не опасается даже такого уровня близости? И это тоже. Но, пожалуй, тем дело не кончается.

Он встал, подошел с бокалом к окну и прижался лбом к холодному стеклу. С минуту он стоял так, глядя, как в тумане, накрывшем внизу автостраду, движутся расплывающиеся пятна автомобильных огней.

— Я рассказал ей, потому что хотел поделиться с ней своим прошлым, — громко произнес он, обращаясь к собственному отражению в окне. — Женщины, которые имели значение в моей жизни, знали мое прошлое.

Да! В последние несколько месяцев она была главным в его жизни. Все это время стоило произойти чему-нибудь существенному, и ему сразу же хотелось немедля поведать ей об этом. Это желание вкралось в его жизнь тихо и незаметно. И овладело им. Оно изменяло его. Вызывало совершенно новые чувства. Вот, к примеру, всякий раз, когда он по утрам включал компьютер, у него возникало ощущение, будто в животе порхает бабочка. А то появлялась настолько необоримая жажда переживаний, что он мог среди ночи вылезти из теплой постели и рыться в подвале в старых картонках, разыскивая сборники стихов Ясножевской[1].

Он знал, что жажда переживаний — состояние не слишком стойкое. О, как он хорошо это знал! После смерти Натальи он, даже когда уже вернулся в мир, утратил способность переживать. Сердце его было как замороженный кусок мяса. Однажды он даже увидел его в кошмарном сне. Сморщенное и синее, как кусок говядины, вынутый из морозильника. Огромное, едва умещающееся в полости между тазом и ключицей. Твердое, кое-где покрытое коркой льда, завернутое в полиэтиленовый мешок, прорванный в нескольких местах. Этот промороженный мешок с его сердцем шевелился. Регулярно сокращался и расширялся. Сквозь дырки мешка волдырями выпирало сине-красное мясо. И когда мешок с грохотом лопнул, он с криком проснулся. Сон этот повторялся много раз. Так продолжалось года два.

Женщины в ту пору отличались для него от мужчин только тем, что у них была грудь, им не нужно было бриться и полагаться на них можно было с большей уверенностью, чем на мужчин. Только года через два-три он вновь начал испытывать нечто вроде сексуального влечения. Но тогда он это характеризовал так: на каждого мудреца довольно простаты. Пробудившиеся гормоны повлияли на его восприятие женщин. Но он хотел только сбросить напряжение,

---

[1] Павликовская-Ясножевская Мария (1891–1945) — польская лирическая поэтесса, ее часто называют польской Ахматовой.

излить сперму и вернуться к книгам. Всего-навсего. И он это делал в основном сам. Но не всегда.

Когда-то, еще на последнем курсе, он повез туристскую группу от Альматура в Амстердам. Тамошний гид по просьбе туристов сводил их на каналы в известном, особенно морякам, районе Зейдак. Вечером под каким-то предлогом он в одиночку вышел из гостиницы. Вернулся на те каналы. В маленькой лавчонке возле одного моста купил марихуаны. Тогда в Амстердаме это можно было сделать совершенно легально, да и сейчас тоже. Он сидел на скамейке и курил. Так он провел несколько часов. Возвращаясь после полуночи по набережной канала, он проходил мимо домов с остекленными фронтонами. За стеклом сидели проститутки и звали зайти к себе. И вдруг он остановился. Он до сих пор помнит, что тогда даже не раздумывал. Взял и вошел. Девушка была родом из Венгрии. Молодая брюнетка в шелковом халате. Она курила сигару.

За шампанским они договорились о цене. Девушка закрыла жалюзи. Раздела его. Зажгла душистые свечи. Включила музыку. Он узнал «Локомотив GT». Она подала ему руку и подвела к черному мраморному умывальнику возле двери. Сняла халат. Под ним на ней ничего не было.

Она бедрами подтолкнула его к раковине, наклонилась и стала обмывать. Он был так возбужден, что едва она дотронулась до его члена, у него произошла эякуляция. Он не знал, что делать. Ему было ужасно стыдно. Он зажмурил глаза, чтобы не смотреть на нее. С минуту она молчала. Потом стала ласково гладить его по голове и по щеке и что-то шептала по-венгерски. Потом принесла бокал с шампанским, прикурила сигарету и вставила ему в рот. Посадила его на стул. Принялась осторожно массировать ему шею и плечи. Через час он ушел. Девушка взяла у него лишь половину договоренной суммы. Подавая ей на прощание руку, он почувствовал, что у него опять эрекция.

Та венгерская проститутка из Зейдака была первой женщиной, которая прикоснулась к нему после смерти Натальи.

Отношения к женщинам как к объектам эгоистического секса изменилось только в Ирландии. Примерно через год с небольшим после того эпизода в Амстердаме. Весной в

Дублине он заново открыл для себя впечатления, которые не имеют ничего общего с простатой. Произошло это благодаря Дженнифер с острова Уайт...

Из задумчивости его вырвал громкий писк компьютера. Пришел какой-то e-mail. Он распахнул окно. Вставил блокиратор, чтобы оно не захлопнулось, и подошел к столу. E-mail от нее! В третьем часу ночи?

ОНА: Она попросила таксиста остановиться около магазина «24 часа» за два квартала от улицы, на которой находилась ее фирма.

— Черный «Джек Дэниелс», можно большую бутылку, и пять банок «Ред Булл», — бросила она заспанному продавцу.

Он смерил ее взглядом с головы до ног; бутылку и банки подал только после того, как она положила на стеклянный прилавок деньги. Доверия у него она не вызвала. Она смахивала на аристократическую пьянчужку, не сдержавшую зарока не пить. Настоящий, не аристократический пьянчуга, не сдержав зарока, покупает березовую воду или денатурат, а не виски. Нормальный пьянчуга способен добыть денег, которых не хватит и на маленькую бутылочку «Джека Дэниелса», а что уж говорить о большой.

Через несколько минут она вылезла из машины у своей фирмы. Расплатилась с таксистом и через гараж вошла в здание. Единственный работающий лифт поднял ее на седьмой этаж, где находились их помещения. Ей еще ни разу не доводилось быть здесь ночью. Идя по темному коридору, чтобы зажечь свет, она испытывала странную тревогу.

Она остановилась перед решетчатой дверью. С правой стороны на уровне глаз находилась небольшая коробочка с клавишами, как на калькуляторе.

«Боже, надо же набрать код, чтобы открыть двери», — испуганно подумала она.

До сих пор ей не случалось этого делать. Утром, когда она приходила на службу, двери уже были открыты охранником.

Впрочем, что за проблема... 1808... А вдруг нет? Вдруг 0818?

Если ввести неверный код, через минуту тут будет охранник. Сигнал тревоги разбудит всю округу, и директорша вряд ли поверит, что ей нужно было сделать ночью какую-то срочную работу.

Она замерла, лихорадочно соображая, что делать. Риск, конечно, большой. С другой стороны, ей так хотелось рассказать ему... Прямо сейчас. Это имело смысл только сейчас.

Она подняла руку и не раздумывая набрала 1-8-0-8. И в тот же миг зажмурилась, сжалась, словно в ожидании удара.

Удара не было.

Она толкнула дверь и вошла в помещение. Из кухонного шкафчика взяла свой хрустальный стакан под виски. В зеленую кружку, которую прислал ей несколько недель назад Якуб, вылущила из алюминиевой решетки, которую вынула из морозильника, пяток кубиков льда. Поставила в морозильник четыре банки «Ред Булла», а одну оставила в сумке. Прошла к себе в комнату. Налила виски примерно до половины стакана. Долила «Ред Булла». Включила компьютер. Вызвала почтовую программу. Подошла к проигрывателю, стоящему около факса. Она мечтала об этом еще на ступенях лестницы перед политехническим. Виски со льдом в стакане — мысль о «Ред Булле» пришла ей только в такси — и последняя пластинка Гепперт. Ей хотелось всецело утонуть в печали. А Гепперт в таких случаях лучше всего. Она выбрала «Вместо». Залпом отпила полстакана. Подошла к столу. Распустила свернутый кабель, соединяющий клавиатуру с ее компьютером. Села на пол, клавиатуру положила на колени. Привалилась спиной к стене и начала писать:

Варшава, 28 августа.

Якуб!

Слушай внимательно...

Она встала. Что-то ей было тревожно. Она прошла в кухню. Взяла из холодильника две серебристо-синие банки. Вернулась в кабинет. Нажала на проигрывателе CD функцию «повторять бесконечно», включила «Вместо» и снова села на пол.

Слушай меня внимательно. Ты превратил меня — Боже, как действует на меня Гепперт, — в самую печальную женщину в этой стране.

Ты раздавил меня. Уменьшил до размеров вируса. Да, именно так. До размеров вируса.

Ты поведал мне историю единственной любви...

Ты мог бы не приводить все эти подробности. Ведь мог же, да???

Она писала. Бормотала себе под нос и продолжала писать. Время от времени хватала стакан, стоящий рядом с ней на полу. Наконец она закончила писать. Лед в зеленой кружке весь растаял. Она снова положила на колени клавиатуру. По щекам у нее текли слезы. Она добавила:

Никак не могу перестать думать о ней. О Наталье. Ни одна женщина до сих пор не была способна так растрогать меня, как она. Стоит мне вспомнить эти строчки из ее письма: «Это будет пятница. Я как раз выяснила, что ты родился в пятницу. Это будет опять счастливая пятница, правда ведь, Якуб?» — и я сразу начинаю реветь. Просто не могу удержаться. Я вою. На всю комнату. И это вовсе не от виски с «Ред Буллом».

Почему такое случилось с тобой? Почему она умерла?

Ведь ангелы же не умирают...

Она протянула руку и, не вставая с пола, поставила клавиатуру на стол. Вылила воду из зеленой кружки, что стояла рядом с бутылкой виски и пустой банкой из-под энергетика, на ладонь и медленно провела ею по лицу. Ей сразу стало лучше. Холодная вода смывала не только слезы. Она подняла кружку над головой и вылила остатки воды на лоб. Отбросив мокрые волосы со лба, она вспомнила коварный и неожиданный вопрос, который ей задала вечером парикмахерша: «Тебе кто-нибудь сегодня ночью растреплет волосы или сделать попрочней?»

Она подумала: здорово, что все так сошлось, что именно сегодня она пошла в парикмахерскую. То была необыкновенная, романтическая и торжественная ночь с ним. В такую ночь каждой женщине хочется выглядеть как можно лучше. И не имеет никакого значения, что он еще не знает об этой ночи. Так у них получается. Условием их связи уже изначально было запоздание. Кроме того, в эту ночь он растрепал ей не только волосы. Чего бы она только не отдала за то, чтобы он был рядом с ней и действительно растрепал ей волосы. Она чувствовала: он знал бы, чего ей больше всего хочется.

— Как хорошо, что я напоила тебя, Разум, — усмехнувшись, прошептала она.

Она встала с пола. Сложила в полиэтиленовый мешок бутылку с остатками виски и все банки. Незачем им знать, что она любит пить в конторе виски с энергетическим напитком и притом с пятницы на субботу после полуночи. Так что надо старательно затереть все следы. Зеленую кружку она поставила около монитора. Выключила компьютер. Погасила свет. В темноте подошла к книжному стеллажу возле дверей. Вытащила черный скоросшиватель. Рука распознала знакомую форму.

Несколько недель назад почтальон принес ей небольшую посылку. В фирме все сгорали от любопытства — что ей прислали. И кто. Пожалуй, больше всего их интересовало — кто. Она спрятала посылку в стол и, ничего не объясняя, вышла из комнаты. Она знала — это от него. Узнала по почерку. И ей не хотелось при всех распаковывать посылку. Они бы точно заметили, как дрожат у нее руки.

Она не могла дождаться, когда все наконец отправятся по домам. Во-первых, она совершенно не представляла, что это может быть. В маленькой картонной коробочке, наполненной для сохранности, чтобы при пересылке не раздавили содержимое, белыми шариками пенопласта, находилось нечто, чему поначалу она даже не могла придумать названия. И лишь немного спустя поняла: он прислал ей модель двойной спирали ДНК из цветного плексигласа. Красную нить с маленькими отверстиями с внутренней стороны соединяли с черной бело-красные и желто-синие пары плоских стерженьков, так что получалась устремленная вверх витая лестница. Настоящая двойная спираль. На белых стерженьках были написаны буквы «А», на красных «Т». У зеленых поверху буква «Ц», а у синих «Г». Если смотреть сверху, видна была последовательность буквенных пар: АТ ЦГ ЦГ АТ АТ АТ ЦГ АТ ЦГ АТ ЦГ АТ ЦГ АТ... И приложено было письмо:

Мюнхен, 10 июля.

Знаешь ли ты, что в двойной спирали важна и имеет смысл только одна нить? Кстати, она так и называется смысловой нитью. Это она несет в себе генетическую информацию. Вторая, служащая единственно как образец для копирования, называется лишенной смысла. Но как целое все это имеет смысл именно с этой лишенной смысла нитью. Здесь лишенная смысла нить — черная. Мне нравятся обе.

Мне хочется, чтобы у тебя было что-то от меня. Этакий эквивалент фигурки-талисмана. Что-то, полученное от меня, к чему ты могла бы прикоснуться.

Талисман! Это страшно банально и безвкусно. Ведь верно? Но мне все равно хочется, чтобы у тебя было что-то наподобие амулета. Эту модель я когда-то купил у студента на лужайке перед Институтом химии Массачусетского Технологического института в Бостоне. Разумеется, я видел множество других, куда более красивых моделей двойной спирали. Но эта мне особенно дорога. Я купил ее после того, как прочел свой первый доклад в США. В том самом МТИ. Для меня, поляка, это было все равно что получение Оскара. Для ученого доклад в МТИ приравнивается к аудиенции у Папы. Мне захотелось иметь какую-то вещественную память с того места. За эту модель я заплатил все оставшиеся доллары из тех, что мне были выданы. Мне не хватило денег на автобус до аэропорта. И я шел пешком. Но зато у меня была эта модель. А теперь мне хочется, чтобы она была у тебя.

Якуб

Можно иметь плюшевого медвежонка, зайчика или щенка. А можно двойную спираль ДНК из плексигласа. Она, конечно, не мягкая, не плюшевая и ее не прижмешь к щеке. Зато в ней — гены.

Она вспомнила, как, прочитав приложенное письмо, коснулась плексигласа губами. Она сняла модель с полки и сжала в ладони. Ей не было нужды смотреть на модель.

Она на память знала последовательность. И тут же подумала, что надо будет как-нибудь поинтересоваться у Якуба, почему АТ больше, чем ЦГ. Так всюду или это просто случайность на данном участке?

Она вышла усталая, но успокоенная, испытывая блаженную расслабленность. И с удивлением подумала, что хоть и выпила столько виски, осталась на удивление трезвой. Она уже собиралась поставить помещение на охрану, но вдруг бросилась к себе в комнату и опять включила компьютер.

— Я же не отослала этот e-mail,— пробормотала она.

Было уже почти два часа ночи, когда почтовая программа подтвердила отсылку ее послания.

И ей подумалось — в последнее время эта мысль несколько раз приходила ей в голову,— что Интернету надо бы поклоняться точно так же, как вину и огню. Потому что это гениальное изобретение. Какая еще почта бывает открыта в два часа ночи?

Она вызвала по телефону такси и спустилась на улицу. Такси уже ждало ее.

— Я могу сесть рядом с вами? — спросила она у таксиста.— Что-то мне не хочется сидеть там сзади в темноте.

Он удивленно посмотрел на нее. Убрал газету, лежащую на переднем пассажирском сиденье, и сказал:

— Разумеется, можете. Мне будет очень приятно. Садитесь, пожалуйста.

Машина тронулась. По радио Дон Маклейн пел «Starry, starry night».

— А вы не могли бы сделать погромче? — спросила она, улыбнувшись водителю.

— Пожалуйста, сделайте такую громкость, какую вам хочется. Мне тоже нравится эта песня.

Она повернула регулятор громкости. Стала тихо подпевать. Через минуту к ней присоединился и водитель. Они посмотрели друг на друга и рассмеялись.

Она сидела, удобно откинувшись, прикрыв глаза, и слушала музыку. Так можно было бы ехать бесконечно. Такси вдруг стало уютным и безопасным убежищем. Она подумала, что давно уже не бывала так счастлива, как сейчас. Ее пальцы медленно передвигались по кусочку плексигласа, который успел уже нагреться от тепла ее ладони. АТ, ЦГ, потом снова ЦГ и потом три раза АТ...

Starry, starry night, paint your palette blue and gray...[1]

ОН: Он взял из ящика стола банку «колы». Сел по-турецки перед монитором, раскрутил свернутый кабель клавиатуры, положил ее на колени и принялся читать.

Варшава, 28 сентября.

Якуб!

Слушай внимательно...

Слушай меня внимательно. Ты превратил меня — Боже, как действует на меня Гепперт, — в самую печальную женщину в этой стране.

Ты раздавил меня. И уменьшил до размеров вируса. Да, именно так. До размеров вируса.

Ты поведал мне историю единственной любви.

Ты мог бы не приводить все эти подробности. Ведь мог же, да???

Только не говори мне, что это я тебя просила. Не говори мне этого! Это оправдание не подходит для тебя.

Я хотела знать о женщинах из твоего прошлого совсем немножко. Самую малость. Всего лишь, что они существовали, что у них были такие-то глаза, такие-то волосы, такие-то биографии и что они все в прошлом. Главным образом я хотела знать, что они окончательно и бесповоротно в прошлом.

Их должно было быть много, и они должны были быть разными. И должны были оставить разные следы. Их значение должно было распределиться. Чтобы ты не предпочитал ни одну из них. Такой у меня был план. У любой женщины на моем месте был бы точно такой же. «У любой женщины на моем месте» — Господи, как это страшно звучит, если произнести вслух.

Но когда имеешь дело с тобой, планировать невозможно. На тебя можно положиться. Ты основательный — мне нравится это слово, — основательный до боли. Но планировать твои реакции и поступки невозможно. До сих пор я это лишь предполагала.

---

[1] Звездная, звездная ночь, раскрась свою палитру серым и синим... *(англ.)*

А с сегодняшнего дня знаю наверняка. У тебя слишком запутанная биография. К тому же ты меняешь биографии других людей.

На самом деле это неверно. Это другие люди жаждут изменить свою биографию ради тебя. Как Наталья.

До сих пор мне не доводилось быть знакомой с человеком, которого коснулась подобная трагедия. И с человеком, который бы познал такую любовь. Неужели все в жизни должно уравниваться до нуля? Неужели и здесь действует та мерзкая концепция равновесия, о которой ты как-то написал мне три длинные страницы?

Когда я читала, чем ты одарил ее и что для нее делал, то думала, до чего же скучным, приземленным и даже банальным должно казаться тебе то, чем ты дарил или даришь очередных женщин. Потому что их просто не может не быть. Каждая, кто проходит мимо тебя, хотя бы могла остановиться, совершает ошибку. И даже не представляет какую.

Они, эти женщины, не должны ничего знать о Наталье. Не рассказывай им. Потому что им будет трудно стать вровень с той, кто для тебя является ангелом. У ангелов ведь не бывает хандры, плохих дней, морщин и регул.

Я задержалась рядом с тобой. Возможно, верней будет, если я скажу, что это я задержала тебя при себе. Но это egal[1], как ты любишь говорить. Тем не менее ты мне рассказал. Но то, чем ты даришь меня каждый день, вообще не назовешь ни приятным, ни банальным. Кроме того, ты, наверно, решил, что я это выдержу. Я ведь виртуальна. Как ангел. Ангелы тоже виртуальны. Они всегда были такие. Даже за тысячу лет до Интернета. Но в моем случае это не так. Я ВСЕГО ЛИШЬ виртуальна. И ничего общего с ангелом не имею. Я грешная, развратная женщина. Но то, что ты такой исключительный и стоишь всех этих грехов, меня ничуть не оправдывает.

Твое здоровье! У «Дэниелса» с энергетиком совершенно особенный вкус. Попробуй. Ты почувствуешь привкус греха.

Вот как раз сейчас я поняла, что у меня на тебя есть планы. Это он сказал мне, что есть. И что быть их не должно. Потому что это аморально. Он назвал это «коварным». Нет, он правда

---

[1] Все равно, одинаково *(фр.)*.

употребил это слово! Сказал, что я нарушаю минимум две заповеди. Номер 6 и номер 9, то есть 69. Нет, вот этого он мне не говорил. Это я сама соединила.

Мы с ним вдвоем здорово напились и немножко побеседовали. То есть это я напилась, причем намного раньше. Он мне сказал, что еще никогда не мешал «Джек Дэниелс» и «Ред Булл» и что это может быть опасно для сердца. А я ему ответила, что ему нечего бояться, так как он даже не проезжал поблизости от сердца, и на него это не подействует. Опасность для сердца представляешь ты.

Но ты ведь, кажется, еще не знаешь его? В таком случае позволь тебе представить: пан доктор М. Разум Мой собственный. А «М» — это Мудрый.

Ко мне он обращается не иначе как «Сердце». А мое имя полностью игнорирует. Я уже привыкла. Для него я «Сердце». В этом, наверно, нет ничего оскорбительного?

С ним трудно спорить. Он не умеет чувствовать. Да и пить он стал только после того, как я его разнервировала. Я воспроизвела по памяти то, что он мне говорил. В основном для тебя. Ты ведь любишь такие дискуссии.

Разум: Сердце! Ты что, пьешь?

Сердце: Я? С чего ты взял? Это всего-навсего виски.

Разум: Мне нравятся, Сердце, такие ответы. Очень нравятся. Хочешь, поговорим об этом?

Сердце: Зачем он мне все это так подробно описал? Мог бы догадаться, что мне это будет неприятно.

Разум: Сердце, ты что? Газет не читаешь? С каких это пор мужчинам известно, что повергает женщин в печаль? Просто он хотел с кем-то поделиться всем этим. Ты уже несколько месяцев клеишься к нему, вот он и подумал, что ты подходящий объект.

Сердце: Разум, ты только не воображай, что если ты сверху так тебе все видней и все можно. И потом я к нему вовсе не «клеюсь», как ты изволил выразиться. Просто мы проводим с ним много времени. Нам нравится разговаривать друг с другом.

Разум: Ну как же! «Любим разговаривать друг с другом». Не смешило бы ты меня, Сердце. У меня со смехом проблемы. Мы взаимоотталкиваемся, потому что смех лишает меня серьезности.

Разговариваете? Разумеется. Кстати, ты могла бы при нем молчать. В последнее время ты даже мечтаешь об этом. Провести рядом с ним целый день и молчать. Слов от него ты получила более чем достаточно.

Сердце: Да. Но в этом нет ничего дурного. Просто я хотела бы увидеть, как это выглядит, если мы не будем разговаривать. Так ли это будет хорошо. Это для общего знания. Ты ведь любишь знания?

Разум: Тебе нужно думать не о том, чтобы с ним было хорошо. Тебе должно быть хорошо с твоим мужем. С ним, кстати сказать, в последнее время ты тоже молчишь. Этого тебе, должно быть, вполне достаточно.

Сердце: Ну, разумеется. Этого и следовало ожидать. Ты станешь примешивать моего мужа. Он имеет огромное значение для меня, и ты это прекрасно знаешь. Сейчас даже лучше, чем я. Он с тобой проводит куда больше времени, чем со мной.

Разум: Так я и предполагал. Твой муж со мной постоянно. Даже ночью. Не потому, что ему так хочется. Просто ты его сюда сослала. Там у тебя, должно быть, пусто?

Сердце: Временами. Чаще всего, когда возвращаюсь с работы.

Разум: Ну да. Выключаешь компьютер, и сразу пустота. Что у тебя с этим типом из Германии? Как Разум я признаю, что он умен. Но умных мужчин пруд пруди. Что в нем такого особенного?

Сердце: Тебе, Разум, этого не понять. Может, если бы ты напился, ты что-нибудь сшурупил. Сколько тебе кубиков льда? Еще не сейчас? Решайся поскорей. А то ведь может и не хватить.

То, что у меня происходит с ним, это нечто мистическое. Ты в развитии остановился на рационализме. А рационализм о мистическом знает только то, что оно абсолютно нерационально.

Разум, проверь-ка у себя, не ошибаюсь ли я. Действительно ли ratio означает «часть целого»? Я почти уверена, что права.

А я уже проскочила эту раннюю фазу. Рационализм (ты проверил?) неполон, он холодный и неуютный. Как брошенное эскимосское иглу. Тому, кто всю жизнь прожил в иглу, не понять, как в ноябре, когда за окном льет дождь, блаженно чувствуешь себя на мягком ковре у камина. А рядом с Якубом часто бывает как в ноябре у камина. В определенный момент тебе становится так хорошо, что забываешь, что забываешься. А кроме того, мне так тепло от этого огня, что я с удовольствием бы приказала телу раздеться. Можно от этого вполне впасть в зависимость. Я много раз задумывалась, почему так. И знаешь что, Разум? У меня получилось, что я для него все время самое важное. Рядом с ним я единственная, абсолютно единственная. Такого чувства у меня уже давно ни с кем не возникало.

Разум: Нет ничего хуже, чем камин в пустом доме на следующий день. Осталась только зола, которую надо вынести. И очень часто не оказывается никого, кто сделал бы это для тебя. Ты думало, Сердце, об этом? В иглу всегда одинаково. Скучно? Холодно? Возможно. Но нет золы. В дополнение к золе ведь нужен огонь.

Сердце: Не думало. Потому что я не думаю. Я чувствую. Это ты, бедолага, только думаешь.

Разум: Не воображай, Сердце. Думаешь, если ты меня представишь воплощением рациональности, то окажется, что ты — сама возвышенность и вообще наивысшая стадия развития, а я — этакое провинциальное захолустье? Ошибаешься, Сердце, ошибаешься. Мы оба с тобой места, где происходят химические реакции. Да, да, Сердце, так оно и есть. Мы с тобой только лишь химия. Просто твоя реакция несколько отличается от моей. Я — это нейроны, дендриты, подбугорная область, средний мозг, мозжечок. Ты — это главным образом нейропередатчики, фенилэтиламин, допамин и катехоламин. Впрочем, названия не имеют значения. Когда-нибудь нас можно будет зарегистрировать в каком-нибудь банке данных химических реакций. Вот увидишь.

Твоя реакция заканчивается значительно быстрей, чем моя. Моя продлится до самого конца. Твоя реакция расходует слишком много тепла. Ты слишком многого требуешь и слишком много забираешь. А такого долго не выдержит даже доменная печь. Ты выгораешь. Кроме того, ты подбрасываешь топливо только в одну печь. Смотри, Сердце, ведь вторая у тебя гаснет. Но пока еще теплится. Еще не поздно. Пока что ты можешь раздуть там огонь.

Сердце: Разум, ты даже говоришь разумно. Но ты ведь не знаешь. Есть такие вещи, которых ты никогда не поймешь.

Разум: Ладно, ладно. Я знаю, Сердце, знаю, что тебе нужно. Тебе нужна любовь. Но помни одно: из всего, что вечно, самый краткий срок у любви. Так что не настраивайся на вечность. Ты, Сердце, отнюдь не пространственно-временной континуум.

Сердце: Ты говоришь так, потому что ненавидишь любовь. Я ведь знаю. И я даже понимаю тебя. Ведь когда она приходит, тебя выключают. Оба тебя выключают. Тебя относят в подвал, как лыжи по окончании зимы. И там ты будешь ждать до следующей зимы, до следующего лыжного сезона. А пока что в тебе не нуждаются. Ты им мешаешь. Пойми это. Ты ведь Разум, так что должен понять без особого труда.

Зачем им ты? У них для тебя нет времени. Они непрерывно думают друг о друге. Восхищаются друг другом. Даже недостатками. Разум для них — это страх перед отказом, это мучительные вопросы, почему именно он или она. А они не хотят таких вопросов и потому выключают тебя. Тебе остается только согласиться с этим.

Разум: Не могу. Ты ведь, Сердце, чувствуешь, что не могу. Порой мне удается докричаться до них из подвала. Но они не слышат меня. Они в эту пору глухи ко всему.

А потом, откуда ты все знаешь, Сердце? Кстати, можешь мне сейчас налить. Растрогало ты меня этим своим подвалом. Надо выпить. Три кубика льда. И только виски. Никакого энергетика. Наливай сразу до половины.

Сердце: Вот это правильно. Хорошее виски, верно? Если есть возможность, я пью «Джек Дэниелс». Хочешь еще стаканчик? Льда три кубика, верно?

Ты поможешь мне, Разум? Для меня это очень важно. И я никогда этого не забуду. Поможешь? Ты не мог бы выключить на какое-то время Совесть? Она страшно меня донимает.

Разум: Послушай-ка, Сердце, никогда больше так не делай. Никогда не пытайся ни о чем договариваться со мной за выпивкой. Будь бескорыстным. То, что мы вместе пьем и ты немножко рационализируешься, а я немножко расчувствовался, вовсе не дает тебе права делать мне сомнительные предложения. Сохраняй все-таки порядочность.

А кроме того, Совесть не даст себя выключить. И я не способен это сделать. Я ведь уже несколько раз пытался выключить ее, потому что она и меня порой достает. Ничего не вышло. Ее можно на какое-то время заглушить. Но лучше все-таки жить в согласии с ней. С ней ведь даже поговорить не удается. И очень трудно встретиться. Она сидит себе где-то в Подсознании. И вылезает оттуда чаще всего по ночам. В это время я уже сплю и восстанавливаюсь, а у тебя, Сердце, в эту пору отличный синусоидальный ритм.

Сердце: Ни о чем я с тобой за выпивкой не договариваюсь. Ты мог бы сделать это по доброте сердечной. Но ты прав, Разум. Торговаться с Совестью — дело бессмысленное.

Разум: Послушай-ка, Сердце, коль уж мы тут разговариваем с тобой с глазу на глаз, так скажи мне честно и откровенно, что тебе нужно.

Зачем ты все это начинаешь? Я ведь все вижу. Как только ты познакомилось с этим Якубом, так сразу началось: то ты несешься вскачь, то замираешь, колотишься, как безумное, заливаешь меня допамином, спотыкаешься, сжимаешься. То будишь меня среди ночи, а то и вовсе не даешь мне спать. Вот как сегодня. Зачем ты все это делаешь? Для переживаний и воспоминаний?

Боишься, что когда-нибудь будешь биться над именинным тортом, трагически полным свечек, и сожалеть, что время твое прошло, а ты так ничего и не пережило? Ни одной стоящей аритмии, ни одной романтической долговременной тахикардии или хотя бы мерцания предсердия? Этого ты боишься, Сердце? Или ты боишься, что если будешь биться ради одного-единственного мужчины, у тебя возникнет чувство утраченных возможностей?

И потом, выключи ты наконец эту Гепперт. Сколько раз подряд можно слушать одну и ту же чувствительную чушь? «А как проснусь, вздохну: ну что ж, все это было, видно, вместо». Даже я уже выучил это на память. И перестань плакать, Сердце, потому что, когда я это вижу, теряю Рассудок.

Сердце: Понимаешь, Разум, этот Якуб так далеко, и у него так мало шансов конкурировать с кем-нибудь, находящимся на расстоянии вытянутой руки, кто мог бы заставить меня биться сильней, но все равно только с ним я начинаю учащенно биться. Поначалу я беспокоилось из-за этого, словно из-за благоприобретенного порока. Тем паче что Совесть все время пугала меня, что, мол, это страшно опасно, может стать причиной инфаркта и что рано или поздно на ЭКГ все проявится. И сперва я даже соглашалось с ней. Думало, что это пройдет, что ты,

Разум, вместе с Рассудком поможешь мне справиться, что это только временные нарушения, ставшие реакцией на холод, пустоту и всеобщее равнодушие. Но теперь мне хочется, чтобы «нарушения» эти продолжались. Очень хочется.

Но тебе, Разум, этого не понять. Налить тебе еще? Но пить придется безо льда. Он растаял. Полностью. В точности как я.

Разум: Давай, Сердце, наливай.

Якуб! Это не полная запись дискуссии. Дальнейшее происходило уже после пятого стаканчика, и я предпочитаю об этом умолчать. Главным образом чтобы не подорвать свою репутацию.

А Гепперт по-прежнему поет. Как видишь, я не послушалась Разума. Потому что, если что-то для меня важно, я никого не слушаюсь. Даже Разума.

Никак не могу перестать думать о ней. О Наталье. Ни одна женщина до сих пор не была способна так растрогать меня, как она. Стоит мне вспомнить эти строчки из ее письма: «Это будет пятница. Я как раз выяснила, что ты родился в пятницу. Это будет опять счастливая пятница, правда ведь, Якуб?» — и я сразу начинаю реветь. Просто не могу удержаться. Я вою. На всю комнату. И это вовсе не от виски с «Ред Буллом».

Почему такое случилось с тобой? Почему она умерла?

Ведь ангелы же не умирают...

Он опустил голову. Какое-то время сидел не шевелясь. Он ощущал растущее оцепенение. Это ему было знакомо. И вместе с оцепенением вернулось то самое чувство. Такого не было уже несколько лет. А он ждал это чувство. Выискивал. Вызывал в себе. Всем, чем только можно. Музыкой, вином, литературой, таблетками, религией, психотерапией, различными веществами. Слишком хорошо он помнил, насколько оно важно для него. Но оно ушло вместе с Натальей. Вернулось на несколько месяцев в Дублине с Дженнифер, а потом снова исчезло. И вот уже несколько месяцев, как оно снова появилось. Сперва на мгновение. Что-то вроде проблеска. Сверкнет и погаснет. Но сейчас оно не исчезало. Так же, как тогда. Теперь все будет, как тогда! Все фазы по очереди. Медленно распространяющееся изнутри — из окрестностей, а может, и из самого сердца — тепло. А потом легкая грусть, чуть стискивающая горло. И сразу же радость. Радость до того дикая, что даже хочется плакать. И следом какое-то сверхъестественное вдохновение. А затем ласковое, все длящееся и длящееся волнение. И над всем доминирует желание прикоснуться. Прикоснуться к ней. Всего на миг, и лучше всего губами. Да! Это именно то.

Это нежность.

Он набрал номер телефона ее фирмы. Но он опоздал. Ее там уже не было. Он подошел к окну. Улыбнулся. Как это она сказала? «Не воображай, Сердце...» А может, нет, может: «Ты, Разум, не воображай...» Но при ее сердце и разуме это egal.

@4

46

ОНА: То, что произошло после той ночи, было как второй том книги, которую и после первого тома хотелось тут же начать перечитывать. Иногда она просто протирала глаза от удивления. Его электронные письма стали полны нежности и неподдельной тоски по ней. Он был в них тонкий, снисходительный, терпеливый, любознательный, непроизвольный, спокойный и временами невротически впечатлительный.

А сверх того, он был секси. Она уже сыздавна считала, что в мужчине нет ничего более секси, чем умение слушать. А он умел ее слушать, то есть умел, когда они открывали чат, читать целые экраны ее текстов с воодушевлением мальчишки. Читая, он иногда прерывал ее на полуслове и задавал вопросы, извлекая из ее памяти подробности, которые, как ей казалось, она давно уже забыла или которых она до того никогда не знала. А кроме того — и этим он ее слегка приводил в смущение, — он помнил все, что она рассказывала ему, лучше, чем она сама. Временами ей казалось, что у него все записано в толстом черновике, который он втайне от нее открывает и цитирует ей оттуда ее собственные слова.

Но наиболее секси в нем была, вне всяких сомнений, его голова. В мужчинах всегда ее больше всего интересовала голова. Когда-то еще в институте в одну из анджейковских ночей[1] они с подругами в общежитии составляли списки мужчин, с которыми охотней всего легли бы в постель. Этакая забава после нескольких бутылок пива. В ее списке на первых четырех местах стояли: Достоевский, Фрейд, Эйнштейн и Бах. Ни один из них при всем желании даже после четырех бутылок вина и близко не напоминал Редфорда[2] (он занимал у нее в списке восьмое место), и однако же каждый из них благодаря, наверное, своей гениальности порождал в ней самые настоящие сексуальные фантазии. Ну а если бы пришлось делать этот список сейчас? Кстати! Кто сейчас был бы в нем? Достоевского она заменила бы временно на Воячека, Фрейд и Эйнштейн точно сохранили бы свои позиции, Баха сменил бы Сантана. А Якуб? Якуб просто неизменно секси, и вообще он в другом списке. А вопрос какой был? Ах, с кем она охотней легла бы в постель?.. Сейчас это неважно. Сейчас она ложится в постель с мужчиной, который никогда не состоял в том списке. Да в этом тоже его нет. Как-то так получилось. Впрочем она, когда составляла тот, первый, список, его еще не знала. Это было так давно. В ту пору ей случалось думать (разумеется, в глубочайшей и полнейшей тайне), что охотней всего она легла бы в постель с Дженис Джоплин. Такая вот биография. Было это страшно давно.

Она пыталась объединить все свое знание о нем в одно слово, которое верней всего характеризовало бы его. И не без удивления вдруг осознала, что больше всего подошло бы слово «женственность». Да, Якуб был очень женственный. Как-то она написала ему это, заранее предвкушая его реакцию. Она была уверена: он станет протестовать и очень аргументированно доказывать ей, что она не права. Она очень любила, когда он начинал протестовать. Именно тогда, когда он протестовал и приводил доказательства, она больше всего узнавала о нем и о том, что он думает. Он старался любой ценой доказать свою правоту и переубедить ее, но всегда делал это так, чтобы ее не обидеть.

---

[1] Анджейки – народный обряд с гаданием накануне дня св. Андрея (29 ноября).

[2] Очевидно, имеется в виду американский актер и режиссер Роберт Редфорд (р. 1937).

Бывало, она из чувства противоречия намеренно заранее подготавливала интересующие ее «расхождения во взглядах», излагала ему, с удовольствием читала, что он может сказать по этому поводу, чтобы под конец, узнав все, что хотела, сообщить ему, что и раньше была с ним от начала до конца согласна.

«Ты самый женственный мужчина, какого я знаю», — провокационно как-то написала она ему, когда они открыли чат. И он тотчас же, как будто у него заранее был подготовлен ответ, набрал:

Меня всегда интересовало, замечаешь ли ты женственную сторону моей личности. Я ее, в отличие от большинства мужчин, ничуть не подавляю. Напротив того, я выискиваю ее в себе. И мне повезло, что делаю я это вместе с тобой. Ты даже не представляешь, как сильно ты помогаешь мне жить в согласии с женственной стороной моей психики. И я давно уже хотел поблагодарить тебя за это.

А через минуту приписал, чтобы у нее не было сомнений, что женственная сторона — это отнюдь не вся его психика:

Это мне помогает несравненно лучше понимать, что ты чувствуешь, как чувствуешь, а также когда и где чувствуешь. Такое знание для настоящего мужчины все равно что путеводитель по женской душе, а уж тем более телу. A propos[1]. А знаешь ли ты, что до сих пор ты ничего не поведала мне о своем теле? А ведь мы разговариваем уже больше трех минут.

Разве может быть что-нибудь сладостней, чем женственный настоящий мужчина, который сам напоминает тебе, что сегодня он еще не сказал, до чего ты привлекательна для него?

Её единственно беспокоило, что он до сих пор не дал названия тому, что уже несколько месяцев существует между ними. Она ни в малейшей мере не сомневалась, что безмерно важна для него. Она чувствовала это на каждом шагу. Каждое утро ее ждал e-mail от него. А в понедельник целых три. Пятничный, субботний и воскресный. Это началось после «ночи с Натальей» и уже не менялось. Никогда. Несмотря на его

[1] Кстати *(фр.)*.

многочисленные поездки, e-mail «на начало n-го дня с тобой» — так он это называл — ждал ее с такой же регулярностью, с какой восходит солнце или ходят поезда в Германии. Он считал каждый день. «N» каждый день оказывалось на единицу больше. Уже страшно давно она никому не была так необходима. Как-то в полдень (дело было перед самыми регулами) она ела ленч у себя за рабочим столом, в наушниках плеера звучал Вэн Моррисон, а она думала о нем и плакала. Так, ни с того ни с сего полились слезы. Неконтролируемая экзальтация.

Это было чудесно — начинать день с его писем. В понедельник они всегда были нежней, чем в другие дни. В выходные он скучал, тосковал по ней. Она это чувствовала. И с каждым уик-эндом все отчетливей. То, как он называл ее, что и каким образом описывал, что хотел узнать — все выдавало, что он скучает по ней. Кроме того, о чувствах он чаще всего говорил в понедельник. И порой так необыкновенно, что у нее, когда она читала, дыхание замирало в груди. Как в тот понедельник после уик-энда в Берлине, где он принимал участие в какой-то учебе:

Тебе даже не представить, как безумно я радуюсь, что знаю тебя и могу сказать тебе об этом.

Тебе даже не представить...

Или тогда, когда он был в Бельгии в университете Амюр и специально поехал на несколько часов в Брюссель, чтобы из вокзального интернет-кафе послать e-mail, который в тот понедельник она множество раз перечитывала:

Потому что я люблю тебе писать. По множеству причин. И среди прочих потому, что хочу, чтобы ты знала, что я думаю о тебе. Побуждение достаточно эгоистическое, но у меня нет ни малейшего желания отпираться от него. А думаю я о тебе много и часто. Собственно говоря, мысли о тебе сопутствуют мне в любых ситуациях. И ты даже не представляешь, как мне с ними хорошо. А при случае я придумываю разные вещи. С которыми мне тоже, как правило, очень хорошо. Потому что я очень высоко ценю тот факт, что ты появилась в моей жизни. Правда, в последнее время мне стало трудно использовать такие слова, как «ценю». В последнее время мне часто представляется, что слова слишком малы. Потому я благодарю тебя. Благодарю тебя со всей серьезностью и с неизменным легким волнением за то, что ты есть.

И за то, что я могу быть.

А также и тогда, когда он растрогал ее письмом, которое он написал воскресной ночью в своем кабинете в Мюнхене:

Вчера я поехал на велосипеде в лес. Знаешь, о чем я всегда мечтал, когда мне казалось, что я влюблен? Я мечтал, чтобы в поцелуе ощутить вкус ягод, которые я перед этим собирал для НЕЕ в лесу. А ты любишь лес?

А ягоды?

Да, понедельники с ним — это почти то же самое, что еженедельные «валентинки».

И хотя по понедельникам его письма были полны вопросов, он никогда — в последнее время она полностью убедилась в этом — не спрашивал, что она делала во время уик-энда. И она знала почему. Для него ее муж был чем-то наподобие штампа регистрации в паспорте. Кто-то его поставил, и время от времени его где-то следует предъявлять. И значение он имеет лишь потому, что так постановил какой-то чиновник. Такой же, как, к примеру, тот, что регистрирует брак. Нет, он ни разу ей этого впрямую не говорил. Но она сумела вычитать это из его текстов. И так оно в действительности и было. Она точно знала.

Они словно сговорились не касаться темы «муж». Впрочем, и сговора-то никакого не было. При сговоре необходимо хотя бы раз побеседовать. А она с ним о муже не разговаривала. Она просто сообщила о его существовании. Одним-единственным предложением: «Мне 29 лет, я живу в Варшаве, и уже пять лет с мужчиной, который является моим мужем, у меня длинные черные волосы, а цвет глаз зависит от моего настроения».

Это было в тот самый день, когда она нашла его и обратилась к нему на ICQ. Она хотела, чтобы все было ясно с самого начала. До сих пор он мог без устали возвращаться к ее глазам, которые «благодаря зависимости их цвета от эмоций могли бы стать гениальным объектом исследований генетиков, если уж не всех, то по крайней мере одного из них — это несомненно». Мог выспрашивать в мельчайших деталях про «оттенок, волнистость, структуру пушистости, запах и вкус ее волос», подробнейше рассказывать о Варшаве, которую он помнил еще «в те времена, когда самым большим развлечением в этом городе был подъем на лифте на 32-й этаж Дворца культуры». Но ни разу он и словом не упомянул о «пяти летах с мужчиной». Этой теме он не посвятил ни единой миллисекунды их пребывания в Интернете.

Поначалу она не обращала на это внимания. Описывая свою жизнь, она часто и совершенно не задумываясь использовала множественное число. Но потом по мере расширения сферы интимности в их дружбе стала испытывать некоторый внутренний дискомфорт, когда писала «мы», подразумевая себя и мужа. А в последнее время уже явственно чувствовала, что ему могут быть неприятны ее рассказы о том, что она делала вместе с мужем, даже если они всего-навсего вместе копали грядки на даче. А ей вовсе не хотелось делать ему неприятное. Ему должно быть с нею хорошо!

Так хорошо, как ни с кем другим!

Потому в последнее время она старалась использовать только единственное число. Разумеется, многое делалось во множественном числе, но рассказывала она об этом в единственном. И было это в общем-то совсем нетрудно. Меньше чем через две недели она научилась описывать все только в единственном числе. А еще через несколько недель начала забывать, что она делала вместе с мужем, а что в одиночку. А о том, что невозможно было описать в единственном числе, она попросту умалчивала.

Это было очевидно. С какого-то момента он не мог смириться с тем, что она принадлежит другому мужчине. А она принадлежала. И холод, который установился в последнее время между ней и мужем, отнюдь не отменял того обстоятельства, что у них были так называемые «регулярные половые сношения». В этом не было ни романтики, ни страсти. Одна лишь регулярность. Это могло бы происходить лучше. Гораздо лучше. Если бы того хотела она. Но она не хотела. Ей было вполне достаточно, что она желанна для мужа. Он желал ее и в награду регулярно получал в свое распоряжение ее тело. Она это делала охотно, поскольку муж был хорошим любовником. Он не только знал, что она любит, но еще и старался дать ей это. Правда, в последнее время ему это удавалось не так хорошо, как некогда. Но то была не его вина. Это она не раскрывалась настолько, чтобы могло быть, как некогда. Не могло, потому что теперь она по-настоящему хотела только Якуба.

Но тем не менее для нее было важно, что она желанна для мужа. Это успокаивало. Создавало ощущение, что ничего не изменилось. Что он точно принадлежит ей. Что ничего не заметил. И что может и дальше желать ее. Вот такая коварная конструкция. Она имела свои сто процентов «уверенности», ну а остальное... Это же временно. Когда все закончится, она вернется к своим ста процентам, и будет как раньше. Без боли и шрамов. Так она решила однажды поздним воскресным вечером, лежа после бутылки «бордо» в ванне, полной благоухающей лавандою пены. Она ведь не совершает ничего плохого. Это только мозг. Она даже пальцем не коснулась его. И не коснется.

А этот поп не прав! Недавно она прочитала в Интернете заметку одного кардинала, редактора какой-то влиятельной ватиканской газеты. В ответ на вопросы растерянной читательницы из Триеста, молодой замужней женщины, он писал в передовой статье, которая была мгновенно опубликована в интернетовском издании CNN и тут же повторена такими крупными интернет-журналами, как Yahoo, AOL, MSN, а также «Виртуальной Польшей»:

«Виртуальная действительность точно так же полна искушений, как реальная. Грех прелюбодеяния можно совершить в Интернете, не выходя из дома».

Нет, этот поп был не прав. Да и что может знать священник об искушениях? Виртуальная реальность вовсе не так же «полна искушений», как реальная. В виртуальной их куда как больше. И она это прекрасно видит в понедельник утром у себя на службе.

Но сейчас была пятница. Редкостная пятница. Они разговаривали почти весь день. В Германии был какой-то праздник, и он пришел к себе в кабинет только ради нее. Он был у нее на ICQ практически полные восемь часов. Внимательный, терпеливый, исполненный юмора. Понедельничный — в пятницу. Он писал ей письма, они открывали чат. Он рассказывал ей необыкновенные истории о геноме, о том, что будет, когда его полностью расшифруют, о четвертом измерении Вселенной, которое вовсе не мнимое, хотя и выражается мнимым числом, о том, что он думал, какую форму имеет ее ладонь, и о том, что во время уик-энда он взял Милоша в переводе на немецкий и у него было ощущение, будто он читает инструкцию по обращению с посудомоечной машиной, и что он очень хотел бы почитать ей что-нибудь вслух, а также что с недавнего времени его преследует мечта увидеть ее.

Если у тебя есть твоя фотография и ты могла бы преобразовать ее в какой-нибудь электронный формат и потом отослать мне, то... То я мог бы увидеть тебя, ведь верно? Сейчас. И вечером тоже. И в любое время, когда мне только захочется. Пришлешь?

Она осталась после работы. Нашла на диске фотографию с какого-то приема в фирме мужа. На этом снимке она была поразительно красива. Она тратила много времени, чтобы хорошо выглядеть на таких мероприятиях. Главным образом для того, чтобы девочкам из маркетинга и администрации нечего было бы сказать, когда на следующий день они за кофе будут вплоть до каждой мелочи обсуждать «старых» сотрудников фирмы.

Да, на этом снимке она выглядела на все сто. Загорелая после отдыха на Балатоне. Похудевшая, после того как отравилась мороженым в Сопоте, и потрясающе причесанная Ивоной. Все ей говорили, что выглядит она прекрасно. Все, кроме секретарши. Но это было лучшее доказательство того, что на этом фотоснимке она действительно очень хороша.

Она приготовила e-mail для него. Преобразовала фотографию в формат «jpg», чтобы файл был не слишком большим — таким вещам учил ее он,— и присоединила к мейлу. А перед уходом отослала.

Утром в понедельник она в очередной раз многое узнает про «восхитительный цвет ее глаз», «волнистость» волос, «неповторимую форму» губ. И, насколько она знала его, в первый раз с начала их знакомства немало услышит о форме своей груди. На этом фото у нее исключительно большое декольте. Ей очень хотелось узнать все это от него. И лучше всего в понедельник. Потому она выбрала эту фотографию.

Спускаясь в лифте, она подумала, как было бы здорово, если бы понедельник наступил уже сегодня вечером.

@5

Яцек, Компьютерный центр, Институт Макса Планка, Гамбург

Он уже выходил, когда зазвонил телефон.

Была суббота, время перед полуночью, в центре пусто, так что звонить могла только жена. Ему не хотелось брать трубку. Он страшно устал, глаза слезились от непрестанного вглядывания в три монитора, к тому же он ощущал хорошо знакомую внутреннюю тревогу, которая неизменно посещала его, стоило выпить более десяти чашек кофе и выкурить две пачки сигарет. Он был в таком настроении, что ему совершенно не хотелось дважды выслушивать претензии жены: сперва по телефону, а вторично — когда переступит порог квартиры. В очередной раз он узнает, что он «никогда не бывает дома», что «Аня давно уже забыла, как он выглядит», что «ему надо было жениться на этих чертовых компьютерах» и что «все равно никто этого не оценит». Естественно, он не станет ей объяснять, что не мог не прийти, так как у них срочная работа, он обещал шефу, а в Калифорнии ждут и там абсолютно никого не интересует, что у них тут, в Гамбурге, на двое суток вылетел Интернет и он был оторван от мира, как эскимос на льдине, и потому пришлось прийти сюда сегодня.

Внезапно на него накатила злость.

«А почему, собственно, не объяснить ей, чтобы поняла раз и навсегда? — подумал он. — Я тут надрываюсь, как карла, а она...»

Яцек вернулся к телефону с твердым намерением все ей наконец высказать. Поднял трубку. Но это был Якуб.

— Яцек, убери, пожалуйста, один мой e-mail с сервера в Познани. Для меня это очень важно, — произнес он тихим, как всегда немножко печальным и хрипловатым голосом.

Если Якуб звонит в полночь, причем после пяти лет молчания, и сразу же после «доброго вечера» произносит такую фразу, значит, ему и вправду это очень нужно.

Поэтому он не стал ни о чем расспрашивать, взял только адрес сервера, на который пришел этот e-mail, и осведомился, сколько времени у него на «уборку».

— До шести утра понедельника, — услышал он. — Можешь прислать мне сообщение на пейджер, удалось тебе или нет?

— Якуб, можешь не сомневаться, все удастся. Давай номер своего пейджера.

— Как чувствует себя Анита? — спросил Якуб.

Услышав, что хорошо и что она часто спрашивает про него, Якуб положил трубку.

Вечно он появлялся только на минутку, все нарушал и опять пропадал.

Как правило, на года.

У Яцека было ощущение, будто все снова вернулось, и было это похоже на сон днем, что в последнее время с ним случалось довольно часто после красного вина.

Но то был не сон.

Якуб составлял важную часть его прошлого.

Знакомы они были с техникума. И Якуб с самого начала вызывал у него удивление. Во-первых, своим мозгом, во-вторых, упорством. Вообще-то все ему удивлялись, но, разумеется, никто в этом ему не признавался. Мозг в этом техникуме не относился к тому разряду мускулов, которыми следовало восхищаться, по крайней мере в открытую, а у Якуба других мускулов не было, и к тому же ростом он был меньше всех. И вид у него был вечно задумчивый и немного печальный. К тому же он получал письма от матери. Каждый день.

Хотя бы уже поэтому все с удовольствием делали ему разные пакости. Порой воровали материнские письма и читали их во всеуслышание.

Что может писать мать, которая тоскует по своему сыну?

В такие моменты он только беспомощно стоял, этакое воплощение безграничного страдания, ни слова не произносил, лишь сжимал кулаки и смотрел на них взглядом, полным бессильной ненависти.

Он ничего не мог им сделать. Потому что других мускулов, кроме мозга, у него не было, и они это прекрасно знали.

Но после третьего класса Якуб вернулся с летних каникул совсем другим. Он здорово вырос. Неожиданно стал таким же, как все остальные.

Яцек прекрасно помнит, что тогда получилось.

Во время воскресного обеда в интернатской столовой кто-то принялся громогласно рассуждать, брала ли мать Якуба заем, чтобы приобретать на почте марки для такого количества писем. Все дружно ржали. Якуб молча встал — в глазах у него прыгали искорки, и он странно усмехался, — извинился перед всеми обедающими, подошел к шутнику и изо всех сил ткнул его лицом в тарелку с бульоном. Яцек помнит — словно это было вчера, — как остатки бульона в тарелке стали медленно розоветь от крови...

Все замолчали и только глядели, а Якуб поднял голову обидчика из тарелки и окончательно унизил беднягу, обтерев ему окровавленное лицо бумажной салфеткой, после чего вышел без единого слова.

Это было красиво...

С этого времени никто больше не осмеливался комментировать письма, приходящие Якубу.

После того инцидента Якуб стал как бы существовать для всех. Если он что-нибудь говорил, его слушали, как любого другого, если курили, его тоже угощали сигареткой (чего ранее никогда не случалось), а когда шли на танцульки к девочкам в медицинский лицей, брали его с собой.

Он ходил с ними, хотя никогда не танцевал. Якуб обычно сидел в темном углу, молчал и лишь задумчиво смотрел на танцующих.

Но однажды во время танцулек произошло нечто сверхординарное.

Одержимая учителка польского из медицинского лицея, желая разнообразить карнавальный вечер (а верней сказать, разделить парочки, которые стали слишком тесно прижиматься друг к другу во время танца), организовала поэтический фестиваль. Со сцены декламировали стихи. Это имело вид конкурса, чтобы определить учащегося, который прочтет по памяти самый длинный поэтический текст.

Коварный был замысел, потому что ребятам из техникума поэзия была нужна, как рыбе зонтик. Никто из них даже не поднялся на сцену. Уже через несколько минут стало ясно, что соревнуются между собой исключительно парни из общеобразовательного лицея, причем исключительно для того, чтобы понравиться девочкам из медицинского. Конкурс уже завершался, девочки аплодировали декламатору, который, торжествуя, спускался со сцены, отчитав четырнадцатиминутный отрывок из «Балладины» Словацкого[1]. И тут вдруг на сцену поднялся Якуб. Он взял микрофон и, когда все умолкли, попросил извинения, что не будет читать ничего из школьной программы, а сосредоточится исключительно на лирике. И тут же тихим голосом принялся читать.

Асньк, Павликовская-Ясножевская, Яструн, Пшерва-Тетмайер, Осецкая, Галчинский, Илланкович, Лесьмян, Бачиньский, Норвид, Стафф, Чехович...

Не прерываясь, добрых полчаса он, сосредоточенно уставясь взглядом в пол и ни разу не посмотрев в зрительный зал, сообщал фамилии поэтов, названия сборников и декламировал стихи.

Иногда он производил мягкие движения рукой, иногда на несколько секунд задумывался, словно давая слушателям время прочувствовать услышанное, эмоционально перестроиться или просто вспоминая следующую строчку.

В какой-то момент, прочитав до половины стихотворение Павликовской-Ясножевской, он спустился в зал и снова уселся в своем углу. Несколько секунд стояла тишина, девочки из медицинского лицея восхищенно смотрели на Якуба, а техникумовцы были преисполнены гордости. Это их Якуб...

А во всем остальном Якуб был совершенно нормальный.

Он пил с ними водку, ругался, как они, короче, был одним из них. Если не принимать в расчет его мозг, еже-

---

[1] «Балладина» – пьеса в стихах великого польского романтического поэта Юлиуша Словацкого (1809–1849); включена в школьную программу.

дневные письма от матери и то, что он знает на память столько стихов, Якуб был «из той же самой книжки».

Всем было понятно, что он пойдет учиться дальше.

Учителя его немножко побаивались после случая, когда он при всем классе, а главное, в присутствии инспекции прочел учителю физики лекцию о расширяющейся Вселенной, а когда тот признался, что не знает, кто такой Хаббл[1], назвал его «захолустным невеждой» и «допущенным до преподавания по недосмотру отдела народного образования». Наверное, старые школьные инспекторы в том воеводстве до сих пор вспоминают эту историю.

Якуба целую неделю не допускали к занятиям; директор вызвал его отца, но тот, приехав и даже не узнав, в чем дело, устроил такой скандал в директорском кабинете, что пришлось вызывать милицию.

У отца Якуба был один-единственный авторитет, остальных он не признавал.

Его Якубек.

От гордости сыном он чуть ли не парил над землей.

Неизвестно, как до этого дошло, но на следующий день директор официально принес Якубу извинения перед всем техникумом, а учитель физики через две недели перешел в другую школу.

После техникума дороги их разошлись, Яцек остался в Гданьске, а Якуб закончил во Вроцлаве математический и философский факультеты.

Временами до Яцека долетали кое-какие известия о нем: то Якуб выиграл всепольскую олимпиаду по английскому языку, то он учится сразу на двух факультетах, то он пишет докторскую диссертацию в Штатах.

Однажды кто-то Яцеку сказал, что Якуба исключили из обоих институтов, но он не поверил.

А потом у Яцека заболела дочка, и мир рухнул.

Ее звали Аня, ей исполнилось восемь лет, она была для него светом в окошке, но у нее обнаружили белокровие, и жить ей оставалось всего несколько месяцев.

---

[1] Хаббл Эдвин Пауэлл (1889—1953) — американский астроном, сторонник теории «расширяющейся Вселенной», определил линейную скорость космологического разбегания галактик.

Чтобы как-то вынести это, он начал пить.

Он плакал и пил, и чем больше пил, тем больше плакал. Но при Ане он не проронил ни единой слезинки.

Он потерял веру в Бога.

Бога не было и быть не могло. Потому что если он существовал, то был либо злой, либо бессильный, а может, злой и бессильный одновременно. Но даже теперь Яцек не мог в такое поверить и потому исключал возможность его существования.

Аню возили по всем клиникам Польши. У нее была аплазия, атрофия костного мозга. Единственным спасением была пересадка его, но тогда в Польше еще никто этого не делал. Как-то совершенно случайно, когда он в виде исключения был трезв как стеклышко, ему сказали, что такие операции делают в США. Он знал, что стоит операция целое состояние, и тем не менее стал искать, к кому бы обратиться. Он узнал, что Якуб пишет докторскую диссертацию в Новом Орлеане, добыл через Вроцлавский университет номер его телефона в Штатах, а потом две недели все не мог решиться позвонить.

Однажды по пьянке он набрался храбрости и заказал разговор. Соединили его через восемнадцать часов, когда он протрезвел и даже не помнил, что прошлой ночью набрался храбрости.

Однако он вспомнил, что хотел рассказать Якубу про Аню.

Якуб слушал очень внимательно. Неожиданно он попросил сообщить все данные об Ане — о состоянии костного мозга и лимфатических узлов, о проведенной химиотерапии. Похоже было, что он знает все о лейкозах и пересадке костного мозга.

Это удивило Яцека. Но ненадолго. Он вспомнил, что Якуб всегда знал все, в крайнем случае почти все.

Якуб расспрашивал без всяких эмоций. Он даже не сказал, что сочувствует или что-нибудь в этом духе. Попросил номер телефона Яцека, сказал, что позвонит через две недели, и, не попрощавшись, повесил трубку.

Яцек даже не ждал, что Якуб позвонит.

Им столько раз обещали, но ничего не делали, столько раз обнадеживали, не шевельнув потом и пальцем, что уже не имело никакого значения — одним обманом больше или меньше. Просто Якуб был единственным человеком, которого он знал в Штатах, и обратился Яцек к нему скорей всего для очистки совести.

Было позднее воскресное утро, когда зазвонил телефон. Это был Якуб.

Яцеку никогда не забыть этого разговора.

— Ты уже выпил? — осведомился Якуб.

— Еще нет... потому что я должен ехать в больницу к Ане, — ответил он.

— Это хорошо. А теперь внимательно слушай. Ты сядешь в машину и поедешь в Варшаву в аэропорт. В двадцать тридцать там приземлится самолет компании ЛОТ из Нью-Йорка, в нем летит человек, который передаст тебе письменную гарантию, что Аню кладут на операцию по пересадке костного мозга в клинику университета Тьюлейн в Новом Орлеане, обещание выдачи Ане визы посольством США в Варшаве, а также номер брони билета для Ани на рейс в Нью-Йорк в пятницу. Я забронировал ей место в бизнес-классе. Ты все это получишь от него, а билет в ЛОТ'е в Варшаве утром в понедельник. Во вторник ты продашь машину, дашь взятку в бюро паспортов, чтобы в среду получить для нее заграничный паспорт. В четверг ты получишь в посольстве визу, а в пятницу посадишь Аню в самолет. Я встречу ее в Нью-Йорке и отвезу к себе в Новый Орлеан. Донор мозга уже имеется. Я устроил финансирование этой операции, так что очень прошу, ничего не напорти. Позвоню тебе во вторник вечером. — И Якуб положил трубку.

Он стоял, словно остолбенев, и, сжимая в руке телефонную трубку, еще долго вспоминал, все ли он запомнил, а по щекам у него ползли слезы, хоть он вовсе не был пьян...

Все прошло так, как сказал Якуб. Только паспорт жена выплакала без взятки.

Но машину все равно пришлось продать. Для другой взятки — чтобы перевезти Аню вертолетом из больницы в Варшаву к самолету. Утром в пятницу они с женой, держась за руки, стояли на дороге из аэропорта и смотрели, как набирает высоту тот самолет.

Якуб позвонил из Нью-Йорка, сообщил, что Аня благополучно долетела и что она молодец. А потом он звонил ежедневно.

Жена совершенно сошла с ума. Она взяла отпуск, чтобы все время быть у телефона. Всем знакомым она запретила звонить к ним, чтобы «не занимать линию». А когда телефон слишком долго молчал, она время от времени поднимала трубку, желая убедиться, что он не сломан. Она практически не выходила из дома и почти не спала, так как боялась, что во сне не услышит звонка.

А Яцек пил, не просыхая.

Спустя пять недель они поехали за Аней в Варшаву. Они уже знали: она будет жить.

В тот же вечер, уставшие от поездки, они вернулись домой, и когда Аня снова спала в своей комнате, Яцек с женой вошли туда и, обнявшись, стояли на коленях у ее кроватки, смотрели на девочку и плакали.

И они знали, что оба испытывают одно и то же чувство — самую чистую, огромную, безграничную благодарность. Благодарность к другому человеку.

Яцек вдруг подумал, что Бог все-таки есть. Просто какое-то время он отсутствовал.

Он даже не представлял, каким безмерным бременем может стать невысказанная благодарность. Они ждали в тот вечер звонка от него, хотели сказать ему — сказать слова, содержащие в себе благодарность.

Но он не позвонил.

Звонка от него не было ни в тот вечер, ни в последующие два года. Но это было в его характере.

Яцек сам попытался позвонить ему в тот вечер. Он заказал разговор и сказал, что заплатит любую сумму за немедленное соединение. А ему ответили, что это же США, что он должен понимать и что соединят его самое быстрое через восемнадцать часов.

В тот вечер Яцек принял решение уехать из этой страны.

И когда его сейчас спрашивают, почему он уехал из Польши, он отвечает: потому, что не смог выразить благодарность, а спросившие смеются и не верят ему.

Но это правда, чистая правда.

Из задумчивости его вырвал звонок телефона. На этот раз звонила жена.

— Тебе вообще известно, что в моем районе Гамбурга уже воскресенье? — спросила она.

Он не дал ей продолжить:

— Звонил Якуб, ему нужна моя помощь.

— Якуб?..

Прошло несколько секунд, прежде чем она поинтересовалась:

— Мне приехать? Моя помощь нужна?

Яцек усмехнулся, удивленный ее вопросом.

— Нет, ты помочь тут не сможешь. Пожалуйста, не закрывай дверь на ключ, чтобы мне не разбудить Аню, когда я вернусь.

— Разумеется. Но она же все равно не заснет, пока ты не вернешься. Яцек, прошу тебя, помоги ему.

Естественно, он поможет. Так разберется с этим сервером, что там ничего не останется.

Даже если ему придется ехать в Познань и разнести этот сервер топором или же соскребать тот e-mail с дисков бритвочкой.

Но только ехать никуда не придется. Внезапно в нем снова возникло знакомое чувство вызова. Как в те времена, когда сразу после приезда на учебу во Франкфурт-на-Майне он с такими же, как он сам, хакерами разделывался с компьютерами IBM в Гейдельберге или пытался влезть в систему «Коммерцбанка». И он с гордостью смеялся, когда на следующий день читал в газетах про «очередную необычную попытку взломать центральный компьютер в...» — далее следовало название какой-нибудь важной организации. И он знал, что вечером придется объяснять невесте: неудачная попытка означает, что компьютер еще жив, а удачная значила бы, что он «сгорел».

Это было cool и действовало, как наркотик. С тех времен осталось совсем немного: несколько давних друзей, отношения с которыми поддерживались на уровне поздравительных открыток по праздникам, несколько пожелтевших вырезок из газет да воспоминания.

Но также и блокнотик с паролями, открывавшими ему доступ практически во все компьютеры в Германии.

Яцек заварил очередной кофе и включил свой компьютер.

Первым делом он ознакомился с сервером в Познани.

Он сразу отметил, что от атак извне сервер оберегает firewall, изощренная защитная программа, исполняющая роль электронного стражника у ворот, и... обрадовался. Если бы дело оказалось легким, не было бы чувства успеха.

После этого он отыскал в блокноте пароли, открывающие доступ в «Cray» в Мюнхенском, Берлинском и Штутгартском университетах. «Cray» — самый быстродействующий компьютер в мире. И таких компьютеров в этой богатой стране было всего четыре, включая и этот в Гамбурге, на котором он сейчас работает.

Он одновременно вошел во все три.

Затем на всех трех компьютерах он задействовал свой шедевр — написанную им программу, которая делала совершенно замечательную вещь: отправляла анонимки. То есть меняла его адрес на несуществующий. Даже если их хитроумный firewall в Познани и зарегистрирует, откуда было вторжение, пользы от этого будет немного: адресом будет несуществующая улица в несуществующем городе и несуществующей стране.

Прошло всего полчаса, а он уже был готов к работе.

Яцек закурил сигарету, пошел достал из холодильника в кухне банку пива, посмотрел на часы и уже собрался запустить одновременно три программы: здесь в Гамбурге, в Берлине и Мюнхене. Он знал, что такой атаки не выдержал бы даже сервер Пентагона. План у него был простой. Он атакует тот сервер из Гамбурга, прикончит из Мюнхена и продублирует из Берлина.

«Потому что Берлин ближе всего к Познани», — мысленно улыбнулся он.

И в этот миг он вдруг осознал, что обрушивает сервер из-за одного-единственного мейла. И ему вдруг неодолимо захотелось узнать, а что в нем такого может быть. Наверное, что-нибудь совершенно необыкновенное.

Он пока не стал атаковать, а взломал пароль почтовой программы, и мейл был перед ним.

Яцек отхлебнул пива и принялся читать.

Он читал и чувствовал, что весь дрожит.

Ему и в мысли не приходило, что это будет самый прекрасный из всех, что ему доводилось читать, текст о любви, тоске, потерянности, ревности, неверности и каре за нее...

Какой же необыкновенной, неповторимой должна быть та женщина, если Якуб написал ей такой текст.

Яцек завидовал ему.

Ему снова вспомнилась школа. Происшествие из того времени, когда Яцек был еще «малышом».

Им было задано написать сочинение по «Прощанию с Марией» Боровского[1]. До конца урока оставалось минут пятнадцать, и тут вдруг учительница польского вспомнила, что еще не проверяла эти сочинения. Она вызвала Якуба. Все с облегчением вздохнули, а он начал читать. Он так сильно, так хватающе за душу написал о смерти, о страдании, о выживании, о недолговечности и о достоинстве человека, что учительница плакала. Она не смогла сдержать слезы и вышла из класса, не дослушав Якуба, а он, не обращая на это внимания, продолжал читать. Все слушали в каком-то странном остолбенении, и такой тишины, как в тот раз, в классе еще никогда не было.

И потом тоже больше никогда не было.

Внезапно зазвенел звонок, но никто не встал с места. Якуб закончил читать и молча сел за парту, а остальные ученики выходили из класса, хотя перемена вот-вот уже должна была кончиться, и никто не решался посмотреть ему в глаза, потому что каждый стыдился выказанной недавно слабости.

Потому что Якуб по-прежнему еще оставался самым маленьким в техникуме.

И только Яцек подсел на минуту к Якубу, хлопнул его по плечу и сказал:

— Не огорчайся, Якуб. Не только она, я тоже плакал.

Настало время.

Яцек запустил вначале программу у себя, потом в Мюнхене и в Берлине.

---

[1] Боровский Тадеуш (1922—1951) — польский поэт, прозаик, публицист. В 1943—1945 гг. был узником фашистских концлагерей, в том числе Освенцима. «Прощание с Марией» (1948) — книга рассказов о моральном падении человека в условиях концлагеря, о кризисе гуманистических идеалов в эпоху массового уничтожения людей.

Подождал несколько минут, попытался соединиться с сервером в Познани и удовлетворенно улыбнулся.

Этого сервера в Познани больше не было.

Верней, он был, но только как груда кремовых обломков.

Яцек набрал номер пейджера Якуба на веб-странице, которая позволяла пересылать сообщение на пейджер прямо из Интернета, и написал:

Познани больше нет. Можешь быть спокоен, она этого никогда не прочитает. Яцек.

Он отослал сообщение и подумал, что все-таки Якуб — он из другой книжки. Затем выключил компьютер, допил пиво и не спеша пошел к лифту.

ОН: Уже несколько часов он безвылазно сидел в своем кабинете в Мюнхене. Тишину нарушал только стук клавиатуры его компьютера. Начиналось воскресенье.

Он ждал.

Он пытался сосредоточиться на статье, отысканной в Интернете. Ему казалось, это приглушит его тревогу.

Он боялся бесповоротно потерять ее, если она прочтет e-mail, который он послал ей. Написал он его, изнемогая от ревности, сомнений и тоски.

До сих пор он удачно притворялся, будто не испытывает ревности, либо удачно скрывал ее. Он долго этому учился, и то, что они не виделись, помогало ему. Ей были незримы такие признаки, как выражение лица, взгляд, настроение, звучание голоса, нервность или нетерпеливость. Эмоции, выражающиеся только текстуально, как это было в их случае, контролировать не так уж трудно.

Порой он задумывался, уж не возможность ли пользоваться лишь текстом самое привлекательное в таких интернетовских отношениях. Некоторые придумывают невероятно убедительную ложь, однако знают, что никогда не произнесут ее вслух, потому что дрогнет голос, они покраснеют и выдадут себя. Прекрасно это известно также авторам анонимок.

Она получала только то, что он написал, и в лучшем случае могла лишь расцветить это воображением. И даже когда она чувствовала больше, чем того хотел он, все равно ревности в его словах не ощущала.

И это было большим его успехом, хотя многого ему стоило. В последнее время то, что она принадлежала не только ему, доводило его до безумия. А ведь совсем еще недавно он был убежден, что его ничуть не трогает то, что каждый вечер она ложится в постель с другим мужчиной. Ему казалось, что этот человек, овладевающий ею, как только у него возникает желание, является как бы фрагментом ее биографии, которая сложилась, когда его, Якуба, в ее жизни еще не было. Просто мужчина этот появился у нее до гигантского метеорита, которым является, разумеется, он, Якуб.

И он верил, что мужчина этот вскоре исчезнет. Как динозавр.

Динозавры ведь тоже погибли не сразу, а только через некоторое время после падения метеорита или кометы. Главным образом из-за тьмы, которая окутала Землю. Удар привел к тому, что Земля оказалась в облаке пыли, непроницаемом для солнечных лучей. Это привело к гибели растений, отчего начали вымирать растительноядные динозавры. А это привело к гибели динозавров-хищников, которые питались растительноядными.

Примерно так после второй бутылки кьянти убеждал он себя в том, что ее муж – динозавр – неизбежно вымрет, даже если он ведет здоровый образ жизни и питается одними экологически чистыми овощами. И то, что его не станет, окажется дополнительным фактором, способствующим всеобщему прогрессу.

Динозавры ведь тоже были излишним балластом цивилизации. Их генетическая программа – практически достоверно установлено, что генные мутации у динозавров более не происходили, – исполнилась до конца, а это грозило тем, что на планете никогда не будет людей.

И Интернета тоже не будет.

Но, к счастью, так не случилось. Упал метеорит, и динозавры вымерли, освободив место крысам. Эти сверхинтеллектуальные создания, жившие в норах и привычные к темноте, которая так эффективно уничтожила динозавров, вышли на поверхность планеты и стали быстро эволюционировать.

Так неужто он тоже является такой крысой? Нет! Уж он точно нет!

Впрочем, гипотеза с падением метеорита всего лишь одна из многих. Случалось, он с ней и не соглашался. Все зависело от количества выпитого вина.

Кроме того, ему хотелось иметь привилегию куда более весомой исключительности.

Исключительного владения ее мыслями.

Ему хотелось, чтобы она думала только о нем — когда испытывает радость, принимает решение, бывает растрогана или взволнована. Чтобы думала только о нем, когда слушает музыку, которая ее восхитила, весело смеется над анекдотом или плачет от избытка чувств в кино. Хотелось, чтобы она думала о нем, когда выбирает белье, духи или краску для волос. Чтобы только о нем думала на улице, когда деликатно отводит взгляд от целующейся пары. Чтобы единственная мысль утром, когда она просыпается, и вечером, когда засыпает, была о нем.

И он был уверен, хотя не отваживался об этом спросить, что она мастурбирует.

Слишком она была интеллигентна, чтобы не делать этого.

Только мастурбирующие женщины ясно знают, что возбуждает их, и способны попросить этого. К тому же акт мастурбации является всего лишь дополнением к истинному акту, который происходит в мозгу. Промежность является лишь сценой, на которой он разыгрывается. Он был убежден, что она мастурбирует, думая о нем. Да, это и была та желанная исключительность: быть в ее мозгу — в ее пальцах — в такой момент.

Можно ли быть ближе женщине, чем тогда, когда она разряжает напряжение своих фантазий, зная, что ей ничего — абсолютно ничего — и не перед кем не нужно изображать?

Даже если это не он целует ей лоно, все равно оно является его сценой.

И тем не менее он все чаще чувствовал, что этого ему недостаточно. Он стал замечать и в их разговорах по ICQ, и в ее мейлах, что она нашла себе modus vivendi[1] и научи-

---

[1] Образ жизни *(лат.)*.

лась жить (по его мнению, уютно и удобно) между двумя мужчинами – между ним и своим мужем. Каждый из них был источником совершенно разных ощущений, но в результате, ободренная тем, что Якуб совладал с ревностью или по крайней мере не выказывает ее, она перестала скрывать, что такая ситуация ей не мешает, не тревожит, не нервирует и не приводит в отчаяние.

Он мог бы спросить ее, так ли это на самом деле. Однако не делал этого, боясь, что она подтвердит его худшие опасения. Он попал в собственную ловушку: мужская гордость в соединении с впечатлительностью становилась подобна ране на ступне, которая воспаляется от хождения. А ходить необходимо.

И все же когда она в пятницу прислала ему фотографию с приема, устроенного фирмой ее мужа, и он увидел ее в его объятиях, вся эта модель исключительности рассыпалась, как карточный домик. И он вдруг осознал, что вот этот вот, с фотографии, залезает в нее пальцем, языком и пенисом, что под ним она что-то шепчет, становится влажной и, может, даже кричит от наслаждения. И эта мысль ударила в самую рану, и он от невыносимой боли написал и отослал тот e-mail.

А когда боль прошла, его стал жечь стыд. То, что он сделал, противоречило всей его философии, которую он с таким пылом излагал ей и которую она с таким пылом и так безуспешно оспаривала. Ведь это же он сам убеждал ее, что его, например, смешит всеобщее отождествление любви с банальным и, в сущности, комическим актом, во время которого кто-то кому-то куда-то что-то засовывает, и ежели как следует задуматься, банальность этого акта просто-напросто ошеломляет. И это он, а не кто-нибудь другой неизменно убеждал ее, что куда больше любви он обнаруживает во внезапном потоке энергии между зрачками.

И после этого она будет читать слезливый мейл о еще одном самце, испытывающем из-за ревности психосоматические боли сердца и простаты?!

Он ощутил вибрацию. Это был пейджер у него в кармане. Якуб достал его и прочитал сообщение из Гамбурга.

Удалось!

Она не прочтет этот текст.

По крайней мере сегодня не прочтет.

То, что Яцек знает о ней, его не особенно обеспокоило. Во-первых, Якуб был уверен в его молчании, а кроме того, он ни капли не сомневался, что Яцек, когда доберется до этого текста в Познани, прежде чем уничтожить, прочитает его.

У Яцека всегда было специфическое и немножко перевернутое представление о порядочности и лояльности. Он ведь мог и не сообщать ему, что знает содержание этого письма. Для Яцека прочесть чужое письмо было совершенно нормальным и естественным, но вот не сказать об этом это уже было предательством и нечестно.

Поэтому он сказал.

Яцек...

Их жизни неразрывно связала навсегда трагедия. В последнее время он часто думал о тех событиях. Иные впечатления, которые они вызывали теперь в нем, были чем-то вроде дежа-вю[1] того, что он много лет назад пережил в Новом Орлеане. Он помнит тот ночной телефонный звонок, как будто он прозвучал лишь вчера, а ведь прошло больше десятка лет.

Подходил к концу восьмой месяц его научной стажировки в Тьюлейнском университете в Новом Орлеане. Уже несколько недель он пребывал в состоянии непреходящего умственного и эмоционального возбуждения. Проект, над которым он работал и который составлял основу его докторской диссертации, вступил в решающую фазу. Двадцать человек в нескольких университетах по всем Соединенным Штатам писали отдельные модули уникальной программы для установления последовательности в ДНК, что даст возможность составления своеобразной генетической карты бактерии, вызывающей тиф. То был отчаянно смелый проект, и он объединил экзотических людей. Это была группа маньяков, подстрекаемых любознательностью, честолюбием и жаждой пережить одно из научных приключений, которые происходят безумно редко. Если проект удастся, он

---

[1] Déjà vue *(фр.)* — уже виденное.

откроет путь к началу разработки карты генома человека. Той самой оригинальной формулы человека, что записана во всем известной двойной спирали ДНК.

Он был одним из тех, кто пытался создать эту формулу.

Незначительный аспирант из Польши, у которого социалистическая действительность выработала тщательно скрываемый ото всех комплекс ученого из второй лиги, вдруг оказался в команде, которая брала его с собой на финальный матч мировой суперлиги. Тренером был нобелевский лауреат из Гарварда, денег было что снега у эскимосов, и все горели желанием принять участие в главном матче своей жизни.

Он приехал из страны, которую члены этой команды знали только по неплохой водке да по труднопроизносимой фамилии одного чрезвычайно говорливого электрика.

Они дали ему, ни словом о том не обмолвившись, три месяца, чтобы он показал, на что способен. И наблюдали за ним.

По прошествии этих трех месяцев в кабинетике, где он работал, зазвонил телефон, и Джанет, секретарша, своим сексуальным голоском, звучание которого он помнит до сих пор, сообщила ему, что с ним хочет говорить руководитель проекта профессор из Гарварда. Начав с ним разговор, Якуб невольно встал. Профессор коварно осведомился, «не помешал ли он ему», а также «соответствует ли тематика его научным интересам», потому что если да, то «вы нам подходите». Якуб помнит лишь, что, охваченный радостью, он продолжал прижимать трубку к уху, когда разговор уже кончился, переживая сообщение, что «через четверть часа ему через Интернет перешлют пароль, открывающий доступ к программам установления последовательности ДНК», и что «послезавтра ему следует быть в Нью-Йорке на заседании всей нашей группы».

Да, тот трех- или четырехминутный разговор переменил всю его жизнь.

И вот что еще: после него Якуб впервые отметил проявление у себя необычной закономерности. Радость и удовлетворенность собой, превышающие некую пороговую напряженность — а именно так и было после того разговора, — вызывали у него огромное сексуальное возбуждение. Мало того что после разговора с профессором он не только был запредельно счастлив и запредельно горд собой, но у него наступила какая-то запредельная эрекция. И это не имело никакой связи с тем, что уже несколько месяцев он не прикасался к женщине. Правда, он помнит, что после того многомесячного воздержания провожал взглядом любую представительницу человеческого рода, обладающую хотя бы намеком на груди, но в данном случае эта причина отпадала. И это совершенно точно, поскольку подобное происходило с ним и тогда, когда радость и удовлетворенность собой, превышающие пороговый предел, возникали у него и через несколько часов после бурного, продолжительного секса.

Он прочел все о механизме эрекции у мужчины, знал, что инициируется это явление увеличением концентрации окиси азота в крови, читал об ингибиторах энзима PDE5, о наполняющихся и опорожняющихся губчатых телах, о циклических cGMP, а также и другие безумно серьезные, умные и глубоко научные обоснования. Ему было абсолютно понятно, почему у него происходит эрекция, когда он идет по очень крутой лестнице на ленч в их институтскую столовую следом за Джанет и любуется ее ягодицами, никогда не стесненными никакими трусиками, но зато до предела обтянутыми брючками из тонкой кожи. Однако это не помогало ему понять, отчего подобное же случается с ним тогда, когда он читает статьи очень серьезных ученых, ссылающихся на его публикацию, — случается, хотя в его пустой и душной рабочей комнатенке никогда не было ничего эрогенного, кроме глубоко запрятанных в ящике под бумагами нескольких номеров «Плейбоя». Видимо, желание стать объектом восхищения и желание обладания женщиной вызывают у него идентичную реакцию. Но когда он поразмышлял над этим, то уже не так удивлялся. История трагедий, вызванных мужчинами, которые добивались желанных женщин, была столь же долгой и жестокой, как и перечень несчастий, принесенных теми, кто любой ценой добивался восхищения других людей.

Он также заметил, что эрекция, вызванная долгим любованием ягодицами Джанет, и эрекция, обусловленная тщеславием, были практически одинаковыми по интенсивности и силе внутреннего напряжения. Единственная разница заключалась в том, что Джанет могла еще усилить эрекцию, говоря что-нибудь во время ленча. Потому что у нее был голос, от которого концентрация окиси азота увеличивалась до того, что в кровеносных сосудах прямо-таки возникали пузырьки. Причем она ни разу не произнесла ничего умного или интересного. Впрочем, это было совершенно неважно. Джанет достаточно было заставить вибрировать свои голосовые связки, усиливая эффект движением языка и губ, и очень желательно, чтобы при этом ее губы были покусаны вследствие событий прошедшей ночи либо были интенсивно красными от помады; Джанет всегда следила за тем, чтобы хотя бы одно из этих условий было исполнено. А результатом вибрации голосовых связок вовсе не обязательно должны были стать осмысленные слова или фразы. И хотя Джанет принадлежала к тем женщинам, которые путают простейшие понятия, он обожал слушать ее.

Главное, чтобы она говорила о чем угодно своим сдобным голосом.

После того разговора с профессором, эрекция у него достигла такой степени, что он ощущал настоящую физическую боль. И он помнит, как заперся в своей комнатке, позвонил Джанет, задал ей какой-то совершенно дурацкий вопрос, чтобы услышать ее голос, и стал онанировать. Джанет рассказывала ему по телефону какую-то идиотскую историю, и он левой рукой закрывал микрофон, чтобы она не могла услышать, что с ним происходит, ну а правая рука тем временем делала свое дело. Когда он кончил, Джанет все еще продолжала говорить, а он с ужасом осознал, что эякулировал, воображая себе карту генома той самой тифозной бактерии.

Порой он задумывался, не было ли и это извращение обусловлено определенной последовательностью его генов в двойной спирали.

Если да, то его извращение не самое скверное. Ему были известны подобные извращения, но куда как хуже.

Когда-то, восхищенный одной из книг Пруста, Якуб решил побольше узнать о нем. И то, что он прочел, было достаточно шокирующим. Этот маленький, тщедушный, вечно хворающий, кашляющий, экзальтированный, болезненно впечатлительный и нуждающийся в постоянной женской опеке сын аристократа признавался, что он, несмотря на впечатление, которое производил на женщин, регулярно занимался онанизмом. Главным образом подглядывая за юношами, которые раздевались, перед тем как лечь в постель. Иногда же, когда и это не доставляло ему удовлетворения, он велел слуге принести в спальню клетку с двумя крысами, накрытую черным шелковым шейным платком. Одна крыса была большая и голодная, а вторая маленькая и ленивая от переедания. Мастурбируя, Пруст снимал платок, накрывающий клетку, и, когда большая голодная крыса пожирала маленькую, эякулировал. В первый момент Якуб инстинктивно почувствовал отвращение. Но потом, поразмыслив, решил прочесть все написанное Прустом. И отвращение исчезло.

Другую последовательность генов, видимо, нес в себе красивый, любимый женщинами Джон Фицджералд Кеннеди, президент США, обретший бессмертие после своей прямо-таки театральной гибели в Далласе. Если верить опубликованным воспоминаниям о нем, то возникает образ сексоголика с извращенными сексуальными предпочтениями. Кеннеди больше всего нравилось заниматься любовью в ванне, главным образом из-за постоянных болей позвоночника. Его партнерша обыкновенно стояла рядом с ванной и, наклонившись, целовала и ласкала его тело. Когда приближался финальный момент — естественно, у Кеннеди, — в ванную комнату врывался телохранитель, хватал женщину за шею и притапливал ее в ванне. Та из последних сил пыталась освободиться, а Кеннеди, как утверждают авторы воспоминаний, с наслаждением извергал сперму.

Последовательность генов, ответственная за это извращение, показалась Якубу куда отвратительней, чем та, что была у Пруста.

Но тогда его не интересовали ни Пруст, ни Кеннеди, тогда он думал лишь о том, что произошло, и о том, что будет дальше. Внезапно он стал частью «нашей» группы, и с того дня установление последовательности генов тифозной бактерии стало самым важным делом его жизни.

Получив такую карту, можно будет «перевести» ее на белки, управляющие жизненными процессами, а зная биохимию этих белков, можно будет, к примеру, установить, какой ген ответствен за производство в человеческом организме допамина, недостаток которого приводит к болезни Паркинсона, а избыток регистрируется (как правило, в течение очень краткого периода) в случае возникновения состояния, обычно описываемого в ненаучной литературе как влюбленность. Мало того что такое знание позволило бы исцелить тысячи неизлечимо больных и униженных этой болезнью людей, но вдобавок они генетически могли бы влюбляться.

Иногда, чаще всего глубоко за полночь, члены группы заказывали такси, бросали на часок-другой «своего микроба» и устраивались в патио отеля «Дофин Нью-Орлеан» во Французском квартале, где, потягивая пиво и слушая блюзы, строили фантастические планы, уверенные, что именно они начинают складывать гигантский паззл из генов. И они были настолько самоуверенны, что не сомневались: они его сложат полностью и целиком. И чем больше пива было у них в крови, чем больше блюза было в воздухе, тем бесспорней они верили в это.

Но сейчас, когда о генетике разговаривают чуть ли не у каждого пивного ларька, после того как она одарила мир театральным клонированием небезызвестной овечки, сейчас, после стольких лет, с нынешней своей перспективы, он воспринимает тот проект и те исследования с некоторой долей иронии и превосходства, но в то же время с задумчивостью и удивлением своим тогдашним энтузиазмом. То, что они делали тогда в Новом Орлеане, было важно, но в сравнении с тем, что делается сейчас, то была, можно сказать, детская генетика.

Но таков, очевидно, порядок вещей в науке.

Теперь уже ясно, что мы имеем дело не с одной-единственной головоломкой.

Кто-то рассыпал на столе больше ста тысяч паззлов.

И тогда, и сейчас он порой задумывается, а не Бог ли это сделал. Тогдашнее малое знание отдалило его от Бога. Но он заметил, что теперь, зная и понимая гораздо больше, чем тогда, он стал куда смиренней и более склонен поверить, что тем Великим Программистом все-таки был Бог.

Вот только версии Кеннеди и Пруста ему чуть-чуть не удались.

Сейчас-то Якубу было совершенно понятно, что полностью эти паззлы не могли сложить несколько мечтающих о славе перебравших никотина компьютерщиков, генетиков и молекулярных биологов. Даже если бы они решили, чтобы не тратить зря время, перестать дышать и только работать и работать. Но тогда в Новом Орлеане он еще этого не знал.

И никто не знал.

Тогда он работал, как в состоянии амока, буквально пока не сваливался.

Как-то он заснул за компьютером и свалился со стула на разбросанные на полу книжки. Поскольку жалюзи на окнах его рабочей комнаты были всегда опущены, он не различал, какая стоит пора дня. В этой комнате 4018 на четвертом этаже здания «Персиваль Стерн», где находилась их лаборатория, всегда было светло от гудящих под потолком ламп дневного света. В одно из воскресений, когда в его холодильнике остались лишь грязноватые ленточки поглотителя запахов, он уговорился с Джимом отправиться на закупки в большой супермаркет в конце улицы.

Договорился на четыре часа дня и... проспал.

А лег он спать еще до полуночи в субботу.

Ему и в голову не приходило, можно ли жить иначе. Он подсознательно ощущал: нельзя. Этот проект был его жизнью. И Якуб все подчинял ему.

«В лабораторию ты не придешь, если будешь действительно очень болен. А по-настоящему больным ты сочтешь себя только тогда, когда несколько часов будешь харкать кровью».

Так кратко и образно суммировал это индийский программист, присоединившийся к их исследовательской группе примерно тогда же, когда и Якуб.

Он задумывался, так ли работают и другие. Иногда спрашивал об этом коллег. Один из них, Януш, тоже поляк, стипендиат Фонда имени Костюшки, информатик из Торуньского университета, работавший в Куинс-колледже в Нью-Йорке, сказал ему:

— Старик, меня только что стукнуло, что моя малышка Яся уже в третьем классе. И завтра она получает табель, и у нее начинаются каникулы.

Вот уже несколько недель он вставал в половине пятого, совал в рот сигарету, собирал разбросанную по всей комнате одежду, заваривал кофе и приводил себя в чувство ледяным душем в ванной на первом этаже. И очень часто обнаруживал, что стоит под душем с сигаретой во рту. Одеваясь, он торопливо пил кофе, забрасывал в рюкзачок листки с заметками, написанными ночью, выскакивал и садился в машину Джима, который уже несколько минут ждал его.

С тех пор как Джим стал работать на стройке неподалеку от университета, он каждый день подвозил Якуба. Джим дожидался его всегда в отличном настроении, всегда улыбающийся и свежий, как весенний лужок. У Якуба такое его настроение всегда вызывало раздражение и недоумение. Как можно быть таким радостным в пять утра после такой короткой ночи, да еще сидя в такой машине.

У Джима был «бьюик» выпуска шестидесятых годов без кондиционера, что в Новом Орлеане воспринималось либо как признак невероятной бедности, либо как доказательство принадлежности к религиозной секте невероятно мазохистской направленности. Кроме того, задняя дверца со стороны пассажира была привязана толстой веревкой к изголовью кресла водителя, а иначе во время езды ее должен был придерживать пассажир.

Якуб садился с закрытыми глазами в машину, брал из пепельницы уже дожидающуюся его прикуренную Джимом сигарету, и они трогались. Разговаривать они начинали, только проехав несколько миль, когда Якуб окончательно просыпался. Джим знал уже назубок этот порядок и вел себя как преданный и вышколенный водитель английской королевской семьи.

Вскоре Якуб все чаще не ночевал дома, оставаясь на рабочем месте и работая с короткими перерывами всю ночь.

Так было и в ту ночь, когда позвонил Яцек.

Шел четвертый час ночи с субботы на воскресенье.

Джим был как раз у него в комнате. Он молча склонился над электронными аптекарскими весами, которые поставил рядом с компьютером. С величайшей сосредоточенностью он развешивал кокаин на порции и засыпал их в заранее заготовленные пакетики. На компьютерном столе лежали ряды запаянных полиэтиленовых мешочков с белым порошком. Каждый содержал четыре «понюшки».

Когда Джим закончил, на столе лежало кокаина на пятьдесят тысяч долларов.

Он обошел стол, молча складывая пакетики в ободранный, помятый чемоданчик. Затем закодировал замок чемоданчика, один браслет полицейских наручников надел себе на левое запястье и запер ключом. Второй браслет был приварен к чемоданчику. Подойдя к Якубу, Джим все так же молча положил ключ от наручников на клавиатуру компьютера и только после этого произнес:

— Это и вправду в последний раз. Не презирай меня и извини.

Якуб кипел от злости. От злости на себя за то, что согласился на это. И дело было даже не в том, что он рисковал абсолютно всем, чего достиг в жизни, так как во второй раз сознательно — поскольку согласился без всякого принуждения — стал пособником торговца наркотиком; больше всего его огорчало то, что Джим так его разочаровал. Коварно воспользовался их дружбой.

Он чувствовал себя так, словно его предали.

Ведь три месяца назад Джим пообещал, что «это в первый и последний раз», что «вот сейчас он расплатится с долгами и вылезет из этого дерьма» и что «заняться этим он может только здесь, потому что никому не придет в голову, будто в Тьюлейне в генетической лаборатории крошат мел» — так он называл это свое занятие.

Сегодня же час назад, когда Джим постучался в дверь, Якубу и в голову не пришло, что тот снова явился с «товаром». Джим стоял на пороге с прикованным к руке чемоданчиком и, с трудом совладав с дрожью голоса, сказал:

— Если я сегодня ночью это у тебя не раскрошу, то уже никогда не смогу тебя подвезти. Позволь... очень прошу.

Якуб позволил.

И пока Джим развешивал, он стоял к нему спиной, молчал и кипел от злости. Он не желал на это смотреть.

Вот так ребенок наивно верит, что если он закрыл глаза, то вокруг вовсе даже не темно.

Подошел он к столу, только когда Джим закрыл за собой дверь.

На клавиатуре компьютера лежал ключ от наручников, которыми Джим для верности приковал себя к чемоданчику с «коксом», и два маленьких пластиковых мешочка с белым порошком.

Для него.

В прошлый раз, когда Джим паковал здесь товар, Якуб попробовал кокаин.

Стол уже почти весь был занят пластиковыми пакетиками, и вдруг Джим отошел от весов, снял со стены старую фотографию в деревянной рамке, сдул пыль со стекла и прогрел его пламенем зажигалки. Затем высыпал содержимое одного пакетика на просушенную стеклянную поверхность и разделил белый порошок на три ровные полоски длиной около восьми сантиметров. Закурил сигарету, достал из бумажника половинку безопасной бритвы, вставленную в деревяшку, и принялся мельчить порошок в каждой полоске. Продолжалось это около пяти минут. Потом Джим достал из кармана мятый зеленый банкнот, свернул в трубочку и вставил один ее конец в ноздрю. Наклонился к стеклу и втянул в нос целиком одну полоску порошка. Мелкие частички, что остались на стекле, он собрал смоченным слюной пальцем и растер по деснам. Потом повернулся к Якубу, протянул ему свернутую долларовую купюру и, улыбаясь, предложил:

— Попробуй. Тебе станет хорошо. Я оставлю.

И хотя Якуб наблюдал за этим церемониалом с нескрываемым удивлением, он ни секунды не колебался. Подошел к столу, сунул в ноздрю конец долларовой трубочки и втянул в себя следующую полоску. Он сразу же ощутил легкий холодок и явное онемение в носу. Потом вернулся к своему стулу перед монитором, устроился поудобней и стал ждать. Любопытство в нем соседствовало с тревогой.

Через несколько минут Якуб почувствовал, что усталость, вызванная шестнадцатью часами интенсивной работы, проходит. У него появилось ощущение свежести, силы, прилива энергии. Можно было начинать следующие шестнадцать часов. А ведь совсем недавно, перед приходом Джима, он приводил себя в чувство черным как смола кофе и сигаретами. И вдруг это ощущение бодрости, как от холодного утреннего душа после долгого спокойного сна.

Это было нечто.

Маленькой дозой порошка, состоящего из двадцати пяти связанных между собой атомов, он обманул свои тело и мозг. Вдобавок он почувствовал себя сильным, блистательным и необыкновенно умным. Ему казалось, что если бы он сейчас начал писать программу, то получилась бы лучшая программа в его жизни.

И у него совершенно не было ощущения, что сейчас он не является собой. Напротив, он чувствовал, что это он, Якуб, но обретший небывалую значительность. У него пропали все страхи, опасения, исчезли сомнения и неуверенность.

Зато он всегда и во всем был прав.

Какое-то мгновение он упивался этим чувством. И начинал понимать, что людям может хотеться как можно чаще устраивать себе подобное состояние.

Особенно слабым или тем, кому необходимо ощутить силу или, по крайней мере, сыграть сильного. Достаточно нескольких граммов химического соединения, хорошо функционирующей слизистой оболочки, и ты оказываешься безмерно значительным, мудрым, сильным, остроумным, приятным, красноречивым, обворожительным, сознающим свою силу человеком, именно таким, каким тебе всегда хотелось быть. Длится это обычно не более двадцати минут, стоит десятки долларов, является противозаконным, скверно действует на сердце и мозг. А к тому же через некоторое время ты чувствуешь чудовищное похмелье, какого не было бы даже после гектолитра браги.

Кокаин не вызывает никаких галлюцинаций, разноцветных снов и ощущения, будто ты паришь над росистым летним лугом, где порхают бабочки и бегают нагие нимфы.

Это совсем другое химическое соединение.

Он слишком дорог, чтобы тратить его на банальные состояния, к которым в общем-то могут привести хорошая музыка, бутылка вина или влюбленность.

После кокаина человек видит сны о могуществе. После кокаина у него куда лучшие гены. После кокаина он дитя куда более доброго Бога. Этого человеку не подарит никакое вино, никакая музыка и ни одна женщина. Кроме того, ничто так не превращает нормальный спокойный секс в «водородный взрыв», как выражается Джим. И это самое опасное. Нормальный секс в сравнении с посткокаиновым все равно что «любовь с манекеном из универмага в Москве или Восточном Берлине». После этого остаются чересчур хорошие воспоминания и слишком серая действительность. По словам Джима, только после ЛСД может быть лучше. «Потому что тогда ты занимаешься сексом всеми клетками, а у тебя одних нейронов миллиарды».

Якуб осознал опасность этого в тот вечер, когда Джим признался ему, что «секс без „вещества“ наполняет его паническим страхом». Он перестал быть для него реализацией желания, а стал проверкой, «может ли он еще».

«Понимаешь, — признался Джим, — без „вещества“ это все равно что запихивать слизня в щель телефонного аппарата, который несколько часов стоял на морозе».

Якуб помнит, что когда он еще пребывал под действием кокаина, Джим, внимательно наблюдавший за ним все время, тоном знатока объявил: «Ну я же говорил, что тебе станет хорошо».

Да, ему было хорошо.

Они начали разговаривать.

Хотя они были знакомы и дружили уже свыше полугода, никогда еще им не случалось разговаривать так откровенно и искренне, как в тот раз после кокаина. Якуб давно уже хотел спросить Джима, но все никак не решался. Но теперь нерешительность исчезла, и он задал вопрос о Кимберли, про которую Джим ни разу не сказал «моя девушка», «моя женщина» или «моя невеста», но с которой всюду бывал, спал, делал покупки.

Кимберли, которую только Джим так называл, потому что остальные обращались к ней просто Ким, была студенткой Тьюлейнского университета. Она училась на последнем курсе юридического; Якуб недавно прочел в университетской газете, что она самая лучшая студентка в истории факультета, а на факультете училось около шести тысяч студентов. Всем знавшим ее было ясно, что это вовсе не результат влияния ее отца, известного хирурга и одновременно ректора Медицинской академии при университете.

Отец очень любил Ким, но по-своему, проявляя свою любовь в спешке, в немногие свободные минуты между дежурствами в клинике, лекциями, конгрессами, служебными командировками и проектами, в работе над которыми он участвовал. Он так любил ее, что только из-за нее оставался в браке, ставшем, можно сказать, фиктивным, с женщиной, которая изменила ему уже во время свадебного путешествия и испытывала гораздо большую привязанность к его кредитным карточкам и коллегам, занимающимся косметической хирургией. А после того как его брат, тоже известный хирург, покончил с собой, когда открылось, что он торгует органами для пересадки, у отца Ким осталась только она. Она, талантливая Ким, которой он гордился и будущее которой уже полностью спланировал. А пока, не имея для нее времени, успокаивал совесть, покупая ей дорогие машины.

Ким действительно была необыкновенно умна, способна, трудолюбива и своими успехами была обязана только себе. Отцу — если не считать машин — она была обязана лишь генами, да и то не всеми, а только частью. И поэтому те, кто знал ее, были удивлены известием, что Ким — «женщина Джима». Джима, который, правда, проучился четыре семестра в Гарварде, но потом за торговлю наркотиками отсидел четыре года в тюрьме в Батон-Руж, откуда после двух третей срока был условно освобожден за примерное поведение.

Человек без будущего, а в нищем настоящем пять дней в неделю вкалывающий на рытье котлованов для больших строек за шесть долларов в час. Прошлое его было настолько сокрушительным, что даже два курса архитектурного факультета в Гарварде не производили впечатления на потенциальных работодателей Джима. Он не мог убедить их поручить ему более ответственную работу, максимум, на что они шли, это брали его на копку котлованов для больших строек в Новом Орлеане и окрестностях.

Естественно, это угнетало его, мучило, становилось причиной депрессии. Порой ему бывало так скверно, он ощущал такую безнадежность, что каждое утро — а по утрам самое худшее время для людей в депрессии — казалось ему продолжением казни прошедшего дня. Депрессии бывали настолько сильными, что из них приходилось вырываться, хотя Джим знал, что рискует, и с помощью кокаина.

С таким вот мужчиной спала девушка, принадлежащая к одному из самых лучших домов Нового Орлеана, единственная дочка ректора Медицинской академии, обладающая незаурядным умом, заурядной внешностью, будущая адвокатесса, собирающаяся специализироваться в сфере права, касающегося торговли наркотиками, что придавало специфический привкус их роману. У многих знавших ее просто в голове не умещалось, как гениальная Ким могла влюбиться в начинающего, но уже закоренелого наркомана, каким, по мнению большинства, был Джим.

Но у тех, кто не мог этого понять, просто не было всех данных.

К примеру, они не знали, что для Ким отцовский поцелуй с пожеланием спокойной ночи был бы стократ дороже всех этих сраных, дурацких машин, стоящих целое состояние.

Хотя бы раз в неделю и пусть даже во сне.

Ведь она, хоть отец этого не знал, никогда не засыпала, пока он не возвращался домой. Лежа в постели и прижимая к себе плюшевого медвежонка коала, которого отец купил ей, когда как-то взял ее с собой в Сидней, она ждала, когда он запаркует машину, просмотрит почту, лежащую на столике в гостиной, примет душ в ванной для гостей на первом этаже, чтобы не будить жену, и тихо пройдет в спальню. Он проходил мимо ее комнаты, и она замирала в надежде, что он зайдет. Но он давно уже этого не делал. Каждый вечер она ждала, однако он не заходил, и с каждым вечером медвежонок коала с промокшим от ее слез ухом становился все более чуждым.

И однажды ночью – тогда она уже познакомилась с Джимом,– когда он снова прошел мимо ее комнаты, Ким встала, спустилась в кухню и электрическим ножом для резки хлеба отпилила голову медвежонку из Сиднея.

При этом она даже не плакала. Потом ее вырвало.

Утром, когда отец зашел в кухню, чтобы приготовить себе кофе, голова и туловище медвежонка коала так же лежали рядом с хлебным ножом.

Джим не подарил бы ей даже плюшевого медведя, потому что никому не делал подарков, но и никогда не позволил бы, чтобы она заснула без поцелуя и пожелания спокойной ночи. Кроме того, он был способен прийти к ней ночью или под утро с букетом белых роз, потому что вдруг почувствовал, что «давно не приносил ей цветов». Они всегда были белые, и Джим всегда приносил их ночью. Он оставался у нее до рассвета и делал с ней все то, что только он был способен так чудесно делать.

Потому с тех пор, как Ким влюбилась в Джима, она уже не просыпается по ночам от страшного сна, в котором у медвежонка коала из Сиднея оказывается голова ее отца.

Связь Джима и Кимберли скрывала еще одну тайну. Тогда, во время разговора «после понюшки», Якуб узнал ее.

Время от времени Джим и Кимберли приглашали Якуба в хороший ресторан, с удовольствием наблюдая, как «молодой ученый из-за железного занавеса» восхищается декадентским ужином с омаром и учится различать французские вина. Как-то Якуб обратил внимание, что после каждого такого дружеского ужина Ким оставляла их с Джимом за столом, иногда довольно надолго, и возвращалась потом какая-то немножко изменившаяся. Макияж у нее был размазан, порой было видно, что она плакала, и каждый раз она бывала томная и молчаливая. Она так эротически прижималась к Джиму, что даже Якубу становилось жарко. Иногда ее возвращения приходилось ждать и по полчаса. Джим тогда покупал мексиканскую «Корону», любимое пиво Якуба, либо они курили хорошие сигары, а случалось, выходили на паркинг, чтобы покурить марихуаны. И хотя в поведении Ким было что-то ненормальное, Джим никогда не объяснял, куда и зачем она выходит.

А сейчас рассказал.

У Ким была булимия.

Тогда, в середине восьмидесятых, для приехавшего из Польши слово «булимия» ассоциировалось с названием экзотического цветка, и Джиму пришлось долго объяснять, что это в действительности означает. После каждой обильной трапезы Ким нужно было выйти и просто-напросто избавиться от съеденного. Она отправлялась в туалет, смотрела, как он выглядит, и, только убедившись, что там чисто и приятно, выташнивала то, что съела. Делать это Ким могла только в эстетически изысканных туалетах. С особым удовольствием она это делала после обильных и роскошных ужинов с вином и свечами. Если же туалет не соответствовал ее требованиям, она брала такси или машину с паркинга и ехала к себе домой в комфортабельную виллу на Чарльз-авеню в Гарден-Дистрикт, забиралась в свою ванную, а потом возвращалась к Джиму.

Джим рассказал, что для Ким это очень эротическое переживание. Когда ее рвало, она испытывала сексуальное удовлетворение, на которое реагировала плачем — от счастья, отчего возвращалась к столику томная и с размазанной косметикой. А то, что она потом за столиком льнула к Джиму, так это была естественная реакция женщины, которая льнет к любовнику после любовного акта. Джим знал это и отвечал ей нежностью, чего в других обстоятельствах никогда не делал. В такие моменты «сразу после этого» он был для нее самым нежным мужчиной в мире. Он давал ей то, о чем мечтает большинство женщин, но испытывают только немногие. Причем почти всегда он давал ей это за хорошим вином, при свечах и с музыкальным фоном. И было абсолютно неважно, что по счету чаще всего платила она, хотя приглашал ее Джим. Джим пленял ее своей театрально экзальтированной и преувеличенной нежностью, о чем прекрасно знал; он талантливо манипулировал женщинами с тех пор, как заметил, что сильней всего они привязываются к мужчинам, которые умеют слушать, выказывать нежность и смешить.

Эта покорность была довольно-таки утонченным фрагментом системы, которую они выстроили на протяжении этой связи, хотя на самом-то деле Джим привязал к себе Ким совершенно другим. Он знал, где достать первоклассный кокаин, и прекрасно знал, как кокаин действует и что сделать, чтобы он подействовал еще лучше. Молекулы этого вещества быстрей всего попадают в кровь через слизистую оболочку, отчего большинство людей принимают его через нос.

Но у женщин самая большая площадь слизистой оболочки — во влагалище.

Там квадратные километры слизистой оболочки, сквозь которую в кровь может проникнуть любые частички с молекулярной массой, как у кокаина. Джим и это прекрасно знал. Иногда, лежа в постели с Ким, он намеренно сдерживался и не входил в нее, пока она не начинала стонать от нетерпения и умолять его взять ее. И если у Джима было достаточно кокаина в кармане брюк или в ночном столике, он вскрывал пластиковый мешочек с порошком и, прежде чем войти в Ким, старательно натирал член кокаином. Он знал, что кокаин действует анестезирующе. Поэтому во время акта он регистрировал гораздо меньше сигналов от фрикции и мог ждать, не опасаясь, что, несмотря на сильное возбуждение, утратит контроль и пройдет через точку, после которой поворота для мужчины уже нет.

Ему приходилось сдерживать себя около двух минут, что для большинства мужчин, как свидетельствует статистика, является проблемой. А Ким в это время переживала свои необыкновенные первые две минуты, которые для большинства женщин обычно оказываются последними, после чего испытывала настоящий kick и, по словам Джима, у которого была страсть к «поэтическим» и несколько безвкусным преувеличениям, «внезапно переносилась на другую планету, в совершенно иное измерение абсолютного безмерного наслаждения».

И хотя, если говорить по правде, Ким испытывала это благодаря своей слизистой оболочке, химическим свойствам и крохотным размерам молекулы кокаина, она была свято убеждена, что это следствие только и исключительно любви Джима.

Якуб, когда услышал этот рассказ Джима, подумал, достанет ли у него когда-нибудь столько смелости.

И столько кокаина.

Но это было три месяца назад.

А сейчас он ненавидел Джима. За то, что тот обманул его.

Он сел за стол, с яростью вырвал из разъема клавиатуру, на которой Джим оставил два пакетика с белым порошком и ключ от наручников, и швырнул на кучу коробок и папок возле окна.

Минут через пятнадцать ярость улеглась, он решил вернуться к работе, однако это оказалось невозможно. Он встал, подошел к окну и принялся извлекать клавиатуру из кучи. И тут же краем глаза в самом углу возле горшка с засохшей пальмой, которую он неизменно забывал поливать, заметил пакетик с порошком. Якуб поднял его, снял со стены ту самую фотографию, которой в прошлый раз воспользовался Джим, уселся на пол, высушил огнем зажигалки стекло и высыпал содержимое пакетика на еще теплую поверхность. Потом встал, достал из ящика письменного стола бритву, которую держал в нем с тех пор, как стал проводить тут ночи за работой, вытащил из нее лезвие. Вернулся к окну и принялся неловко рубить острием кучку порошка. Не прошло и минуты, как он почувствовал, что рука у него немеет.

«Как Джим мог толочь этот чертов порошок пятнадцать минут без передыха?» — подумал он.

Явно Джим научился этому не в Гарварде, а в тюряге.

Вдруг лезвие неловко дернулось в пальцах, Якуб почувствовал боль, и большая капля крови упала на рассыпанный на стекле белый порошок.

Красная капля медленно и величаво впитывалась в белоснежный кокаин. Несколько секунд Якуб, словно очарованный, смотрел на это.

И вдруг осознал: все должно быть не так. Не кровь должна быть в кокаине, а кокаин в крови!

Он быстро отделил часть порошка, не соприкоснувшуюся с кровью, разделил на две длинные полоски, достал из бумажника купюру, свернул трубочкой, вставил ее в ноздрю и резко вдохнул одну полоску кокаина. Несколько секунд еще, наклонившись над фотографией, он рассматривал в стекле отражение своего лица с торчащей из носа свернутой купюрой и весело смеялся. После некоторой нерешительности Якуб вдохнул и вторую полоску. Затем удобно оперся спиной на кучу коробок и лениво следил за тем, как из него уходят усталость и утомление, нервность и раздраженность поступком Джима. В него вливалась свежесть.

Мозг снова позволил обмануть себя. И тело тоже.

Ему было хорошо.

Теперь он был самым заурядным наркоманом.

Сейчас никто не предлагал ему наркотик. Он сам высыпал его, подготовил, сам ввел в себя через слизистую оболочку. Теперь уже нельзя было оправдываться тем, что «хотелось разок попробовать, чтобы узнать, что при этом чувствуют». Он ведь уже знал, что при этом чувствуют. Потому-то он и сделал это.

И теперь ему куда понятней был тот самый шимпанзе из весьма эффектного эксперимента, о котором он читал недавно в научной периодике.

Привязанный к креслу, подсоединенный проводами к электрокардиографу, электроэнцелографу и тонометру шимпанзе мог, ударяя лапой по желтой кнопке, которая являлась включателем дозатора, вспрыскивать себе в вену растворы различных наркотиков: ЛСД, героина, морфина, амфетамина, крэка и многих других, включая и кокаин. После определенного количества ударов шимпанзе достигал своеобразного состояния насыщения и прекращал прикасаться к кнопке, погрузившись либо в наркотический сон, либо в летаргию, состояние наркоза или эйфории.

Существовало только одно-единственное исключение.

В случае дозатора с кокаином он, не прекращая, лупил по желтой кнопке, пока пульс у него не доходил до четырехсот ударов в минуту, после чего у него начиналась мерцательная аритмия предсердий, и он подыхал.

Подыхал, держа лапу на желтой кнопке.

Но Якубу откуда это было знакомо?

Ну как откуда?!

По Мазовше, например, по Прикарпатью, Поморью, Куявам.

Только там были не шимпанзе, и никто не подключал их к электрокардиографу, а химическим веществом был не кокаин — официально оно называлось водным раствором этилового спирта, а в просторечии водкой. И поскольку это химическое соединение было не настолько вредным, «не шимпанзе» теряли сознание без мерцательной аритмии предсердий, однако «лап с желтой кнопки» не снимали тоже до самого конца.

Якуб вспомнил об этом шимпанзе без страха и тревоги. Для таких чувств у него не было ни малейшего повода. Он понимал, что зависимость от такого чистого наркотика, как кокаин, не наступает после нескольких приемов. Правда, ему было известно, что кокаин убивает мозг гораздо тоньше, чем пневматический молот, но и по этому поводу особых опасений у него не возникало. Сейчас его мозгу было по пути с кокаином. Просто теперь иногда случается, что вместо кофеина он подбадривает себя кокаином. А скоро он возвратится в Польшу, и ему останется водный раствор этилового спирта. Ну а кроме того — и это всем известно,— шимпанзе сошли с дистанции в эволюционной гонке и, возможно, лупят по кнопке, оттого что им не хватает нескольких весьма важных генов.

Он вновь чувствовал себя свежим, голова была ясная; усталость исчезла. Он любил работать в таком состоянии свежести и энтузиазма, когда в мозгу просто клубятся безумные идеи. Якуб поспешно встал с пола, взял клавиатуру, вернулся к столу и подсоединил ее к компьютеру.

И в этот момент зазвонил телефон.

То был Яцек. Якуб мгновенно узнал его голос.

Он даже не пытался вспоминать, когда они разговаривали в последний раз.

Впрочем, это не имело никакого значения.

Стыдясь своей беспомощности, бессильный и отчаявшийся Яцек рассказывал ему про Аню.

Яцек позвонил ему в четвертом часу утра из Польши по прошествии нескольких лет с их последнего разговора и рассказывал, что у его восьмилетней дочки Ани белокровие и она умирает. Просто рассказывал.

Он даже не просил о помощи. Яцеку, насколько знал его Якуб, всегда было трудно просить.

Он рассказывал, словно хотел покончить с этим.

Якубу до сих пор непонятно, почему, слушая Яцека и расспрашивая о деталях, он все больше набирался уверенности, что сможет помочь. Наверное, причина была в кокаине. Ведь он был такой значительный и всегда был прав.

А о белокровии со времен Натальи он знал все.

Да и как ему было не знать? Если бы его Наталье чуть повезло, она умерла бы от белокровия.

Но она погибла раньше.

Якуб положил трубку. Он был потрясен услышанным. Подумав, он выключил компьютер и решил вернуться домой пешком. Шагая по пустой в эту пору Сент-Чарльз-стрит, он думал о предназначении. Он был почти уверен, что предназначение — это выдумка и предрассудок. У Бога слишком много важных дел в голове, чтобы еще предназначать судьбу каждому в этом многомиллиардном человеческом муравейнике. Да и не может быть такого предназначения, которое обрекает на смерть восьмилетнего ребенка. Когда Якуб пришел домой, в комнате Джима горел свет. Он обрадовался. Ему больше всего на свете нужно было с кем-то поговорить.

Постучавшись, Якуб, не ожидая ответа, вошел и сразу же, без всяких предисловий, задал вопрос:

— Как ты думаешь, Джим, сколько может здесь стоить пересадка костного мозга? Ей восемь лет, она сейчас в Польше и проживет не больше трех месяцев. Это дочка моего друга.

Джим отреагировал так, как реагировал всегда на серьезные и значительные вопросы: на какое-то время замолчал, углубившись в свои соображения. Но на сей раз это продолжалось дольше, чем обычно. Потом он вдруг вскочил с кровати, подошел к Якубу и сказал:

— О костном мозге я практически ничего не знаю. Подозреваю, что он находится в костях. И это все, что я могу сказать. Но если от этого умирают, значит, это стоит дорого. В Америке все, от чего умирают, но что можно вылечить, стоит дорого. Вспомни, в каких машинах ездит и где живет отец Ким, как с каждым годом растут и поднимаются груди ее матери. Не имеет никакого значения, стоит это сто или триста тысяч. Слишком большие цифры, чтобы иметь столько. Ты, наверное, таких денег и не видел. Я видел, но они были не мои. Но мы все равно не позволим, чтобы эта малышка умерла только потому, что родилась не в той стране. В понедельник ты встанешь с плакатом перед ректоратом университета. Я с таким же плакатом сяду посреди Бурбон-стрит. А прямо сейчас мы позвоним на радио у нас в Новом Орлеане. При сборе денег всего дороже реклама. Они, думаю, помогут. Перед и после рекламы тампонов дадут сообщение об умирающей от белокровия девочке из коммунистической Польши. Фирма, производящая тампоны, уверен, с радостью отстегнет. Завтра, а верней сказать, уже сегодня воскресенье. Ты пойдешь в церковь, расскажешь обо всем священнику. Иди туда, куда приходит больше всего туристов. Они, если их растрогать, щедрей всех кладут на поднос. Местные в этой церкви в основном цветные. Денег у них нет, а кроме того, для них у белокровия слегка расистское звучание. В понедельник Ким пойдет в Студенческий союз и не уйдет оттуда, пока там не пообещают устроить сбор пожертвований в кампусе. И напиши всем из твоей группы. Позвони тому гению из Гарварда. Белокровие — это ведь тоже гены. У него есть на это деньги. Только ему нужно это правильно оформить. Ты ведь работаешь на них своим мозгом. А мозг хорошо функционирует, только когда спокойна душа. За спокойствие души нужно платить. И он это прекрасно знает. Он ведь из этой страны. А в этой стране спокойствие души вписано в поправки к Конституции. Кроме того, позвони в польское посольство. Пусть они свяжутся со здешней клиникой. Врачи любят, когда их просят важные, но здоровые люди, особенно из посольств. И даже думать не смей, что мы не соберем этих денег.

Слушая Джима, Якуб постепенно избавлялся от сомнений и набирался уверенности и энтузиазма. Слово «соберем» звучало как признание в дружбе. И он подумал, что все-таки предназначение, наверное, существует. В противном случае он не встретил бы Джима.

Когда Якуб вернулся в свою комнату, у него уже был готов план. Не раздеваясь, он лег на потертый кожаный диван перед телевизором и стал ждать рассвета. Он был возбужден. Никак не мог дождаться утра, чтобы начать действовать. Вдруг в коридоре раздался какой-то шум. В щель под дверью проскользнул конверт. Якуб встал, поднял его, раскрыл. Между купюрами был небольшой, вырванный из тетрадки листок:

«Ане — Джим».

Из всего, что происходило в течение двух следующих невероятных недель, Якуб запомнил навсегда только несколько событий. Он практически перестал бывать в комнате, которую снимал, переселившись в свой рабочий кабинетик, писал сотни писем, посетил почти все крупные фирмы в Новом Орлеане, собирал пожертвования в церквях, автобусах, ресторанах, универмагах и ночных клубах. И сталкивался как с трогательной солидарностью, так и с отвратительным равнодушием.

Он уже точно знал, что Аня сможет приехать, когда в один из вечеров примерно через неделю после начала акции ему позвонил отец Ким и сказал:

— Все мои врачи и медсестры проведут эту операцию без гонорара. Кроме того, я связался с моим другом в Иммиграционном бюро в Вашингтоне, и он пообещал, что девочка получит визу. Завтра начнем искать донора костного мозга. Базой данных доноров в Миннеаполисе — а только там, как вам известно, можно что-то отыскать — занимается один из моих бывших аспирантов. Я уже переслал ему полную характеристику тканевого антигена Ани. Донор станет нам известен в течение трех дней. — Он сделал паузу, а потом добавил: — Моя дочь восхищается вами. Вы даже не представляете, как я вам завидую.

Спустя три недели Якуб стоял в аэропорту и смотрел, как сотрудница ЛОТ'а катит инвалидную коляску, в которой сидела совершенно лысая перепуганная девочка в застиранном тренировочном костюме. Глаза у нее были зеленые, она была чудовищно исхудалая и прижимала к груди тряпичного паяца в красной курточке и красном колпаке.

Это была Аня.

Якуб подошел к ней и представился.

— Меня зовут Аня. А его Кацпер, — указала она на паяца. — Мама сказала, что вы можете сделать так, чтобы я не умерла.

Он стоял не в силах пошевельнуться и не знал, что сказать. Пришлось собрать все силы, чтобы не показать, как он глотает слезы.

Аня не расставалась с Кацпером. Она спала с ним, разговаривала. Прижимала его к себе, когда плакала, тоскуя по дому. Этот тряпичный паяцик стал для нее олицетворением всего, что соединяло ее с прошлым, с родителями и с тем, что она понимала и что ассоциировалось у нее с безопасностью и домом в Польше. Медсестры рассказали Якубу, что даже перед самой операцией, когда ей уже дали наркоз, Аня изо всех сил прижимала паяца к себе, и лишь с огромным трудом его вынули из ее синих от уколов и невероятно худых рук.

И еще ему запомнился совершенно омерзительный факт. Дня через два после звонка отца Ким Якуба в его рабочем кабинетике посетил невысокого роста человек с бегающими глазами, смахивающий на лиса. Он представился как сотрудник польского посольства в США и попросил предъявить паспорт. Хорошо, Якуб догадался поинтересоваться, на какой предмет. Вопрос этот вызывал приступ невероятной злобы. Якуб узнал, что он «разрушает образ народной Польши в глазах американских империалистов», что «собирает подаяние, как последний ободранный и обосранный цыган на паперти», что «компрометирует Польшу как ученый и гражданин». Он слушал этого типа с удивлением и отвращением. До сих пор Якуб не может понять, почему не вышвырнул его за дверь.

Ему довелось еще раз встретиться с этим мужчиной. После счастливого завершения акции помощи Ане университет устроил пресс-конференцию. На ней присутствовало также местное телевидение. В числе других Якуб тоже принимал поздравления. И в тот момент, когда камеры были направлены именно на него, к нему подлетел тот сотрудник посольства и протянул руку, произнося поздравления. Но Якуб, глядя ему в глаза, промолвил:

— Знаете что? Мне тут приснилось, что вы повесились. Проснулся я с большой радостью.

Руку он ему не пожал.

Запомнился Якубу и момент прощания с Аней: он сажал ее в Новом Орлеане на самолет «Дельты», отправляющийся в Чикаго, где ей нужно было пересесть на самолет ЛОТ'а до Варшавы. Ему не нужно было лететь с ней. «Дельта» в рамках своего участия в акции обеспечивала девочке полную опеку. Когда Аня, сидящая в инвалидной коляске, исчезла внутри самолета, Якуб нежданно ощутил пустоту, печаль и одиночество.

Наверное, то же самое испытывала его мама, когда он, совсем еще мальчик, расставался с ней и ехал на другой конец Польши.

Проталкиваясь сквозь толпу в аэропорту, он вдруг подумал, а не является ли вся эта возня с тифозной бактерией, судорожная и возбужденная работа и вся его суматошная жизнь лишь формой бегства от пустоты и одиночества. Аня заполнила на несколько недель эту пустоту радостью, волнением и чем-то поистине важным.

Из задумчивости Якуба вырвала его фамилия, прозвучавшая из репродукторов. Его просили срочно подойти к информационному окошку компании «Дельта».

— Тут вам кое-что передали, — сообщила ему практикантка в темно-синей униформе и подала пластиковый пакетик.

Якуб тут же открыл его и вынул паяцика в красном колпачке. Он положил его на стойку и долго молча смотрел на него.

«Это было так давно», — подумал он.

Он выключил компьютер, допил «колу» из банки, собрал перепечатки и журналы, которые собирался прочесть в воскресенье. Идя к двери мимо соснового стеллажа, он на миг остановился и поправил красный колпачок на голове маленького тряпичного паяца, сидящего между книгами на самой верхней полке.

ОНА: Опять она проснулась прежде, чем зазвенел будильник. Теперь она этому даже не удивлялась. Когда-то это было совершенно немыслимо, а сейчас стало будничной реальностью.

Понедельник! Она улыбнулась.

Она так тосковала весь этот уик-энд...

Но теперь осталось недолго ждать: она приедет на службу, включит компьютер, прочитает мейл от него, и ей станет хорошо и спокойно.

Она бесшумно выскользнула из постели и направилась в ванную.

Стоя под душем, она задумалась: а хотелось бы ей, чтобы он сейчас оказался тут и увидел ее обнаженную.

Она знала, что он всего раз взглянул бы на нее своими печальными глазами и все запомнил бы. Нет, сразу он ей ничего не сказал бы, но через несколько дней написал бы, что у нее трехмиллиметровая родинка под правой грудью и она такая сладостная, что левая бедренная кость у нее выступает чуть сильней, чем правая, и он хотел бы когда-нибудь удариться о нее лбом, что соски у нее гораздо коричневей, чем он себе представлял, а когда у нее все внутри потеплело бы от этих его комментариев, он опустил бы ее на землю, написав, что она ни в коем случае не должна мыться этим мылом, поскольку у того слишком высокий pH.

Нет, пока еще она не была вполне уверена, что хотела бы, чтобы он увидел ее. Потому решила, что сейчас не будет «анализировать это желание», а займется этим на службе, гораздо позже, когда уже прочитает мейл от него, поговорит с ним по ICQ, выпьет пива, и ей начнет становиться — или уже станет — «блаженно».

Подобные сомнения она любила разрешать именно в таком состоянии.

Разумеется, ему она об этом не обмолвится ни словом.

Она была уверена, что если бы она ему рассказала, он стал бы еще нежней, чем сейчас, тем самым провоцируя на написание «любовных писем», и все равно под конец написал бы ей, что нельзя «удерживаться от анализирования таких проблем», потому что даже если ей «блаженно» на рабочем месте, все равно она не нагая, а это трагически меняет положение вещей.

Из этих раздумий ее вырвал муж, который вошел в ванную и сказал, что если она сейчас же не вылезет из-под душа, то они оба точно опоздают на работу.

Муж был прав. Абсолютно прав. Как всегда, когда даже не был прав.

Она быстро вытерлась и голая побежала в спальню к шкафу.

С самого начала, когда он с обезоруживающей наглостью поинтересовался, какого цвета на ней белье, она каждое утро заранее обдумывала, что надеть.

Само собой, ему она об этом не сообщала, потому что для нее это было слишком интимно. Но когда выяснилось, что его любимый цвет — зеленый, как-то так получилось, что она «случайно» купила три гарнитура в разных тонах зеленого.

Сегодня она решила надеть темно-зеленый, наиболее «секси», с лифчиком, застегивающимся спереди, и кружевными трусиками с непристойно высоким вырезом.

Она чувствовала, что этот комплект ему понравился бы больше всего.

И вовсе не потому, что муж тоже, когда она сидела в спальне в этом белье, делая макияж, странно смотрел на нее.

Она любила момент прихода на работу. Уже давно редко случалось, что она оказывалась не первой. В комнате было тихо и она была одна. Она обожала это одиночество с тех пор, как нашла Якуба. Заваривала кофе и, когда его аромат заполнял всю комнату, включала компьютер. Пока модем набирал номер их варшавского интернет-провайдера, она садилась, полная ожиданий, как одуревшая от любви девчонка, и ставила перед монитором чашку кофе. Включала почтовую программу и ждала, когда все мейлы будут пересланы с познаньского сервера их фирмы на ее компьютер. Потом поочередно открывала его письма и прочитывала.

Это было так романтично и чудесно.

Происходило так уже несколько месяцев, но она знала, что постоянно так быть не может. Знала: все мимолетно, недолговечно, и нужно переживать происходящее «здесь и сейчас», даже если оно виртуально, как их знакомство.

Но сегодня сервер в Познани не отвечал.

Она восемь раз пыталась. С трудом дождавшись прихода секретарши, она немедленно под каким-то дурацким предлогом попросила ее посмотреть пришедшую почту. Но и с компьютера секретарши невозможно было установить связь с Познанью.

Она была разочарована и разъярена. Ей испортили утро, а для нее вот уже несколько месяцев утро понедельника было тем же, чем для многих пятничный или субботний вечер.

Она позвонила в Познань.

Там сказали, что кто-то атаковал их сервер и сейчас над ним работают, но все очень серьезно и сегодня его явно не отремонтируют, так как непонятно даже, что подверглось уничтожению.

«Бездари! Он уже через несколько минут несомненно знал бы, что подверглось уничтожению», — со злостью подумала она.

Она позвонила ему:

— Якуб, здравствуй! Я скучала по тебе, — прошептала она. — Наш сервер в Познани не действует, так что я не смогла прочесть твои мейлы, а ты ведь знаешь, как они для меня важны. И я подумала, что ты мог бы прочесть мне их сейчас по телефону. Ты еще никогда так не делал. Ты даже не представляешь, как мне станет хорошо. Ты сделаешь это, ведь правда?

Несколько секунд он молчал, а потом произнес нечто встревожившее ее:

— Нет, не прочитаю, потому что не могу.

— Якуб, но ты же написал их мне и послал, верно?

— Да, написал и послал, но... потом... потом... я изменил решение, — сказал он.

Она мысленно проанализировала эту фразу, и ее вдруг осенило:

— Якуб! Прости, а после того как ты изменил решение, как ты изящно и деликатно это определил, ты случайно не прикончил сервер в Познани, чтобы он тоже «изменил решение» и не вручил мне твои письма? — с нервной интонацией осведомилась она.

— Нет, не прикончил... Но только потому, что я не умею этого. Это сделал мой друг Яцек из Гамбурга. Пожалуйста, извини меня. Когда-нибудь я тебе все объясню.

Ей стало страшно обидно, ощущение было, будто он нанес ей душевную рану, надо сказать, впервые с тех пор, как появился в ее жизни.

— Что было в этих мейлах? — напряженным голосом поинтересовалась она.

И она сразу же поняла: задать вопрос глупее было просто невозможно.

— Не отвечай, — поспешно произнесла она. — Это был дурацкий вопрос. Позже я перезвоню тебе. А сейчас я должна успокоиться.

Она положила трубку.

Да, все уже было не так, как когда-то, «до него».

Как она вообще жила «до него»?

Человек посылает ей мейл, а потом разносит сервер, чтобы она не смогла прочесть. Кто делает такие вещи, вкладывая столько труда, и кому вообще такое приходит в голову?

ОН: Просыпаясь по утрам, он думал о ней. Он уже точно не помнил, когда это началось, но так продолжалось уже несколько недель. Его немного беспокоило настроение, которое вызывали у него эти мысли. Ожидание и какая-то странная печаль. Внезапное стеснение в груди или неконтролируемый прилив грусти, когда по радио пели песню про любовь, а он уже выпил немного вина. Такого раньше не было. Раньше он по радио слышал только последние известия.

Она неожиданно вошла в его жизнь. И была необыкновенной с той первой минуты, как появилась. Он никогда не забудет тот день, когда, работая над программой, краем глаза заметил, что кто-то прислал ему сообщение, пользуясь ICQ. Он открыл его и прочел:

Я все еще немножко влюблена, еще полна остатками бессмысленной любви, и мне так грустно сейчас, что захотелось кому-нибудь рассказать об этом. Какому-нибудь совершенно чужому человеку, который не сможет меня обидеть. Наконец будет хоть какая-то польза от этого Интернета. Я попала на тебя. Могу я тебе рассказать?

Его поразила такая искренность. Он позволил. Впрочем, о любви она ему не рассказала, и так все и началось.

Сейчас он тоже проснулся с мыслью о ней и улыбнулся.

Понедельник! Он будет с нею целых пять дней!

В Мюнхене начинался солнечный сентябрьский день. Он решил, что в такую погоду надо ехать на работу мотороллером.

Когда-то, «до нее», он не обращал внимания на подобные обстоятельства, полностью погруженный в мысли об алгоритмах, генетике и последней досадной ошибке в программе. А вот сегодня обратил и как-то необычно возбудился от этого.

Еще в пригороде он остановился на одном из перекрестков рядом с серебристым «мерседесом» с открытым верхом. В такой час и в такое прохладное время года это было немножко странно. За рулем сидела женщина. Возраст — около тридцати. Одета она была в синюю плиссированную очень короткую юбку и обтягивающее кремово-белое боди, в левой руке держала банку «колы-лайт», из которой пила через длинную зеленую соломинку. Глаза ее были скрыты большими овальными солнечными очками в золоченой оправе. На пассажирском сиденье лежала под кипой модных журналов теннисная ракетка. Сзади на узком кожаном сиденье валялись разбросанные в беспорядке пластиковые упаковки компакт-дисков. Он остановился рядом с «мерседесом». При красном свете он на своем мотороллере всегда оказывался на перекрестке в первых рядах. Ожидая зеленого сигнала, водительница вдруг перегнулась назад, чтобы взять с заднего сиденья диск. При этом юбка у нее задралась, и просто невозможно было не увидеть, что боди у нее там, где оно застегивается между бедрами, такого же цвета, как юбка. А она продолжала оставаться в такой же позиции и перебирала диски на заднем сиденье, как будто знала их названия на ощупь, а он всматривался в эту застежку и изо всех сил старался сосредоточиться на мысли, что такая застежка в принципе очень практичное решение. Внезапно она повернулась к нему, их очки смотрели друг на друга. Она улыбнулась ему, чуть раздвинув губы. Он в смущении резко отвернул голову, чувствуя себя мальчишкой, пойманным на подсматривании через замочную скважину за моющейся старшей сестрой. На лицах водителей других машин, стоящих вокруг этого кабриолета, тоже было заметно некоторое возбуждение.

Зажегся зеленый, и тут он заметил одну вещь. Сперва у него было возникли сомнения, но потом все подтвердилось. Между водителями началось соперничество за то, чтобы у следующего светофора оказаться рядом с этим «мерседесом». Он радовался, что поехал на мотороллере. Даже если он подкатит последним, все равно местечко «у сцены» себе найдет. Да, он не ошибся. При каждом следующем семафоре ее соски все отчетливей вырисовывались под обтягивающим кремовым боди. Очарованный, он любовался ее грудью, скрывая глаза под темными очками, и пытался понять, что так действовало на соски — утренний холодок, ее голод или внимание водителей.

Открывая дверь своего кабинета, он услышал звонок телефона. Звонила она. Видимо, что-то случилось. До этого она позвонила всего лишь раз. Но когда она прошептала: «Я скучала по тебе», тревога исчезла и возвратилось эротическое настроение. Он прикинул, как бы ее спросить, есть ли у нее такое же боди, застегивающееся между бедрами, пусть даже не кремового цвета, но тут она неожиданно спросила его про субботний e-mail.

Он этого не ожидал. Ему в голову не пришло, что Яцек, исполняя просьбу уничтожить один-единственный e-mail, обрушит сервер. Насколько он знал Яцека, тот явно сделал это для «полной уверенности».

И хоть он еще ни разу не видел ее зрачков, но представлял себе, что когда она говорила: «Ты даже не представляешь, как мне станет хорошо. Ты сделаешь это, правда?» — они были большие и поразительно красивые.

Нет, он не сделает. Не прочтет ей этот текст.

Именно из-за ее зрачков. Потому что ему хочется увидеть их хотя бы раз.

ОНА: То, что с ним происходит, она пока что еще не могла назвать. Это не было «влюбленностью». Таких сильных проявлений при влюбленности не бывает. Хотя в его случае она могла и ошибаться.

Когда-то он с помощью своей химической теории любви пытался объяснить ей, что происходит в мозгу людей, затронутых «внезапным смятением чувств», обычно именуемым любовью. По его мнению, это не имеет ничего общего с безумием, страстью и очарованностью. Скорей, это смахивало на отчет лаборанта. Он сводил все к гормонам, допамину и соответствующему набору генов. Старался убедить ее, что можно быть счастливым благодаря каким-то волшебным «ингибиторам захвата серотонина». И хотя звучало это, как название какой-то исключительно занудной докторской диссертации, она решила, что в любом случае дознается, что это означает. Хотя бы для того, чтобы увериться, что он не прав. Ведь когда он писал все это для нее, она чувствовала себя счастливой и наверняка знала: никакие ингибиторы к этому не причастны.

Она слушала его тексты — на самом деле читала, — соглашалась с научной возможностью того, что они соответствуют истине, однако никогда до конца им не верила.

И не смогла бы поверить.

Кроме того, она уже несколько недель была убеждена, что Якуб — самый романтический мужчина из всех, что встречались ей в жизни.

Если людей действительно создал Бог, то на Якуба он потратил немножко больше времени.

Внезапно она ощутила, что преклоняется перед ним больше, чем когда-либо.

Она еще раз позвонила ему.

— Якуб, а ты не мог уничтожить тот мейл, не уничтожая весь сервер? Теперь тебя не будет весь понедельник, а я так ждала его и радовалась, что он наступил. Слушай, а твой приятель не мог бы помочь им в Познани быстро исправить сервер?

Она положила трубку, и вдруг ей стало ясно, что она сделает.

Взяв дискету с ICQ, она вызвала такси, сказала секретарше, что плохо себя чувствует и едет к врачу и что если до семнадцати часов не вернется, то чтобы та выключила ее компьютер.

Таксисту она велела отвезти ее в недавно открывшийся отель, о котором столько рассказывали. У портье она осведомилась, где находится описываемое во всех варшавских газетах интернет-кафе. Оно оказалось несколькими компьютерами в самом углу ночного клуба на самом первом подземном этаже.

Когда она туда вошла, было десять утра.

Это был эксклюзивный ночной клуб с баром, небольшим танцевальным кругом и столиками, вокруг которых стояли высокие тяжелые стулья с зеленой плюшевой обивкой. Приглушенный свет, ни одного посетителя, и только за стойкой торчал молодой бармен с красными от перепоя глазами и вытирал бокалы. Он был примерно того же возраста, что она. Тип любовника-латиноса с прилизанными черными блестящими волосами. Был он в черной обтягивающей футболке с надписью «Можешь меня поиметь» на английском и выглядел так, словно его заперли в солярии минимум на четыре часа. По его реакции было ясно, что в понедельник в такое время он не ждал клиентов и что она явно помешала ему «зализывать раны» после ночи. Когда она подошла к бару, он измерил ее взглядом с головы до ног, задержавшись на какую-то долю секунды лишь на губах.

Она спросила про Интернет.

Он, ни слова не говоря, проводил ее к компьютерам, установленным на небольших тяжелых деревянных столиках, перед которыми стояли точно такие же зеленые стулья. Возле некоторых еще остались полные пепельницы, у иных клавиатура была в пятнах красного вина, а на одном мониторе она увидела кроваво-красный отпечаток губ и улыбнулась.

Гениально! Разве ей иногда не хотелось сделать что-нибудь подобное?

К примеру, тогда, когда Якуб, рассказывая ей в очередной раз что-то про Интернет, вдруг ни с того ни с сего, без всякого видимого повода написал: «Я так хочу тебя сейчас...» И она ощутила такую нежность... Но только на миг. Сразу же после этого она почувствовала, хотя тогда долго еще старалась не признаваться себе в этом, что ей в то мгновение страшно захотелось, чтобы он приник губами к ее груди.

Бармен, удивленный ее внезапной задумчивостью, громко кашлянул и включил компьютер, стоящий как раз напротив бара. Когда же он принялся объяснять ей, как пользоваться мышью, она презрительно посмотрела на него и попросила не утруждать себя, так как она отлично справится с компьютером и без его наставлений для «чайников».

Обиженный, он возвратился за стойку и оттуда подозрительно поглядывал на нее.

— На ваших компьютерах имеется ICQ? — спросила она.

По его взгляду она поняла, что он не понимает, о чем она спрашивает. Он принялся выкручиваться, рассказывая, что они как раз ждут последнюю версию компьютеров, а она подумала, почему мужчинам так трудно признаваться в незнании того, что знает женщина.

Она решила не спрашивать у него, может ли она сама установить ICQ.

Она вставила в дисковод принесенную дискету и начала установку.

Бармен все так же с подозрением смотрел на нее из-за стойки.

И тут ей пришла в голову потрясающая мысль.

Да, все складывается просто великолепно!

И этот клуб, и то, что случилось с сервером в Познани, ее настроение и разыгравшееся воображение.

Она прошла к стойке и заказала:

— Принесите, пожалуйста, на мой столик литровую бутылку газированной минеральной воды, четыре ломтика лимона, две соломинки, капучино, но влейте в него двойную порцию амаретто, а также бутылку красного сухого вина и два бокала.

Было заметно, что бармен удивился, но тем не менее он кивнул и только спросил:

— Простите, до какого времени вы платите за компьютер?

— До половины пятого. Да, и, пожалуйста, закажите мне такси на шестнадцать сорок пять.

После чего она вернулась к компьютеру и послала на его пейджер сообщение:

Якуб, выйди как можно быстрей в ICQ. Я тебе расскажу о себе все, что ты только захочешь узнать.

То, что это технически возможно, уже даже не удивляло ее. Но благодарность людям за их мудрые изобретения все так же не исчезала в ней. Ведь благодаря этим изобретениям у нее был он.

Через минуту компьютер дал ей знать, что он уже здесь:

Милая, откуда ты взялась? Только не говори мне, что Познань уже ожила.

Она обрадованно улыбнулась.

Не ожила. Ожила я. Слишком сильно я скучала по тебе и слишком радовалась понедельнику, чтобы позволить отнять его у меня какому-то рухнувшему серверу в Познани. Я в интернет-кафе ночного клуба в новом отеле в Варшаве и буду с тобой до 16.30. Я сижу недалеко от стойки, из-за которой на меня смотрит ошеломленный бармен, пью минеральную воду с лимоном и заказала бутылку красного вина. Сейчас я ее откупорю. Кроме бармена, который не в счет, здесь никого нет — только мы одни, только ты и я.

Не дожидаясь его реакции, она написала:

Якуб, через минуту я подкину тебе все сведения обо мне, а ты, пожалуйста, соблазни меня.

ТЫ СОБЛАЗНИШЬ МЕНЯ СЕГОДНЯ В ЭТОМ КЛУБЕ????????

Пожалуйста, сделай это. Мы еще ни разу не были вместе в ночном клубе, одни, и чтобы у меня в крови был алкоголь. И во второй раз это может долго не произойти. Откупорь бутылку красного вина, которое у тебя, несомненно, есть, запри на ключ дверь своего кабинета и вспомни, что сегодня утро понедельника. А ведь утро понедельника — это наше самое лучшее время. Мы, истосковавшиеся, всегда страшно долго ждем его.

Она остановилась и крикнула бармену:

— Не могли бы вы в конце концов включить какую-нибудь музыку? Желательно Б. Б. Кинга... — и добавила: — Пожалуйста.

«Наверное, он уже ничему не удивляется, этот бармен», — подумала она.

Через минуту в этом темном, но ставшем вдруг таким уютным клубе звучал блюз.

Якуб, чтобы тебе было легче и чтобы у тебя были те же шансы, как у всех, я сообщу тебе самое главное о себе. Сегодня на мне темно-зеленый кружевной лифчик, расстегивающийся спереди, черная облегающая блузка на три пуговицы, которая надевается через голову, я сегодня исключительно красива, потому что период у меня кончился два дня назад, на губах у меня темно-красная помада, и стоит мне притронуться пальцем к губам, как у меня уже бегут мурашки. Кроме того, сейчас звучит блюз твоего любимого Б. Б. Кинга, а в голове у меня бродят такие невероятные мысли, что даже мое подсознание краснеет. Короче, у тебя есть все, что нужно. Клавиатура, Интернет и твои желания. Мое желание тоже. Так что НАЧИНАЙ.

Звучал ее любимый фрагмент «Dangerous Mood»[1] в исполнении Кинга и Джо Кокера, а она расстегнула на блузке все пуговицы, налила полный бокал вина, уселась поудобнее на плюшевом стуле, положила руки на клавиатуру и уставилась в монитор. Он уже писал все те нежности, которых она так ждала, а она задумалась, как так получилось, что как раз сегодня она надела именно это белье. Поднимая бокал с вином, она на секунду оторвала взгляд от монитора. Бармен неподвижно стоял с разинутым ртом, и казалось, будто он даже не дышит, чтобы не помешать тому, что тут начиналось.

---

[1] «Опасное настроение» *(англ.)*.

@6

ОН: Ему было приятно, что удалось забронировать номер именно в этом отеле. В Новом Орлеане то был его отель.

Вчера он приехал сюда из аэропорта в такси, и когда вылез и стоял с чемоданом перед такими знакомыми белоснежными раздвижными дверьми со сверкающими латунными ручками, сердце у него забилось быстрей. В определенном смысле этот отель символизировал все, что так стремительно изменило его жизнь и его самого.

Это сюда несколько лет назад, когда он делал докторскую в университете Тьюлейн, он сбегал, чаще всего ночью, от компьютеров, книг, научных журналов, неотступных мыслей, замыслов, планов, что клубились у него в голове. Он и несколько других одержимых молодых ученых из его группы брали среди ночи такси и ехали в эту гостиницу, чтобы пить пиво или вино в патио за мраморными белыми столиками и, слушая захватывающие негритянские блюзы, спорить на любые темы, касающиеся последовательности генов в двойной спирали, либо фантазировать, что будет, когда гены эти разложат на соответствующие им белки, а те в свой черед на человеческие эмоции, мысли и поведенческие реакции. Это называлось у них «ДНК breaks», что одни расшифровывали как «перерыв для ночного керосина в Дофин», а другие — «прерывание ДНК».

Они представляли собой громогласную, крикливую компанию молодых людей, убежденных в своей правоте и безошибочности, в необыкновенности и исключительности того, что они делают, и переполненных уверенностью, что они-то и открывают новые горизонты в науке. Но лучше всего ему помнится из дней, проведенных в Новом Орлеане, энтузиазм, граничащий с какой-то хищностью. Если бы можно было вернуть время назад, то он, зная то, что знает сейчас, старательно заучивал бы на память, словно стихи, именно этот энтузиазм. Они были тогда как молодые львы. Уверенные, что мир будет принадлежать им, они были близки к звездам, что горели на ночном небе над террасой отеля «Дофин». И вчера, когда он опять стоял перед этим отелем, ему вдруг почудилось, что он вновь близок к тем звездам, хотя был день и светило яркое солнце. И ничего, что они светили не так ярко, как тогда.

Звезды ведь тоже выгорают.

И прежде чем пройти через знакомую дверь к портье, он на миг остановился. Остановился и подумал: когда придется отвечать ей, что он чувствовал, когда входил сюда — а он был уверен, что она задаст ему этот вопрос, — он скажет, что ощущал одновременно печаль и гордость. Гордость, потому что в этот город, где когда-то начинал как безвестный молодой стипендиат из Польши, да к тому же еще с фамилией, которую мало кому удавалось выговорить, его пригласили на всемирный научный конгресс как бесспорного авторитета, чтобы он прочел доклад, который желают послушать все, кто что-то представляет собой в этой области науки. А печаль, так как он неожиданно осознал, что при всех его достижениях, при всем признании и уважении, которое он вызывает, он никогда уже не испытает такого возбуждения, такой гордости и заполненности собой, как несколько лет назад, когда он исследовал последовательность генов тифозной бактерии и был уверен, что заглядывает в карты самому Творцу.

Этой гостинице «Дофин Нью-Орлеанз» были присущи простота, уютность и атмосфера, каких никогда не было и не будет у надменного «Хилтона», куда хотели запихнуть его организаторы конгресса. Вчера, когда по приезде сюда он получал ключ у необыкновенно милой и улыбчивой дамы, его очень интересовало, как выглядят здесь номера. Ведь он тут ни разу не ночевал. Если и проводил ночь, то только на террасе. Но когда он открыл дверь своего 409-го номера на четвертом этаже, то вмиг утратил дар речи. Номер оказался больше его мюнхенской квартиры; в нем были спальня, гостиная и рабочий кабинет с телефоном, компьютером и факсом. В гостиной на полке рядом с телевизором стояло серебряное ведерко, из которого выглядывала бутылка шампанского, обернутая белым полотенцем, а рядом были два бокала. А когда он вошел в спальню, то первое, что увидел, была стеклянная ваза с лилиями на черном мраморном столике у окна. Он прекрасно помнил такие лилии. Он позвонил портье, намереваясь поинтересоваться, не произошла ли какая-нибудь ошибка, поскольку он заказал по Интернету из Мюнхена обычный одноместный номер. Дама, выдавшая ему ключи, сказала:

— Я узнала вас сразу, как только вы вошли. Это ведь вы несколько лет назад собирали деньги на операцию для девочки то ли из Польши, то ли из Голландии, я уже сейчас точно не помню. Вы ведь ее спасли, да? Моей дочке тогда тоже было восемь лет, как той девочке. Когда я читала обо всем этом в газете, у меня мурашки бежали по телу при мысли, как ее мать должна была перед вами преклоняться. И подумала, что вам понравится этот номер. Этот у нас самый лучший. Сам Джон Ли Хукер останавливался в нем, когда приезжал сюда играть в Презервейшн-Холле. Вы знаете Хукера?

Кладя телефонную трубку, он подумал: неужели возможно помнить, что ты чувствовал, когда читал несколько лет назад в газете какую-то статью. Может быть, когда у него тоже будет дочка, он поймет, что такое возможно.

Но это было вчера. Сегодня он уже не сомневался: эта женщина должна быть исключением.

Память — функция эмоций.

Эмоции, и притом совершенно необыкновенные, начались с утра. Он спустился позавтракать на террасу рядом с бассейном, которую каждое утро превращали в маленький зал ресторана. Под музыку Моцарта, льющуюся из громкоговорителей, он пил ужасный американский кофе, дожидался своих тостов и одновременно просматривал электронную почту на сервере в Мюнхене. Изобретательный владелец отеля, идя в ногу со временем, установил на каждом столе сдвоенную телефонную розетку. Таким образом два человека, пользуясь своими ноутбуками, могли подключиться к Интернету. Великолепная и, в сущности, простейшая мысль. Что может быть приятней, чем утренний e-mail, рядом с утренней газетой? Бумажной, лежащей рядом с чашкой кофе, и любимой электронной из Японии, Австралии, Германии или Польши.

Он открыл e-mail от нее и невольно вскрикнул от радости. Все завтракающие за соседними столиками с удивлением посмотрели на него, но тут же вернулись к своим газетам или электронной почте.

А он во второй раз перечитывал этот фрагмент, желая увериться, что правильно понял:

Когда будешь проходить мимо, сбавь чуть-чуть скорость. Я буду стоять там и ждать тебя.

То была ошеломляющая новость. Прекрасная. Невероятная. Радостная. Она едет в Париж! И будет ждать его в аэропорту! Ему нужно немедленно связаться с ТВА и перенести дату своего отлета из Парижа в Мюнхен. Принесли тосты. Он намазал их малиновым джемом и вызвал поисковое меню. Вышел на веб-страницу авиалинии ТВА. Назвал свой пароль, номер брони на рейс из Нью-Йорка до Мюнхена через Париж. Без всяких затруднений передвинул свой вылет из Парижа на один день. Итак, он прилетит в Париж около восьми утра в четверг 18 июля и вылетит в Мюнхен вечером в пятницу. У них будет весь день. И вся ночь. Она все равно возвращается в Варшаву автобусом в пятницу вечером, так что оставаться в Париже дольше не имело смысла. У него уже был составлен плотный план того, что ему нужно будет сделать в Мюнхене в первый уик-энд после возвращения из Нового Орлеана.

Он написал ей e-mail и отослал его еще до окончания завтрака. Писал, что невероятно счастлив, что не может поверить, что уже с нетерпением ждет и что ему трудно будет сдерживать свое нетерпение и здесь, и в Нью-Йорке. Кроме того, он с нежностью прощался с ней перед ее поездкой в

Париж. За все время их знакомства она впервые уезжала. Так что у него пока не было случая попрощаться с ней.

Он прощался так, словно им и вправду предстояло расстаться. И при этом подумал, как далеко они зашли уже в виртуальный мир, научившись жить в нем так же, как в реальном. Людям хочется иногда расстаться, чтобы иметь возможность тосковать, ждать и радоваться возвращению. И их связь, которую они пока еще никак не определили и которой не дали названия, была ничуть не иной. Они тоже хотели того же самого. Они не замечали или делали вид, будто не замечают, что все время живут в разлуке и это не имеет ничего общего с физическим удалением, которое измеряется расстоянием. В их случае абсолютно никакого значения не имеет, разделяют их тысяча или десять тысяч километров. В обыденном смысле они не удаляются друг от друга. Самое большее, они меняют географические координаты компьютера, который их свяжет, или программу, которая вышлет их мейлы, но они не удаляются в том смысле, в каком удаляются друг от друга разлучающиеся люди. Их удаление было двоичным, как, впрочем, все в кибернетическом мире. Они либо были рядом «на расстоянии вытянутой руки», либо были в Интернете. «На расстоянии вытянутой руки» они были лишь раз в жизни — в том поезде, шедшем из Берлина в Познань, когда они еще не знали имен друг друга, не обменялись ни словом и только иногда встречались их заинтересованные взгляды. А в Интернете? В Интернете все одинаково далеко или одинаково близко, что, в сущности, одно и то же.

Им, как и всем прочим, нужны были расставания, но в отличие от всех прочих не для того, чтобы радоваться возвращению. Они расставались, чтобы наконец-то встретиться. Утром в четверг, 18 июля. В аэропорту в Париже. Он знал уже наизусть ее e-mail:

Возле того маленького цветочного магазинчика, что рядом с газетным киоском.

Дни в Новом Орлеане стали вдруг бесконечно долгими. Он делал доклад на конгрессе как раз в тот самый день, когда она ехала автобусом в Париж. Его выступление было первым на утреннем заседании. Он пришел за полчаса до начала, чтобы установить ноутбук и соединить его с проектором, передающим изображение на огромный экран. К тому времени как он все наладил, большая аудитория почти заполнилась. Придвигая к себе банку с американской «колой-лайт», которую он принес с собой, он обнаружил на покрытом зеленым сукном столе телефонную розетку; светящаяся надпись на пластиковой этикетке сообщала — «доступ в Интернет». До начала доклада оставалось не более пяти минут, а он и думать забыл о выступлении. Она уже должна приехать в Париж! Она уже, наверное, написала ему, если учесть разницу времени между Парижем и Новым Орлеаном. Ему безумно захотелось узнать это наверняка. Прямо сейчас! Только знать, что она уже написала. А прочитает он после. Не глядя на внимательно наблюдающих за ним участников конгресса, он быстро подсоединил провод от модема своего ноутбука к телефонной розетке на столе и уже стал было запускать почтовую программу, но тут к нему подошел профессор из Беркли, который должен был вести заседание.

Пришлось отложить.

Профессор попросил написать точную транскрипцию его имени и фамилии. Потом несколько раз повторил их в его присутствии. Правда, звучало это как искаженный голос механического секретаря, но все-таки можно было распознать, что речь идет о нем. Однако через несколько минут профессор, представляя залу Якуба как первого докладчика, перепутал его фамилию с именем, вызвав в зале громкий смех. Это было как комплимент. Участники отличали его фамилию от имени! Такое редко случается на ярмарке тщеславия, каковой, в сущности, является научный мир.

Его доклад продолжался на пятнадцать минут дольше отведенного времени. Такую привилегию получают немногие. В нормальной ситуации председательствующий, как только заканчивается положенное время, безжалостно прерывает выступающего на полуслове и вызывает следующего. Когда-то он удивлялся этому, однако, после того как сам организовал конгресс в Мюнхене и выступать в нем выразили желание более двух тысяч человек, он понял, что только так и можно вести заседание.

В принципе сам доклад он закончил вовремя. Да иначе и не могло быть. Он не раз прочитал его в гостинице со стопером в руке. Ровно сорок минут вместе с несколькими анекдотами, которые он всегда включал в свои доклады. Он заметил, что из всех слышанных докладов лучше всего ему запоминались те, в которых были остроумные анекдоты. Он был уверен, что и другие реагируют точно так же. Остальные пять минут он оставил на вопросы из зала. Сейчас он уже толком не помнит, как дошло до этого, но он позволил втянуть себя в бессмысленный и резкий обмен мнениями с одним невеждой из Тюбингенского университета. Зал следил за их полемикой с нарастающим напряжением. В какой-то момент Якубу для подтверждения своей правоты потребовалась таблица со статистическими данными. Он был уверен, что она есть на диске его ноутбука и что этим аргументом он закончит бессмысленный спор.

Но таблицы не было!

Видимо, он позабыл скопировать ее со своего мюнхенского компьютера на ноутбук, который взял в Новый Орлеан. Немец сразу же заметил это, и было видно, что он торжествует.

И тогда Якубу в голову пришла невероятная мысль. Ведь его компьютер в Мюнхене постоянно включен. А раз он включен, значит, находится online в Интернете. А это означает, что его программа ICQ активирована. Но у этого ноутбука тоже имеется ICQ, который тоже может быть активирован, поскольку ноутбук подключен к Интернету. А подключил его Якуб потому, что уже практически не может обходиться без «колы-лайт», что на столе оказалась телефонная розетка и потому, что он тоскует по ней.

На его сообщение, что он «по рассеянности» оставил эти данные у себя в кабинете в Германии, но через минуту получит их с диска своего мюнхенского компьютера, зал отреагировал возбужденным шумом. На глазах у всех присутствующих — они могли наблюдать за тем, что он делает, на огромном экране у него за спиной — он запустил ICQ и включил опцию, открывающую после введения защитного пароля доступ к выбранным фрагментам диска его компьютера в Мюнхене. Таблица должна была быть там, так как за неделю перед отъездом на конгресс в Новый Орлеан он пересылал ее этим же способом коллеге в Варшаву. Через несколько минут таблица была в его ноутбуке, и он мог продемонстрировать ее на экране в центральной аудитории новоорлеанского центра конгрессов.

В какой-то момент у него возникло впечатление, что для большинства присутствующих в зале эта несчастная таблица, генетика и научный спор были не самым существенным. Главное же было то, что они оказались свидетелями чего-то совершенно необычного, что можно назвать мгновенным «сжатием» мира. Внезапно географическое расстояние утратило какое-либо значение.

The small planet, маленькая планета...

Для многих в зале эта рекламная формула неожиданно обрела иное, истинное значение.

Для Якуба мир сжался уже давно, потому на него это особого воздействия не произвело. Единственное, отчего он испытал волнение и чего, вне всяких сомнений, никто в этом огромном полном зале не заметил, был желтый мигающий прямоугольничек в нижней части окна с программой ICQ, которую он запустил, чтобы получить эту несчастную таблицу. Эта мигающая марочка могла означать только одно: она уже в Париже и пыталась войти с ним в контакт, послав сообщение. Без «сжатия» мира он никогда бы не узнал этого. Он улыбнулся, и, право же, ошибались все видевшие его улыбку и решившие, что она является проявлением «научного триумфа». Якуб улыбнулся «невежде» из Тюбингена. Он был благодарен ему.

Сразу же после доклада Якуб, отказавшись от всех приглашений на ланч, выскользнул из центра конгрессов в «Хилтоне» и поехал в такси на Лайола-стрит. Проезжая по Сент-Чарльз-авеню, он задумался над тем, как описать это состояние «возвращения в прошлое». Интересно, другие чувствуют то же самое? Что-то вроде грусти, поскольку это было так давно и уже никогда не повторится, но одновременно и необыкновенное любопытство. Словно открываешь книгу, которую когда-то читал с замиранием сердца и пылающим лицом.

Под номером восемнадцать вместо дома стояла единственная стена, подпертая остатками балок, которые когда-то держали всю конструкцию здания. Все остальное валялось кучей обломков и мусора. Развалины были огорожены колючей проволокой, скрытой высокой, цветущей белым крапивой, которая разрослась там, где когда-то был сад. Он обошел квадрат, обозначенный проволокой, прибитой к трухлявым кольям, и не нашел входа. И только на южной стороне обнаружил наполовину спрятанное в крапиве объявление о продаже «недвижимости». Датировалось оно январем. А сейчас уже был июль.

Несколько лет назад хозяйкой этого дома была стюардесса компании «Пан Американ», которая переехала сюда из Бостона, после того как ее муж вскрыл себе вены, узнав, что действительным отцом его одиннадцатилетнего сына является муж его сестры. На страховой полис мужа стюардесса купила этот дом; переезд, со всеми вещами и сыном, занял один-единственный вечер, и своего нового адреса она никому не оставила. А когда прекратила летать, так как ее вышвырнули из «Пан Американ» за хищение беспошлинного спиртного, предназначавшегося пассажирам, она стала сдавать комнаты. Сдавала их она только мужчинам. И только белым.

Ее адрес он нашел в Студенческой ассоциации сразу же по приезде из Польши на стажировку в университет Тьюлейн. Это был единственный адрес, куда можно было добраться на такси меньше чем за шесть долларов, а именно столько у него осталось, и он начал поиски квартиры с него. Дверь открыла худющая женщина с лицом, изрезанным бороздами морщин, и длинными, до плеч, серо-седыми редкими волосами. На шее у нее была грязно-желтая, в пятнах крови, фиксирующая повязка. Одета она была в лиловый халат, подпоясанный витым шнуром, какие обычно используют для подвязывания тяжелых оконных штор. По бокам халата были нашиты большие карманы из парусины. Из одного кармана торчала бутылка «Джонни Уокера».

Звали ее Робин. Она говорила тихим, ровным голосом. Комнату она ему сдала, потому что он белый и пообещал, что будет заниматься физикой с ее сыном, время от времени вскапывать ей сад, выносить по понедельникам до семи утра контейнеры с мусором, а еще потому, что на вопрос, курит ли он, честно ответил, что да, курит. Она не выпускала сигарету изо рта, и все мужчины у нее в доме тоже курили. Потом он заметил, что, когда у нее во рту нет сигареты, она громко разговаривает сама с собой, в основном ругает себя.

Его комната находилась рядом с комнатой Джима.

И сейчас Якуб пришел повидаться с ним.

Контакт между ними прервался года через три после его возвращения в Польшу. Просто письма, которые он посылал Джиму, стали возвращаться обратно.

Он наклонился, чтобы стереть зеленый мох, покрывающий номер телефона агентства по недвижимости на табличке, валяющейся в крапиве, как вдруг услышал писклнвый женский голос:

— В этом доме даже крысы не желали жить. Не покупайте его. Кроме того, звонить по этому телефону бессмысленно. Агентство уже два года как переехало в Даллас.

Он обернулся и увидел элегантно одетую старушку, прячущуюся от солнца под желтым зонтиком. Вокруг нее нервно бегал карликовый белый пудель с красным бантом на голове и в широком кожаном ошейнике с золотым тиснением. Пудель лаял, но приблизиться к Якубу боялся.

— А откуда вы знаете? — поинтересовался он.

— Я живу недалеко, в Гарден-Дистрикт, и каждый день прихожу сюда с моей Мэгги, — она показала на белого пуделька, — на прогулку. Кроме того, Робин, последняя владелица этой развалюхи, была моей подругой. Это я нашла ей этот дом.

— Так, может, вы знали Джима Макмануса? Высокий худой мужчина с большим шрамом на щеке. Он снимал комнату у Робин несколько лет назад.

— Его фамилия была вовсе не Макманус. Во всяком случае не все время. На его могиле написана фамилия его матери, Альварес-Варгас, — произнесла старушка, глядя ему прямо в глаза.

Не пытаясь даже побороть дрожь в голосе, он спросил:

— На его могиле? Вы уверены? Это значит... он... Когда он умер?

— Да, уверена. Я была с Робин на его похоронах. У него прекрасная могила. Сразу у входа в City of Dead на кладбище Сент-Луис. С правой стороны за часовней. Редко у кого есть такая могила. И все время лежат свежие цветы. Каждый день. А на похоронах никого не было.

Только Робин, могильщик и я. А вы не знали? Ведь вы же были его лучшим другом.

— Нет, не знал. А вы разве меня знаете?

— Конечно знаю. Вы учили физике П. Джи, сына Робин. Он мой крестник.

— А почему... то есть как умер Джим?

— Его нашли на свалке во Французском квартале. На его теле были тридцать три ножевые раны. Ровно столько, сколько ему было лет. И у него не было левой кисти. Кто-то отрезал ее. Прямо по запястью. Но часы у него не украли.

Она говорила монотонным, спокойным голосом, все время улыбаясь Якубу, и лишь время от времени прерывалась, чтобы успокоить пуделька, который продолжал рычать, прячась за ней.

— Ну, мне пора идти. Мэгги боится вас. До свидания.

Она подтянула пуделька за поводок поближе к себе и пошла. Но внезапно обернулась и сказала:

— П. Джи очень вас любил. Сейчас он живет в Бостоне у своего дяди... то есть у своего отца. Он уехал туда пять лет назад, когда Робин попала в клинку. Иногда он приезжает сюда проведать мать. Я скажу ему, что вы были здесь. Думаю, он будет рад.

Он стоял, буквально лишившись дара речи, глядя, как она уходит, поспешая за радостно тявкающим белым пудельком.

«Сколько боли и горя можно передать человеку меньше чем за две минуты», — подумал он.

Вдруг он ощутил страшную усталость. Якуб положил на траву заметки, которыми пользовался во время доклада, и сел на них, привалившись спиной к покосившемуся столбику с прибитой колючей проволокой.

Джим умер.

Умер так же необычно, как был рожден. Хотя жизнь у него была еще необычней.

У старушки с пуделем не было никаких причин говорить ему неправду. Кроме того, у Джима действительно были две фамилии. И вторая звучала — Альварес-Варгас. Он это точно знает, так как Джим однажды сам проговорился. В тот памятный вечер. На пароходике, плывущем по Миссисипи...

Все еще продолжался сбор денег на операцию для Ани. В воскресенье утром он традиционно собирал пожертвования на площади Джексон-Сквер у собора, а Джим на набережной, откуда толпы туристов отправлялись на экскурсию пароходиками по Миссисипи, а то и дальше — к болотам, граничащим с Мексиканским заливом, полюбоваться аллигаторами. Он, помнится, был удивлен, когда Ким сказала ему, что нигде в мире нет таких больших скоплений аллигаторов, как при впадении Миссисипи в залив. В тот день Ким пригласила их прокатиться на пароходике до болот. А по возвращении вечером они собирались сходить в новый ресторан, который она обнаружила во Французском квартале. Вечер обещал быть очень приятным.

Когда они поднимались на пароход, Джим уже был слегка пьян. Якуб сразу определил это по той нежности, с какой Джим приветствовал Ким, а также по его крикливым интонациям и бегающим глазам. Как только они оказались на палубе, Джим тотчас же потащил их на корму за спасательные шлюпки, отгороженные цепями. Они уселись на нагретой металлической палубе, скрытые от взглядов грязно-зеленым брезентом, которым были накрыты шлюпки, и Джим тут же вытащил из нагрудного кармана рубашки три самокрутки с марихуаной. Он сунул их в рот и все раскурил, даже не спрашивая, хотят Ким и Якуб или нет.

— Я сегодня собрал для малышки на набережной кучу денег. Мне захотелось как-то отметить это, вот я и скосил для нас чуток травки,— объявил он и протянул самокрутку Якубу.— Помни, это нужно втягивать в себя, а не пыхтеть, словно ты докуриваешь «мальборо» под душем. Ты должен удерживать этот дым в легких и в желудке, сколько сможешь, чтоб он проник в тебя до самых костей.

Марихуана оказывала на Якуба совершенно необыкновенное действие. Уже через несколько минут он впадал в состояние радостного и сладкого оцепенения. На все смотрел свысока и издалека. Напряжение пропадало, как после удачного сеанса аутогенной тренировки, и он готов был смеяться над чем угодно. Поводом для смеха могли стать пролетевшая птица, звонок в дверь, свистящий чайник на кухне. Как-то он курил у себя в кабинете в качестве исключения в полном одиночестве — марихуана подобна алкоголю, человек предпочитает отравляться ею в компании — и вошел в состояние, в котором, как казалось ему, вовсе не нужно дышать. Невероятное, неописуемое ощущение! Некая эйфорическая легкость. Как будто кто-то внезапно снял с него рюкзак, полный свинца, который он тащил из Кракова в Гданьск и дошел уже почти до Торуня. После того случая Якуб начал подозревать, что растение это может быть очень небезопасным. А еще он впервые в жизни осознал, какого труда требует порой обыкновенное дыхание. Вторично он понял это, когда умирала его мама.

Он и Джим сидели, опершись о шлюпку, Ким лежала на палубе, положив голову Джиму на колени. Она расстегнула блузку и открыла солнцу декольте. На ней был желтый кружевной лифчик, того же цвета, что и огромные подсолнухи на коричневой, до земли, юбке с разрезом слева. Когда она ложилась, то повернула юбку так, чтобы разрез оказался спереди, и высоко подтянула ее. Джим сидел с закрытыми глазами и посасывал косячок, приклеившийся к нижней губе. Правой рукой он гладил распущенные волосы Ким и ее губы, а левую засунул ей между широко раздвинутыми бедрами, медленно проводя пальцами вверх и вниз по атласным трусикам того же цвета, что юбка. Иногда, когда его мизинец касался рта Ким, она приоткрывала губы и ласково его посасывала.

Прислушиваясь к легкой вибрации, вызванной вращением огромного пароходного колеса, Якуб в молчании смотрел на медленно проплывающий лесистый берег Миссисипи и представлял себе секс с Ким. В этот миг Джим подал ему новый косячок, но теперь тот был единственный и переходил по кругу. Якуб посмотрел ему в глаза и неожиданно для себя сказал:

— Джим, а знаешь, если бы моя мама была жива, то сегодня у нее был бы день рождения. Кстати, а когда день рождения у твоей мамы?

— Точно не знаю, — ответил удивленный Джим, отворачиваясь от него.

— Как это не знаешь? Не знаешь, когда родилась твоя мать?

— Она сама этого точно не знает, — раздраженно бросил Джим.

Ким широко распахнула глаза. Она взяла левую руку Джима, лежавшую на ее трусиках, поднесла ее к губам. Нежно поцеловала и прошептала:

— Расскажи ему о своей матери.

Джим вырвал руку. Достал сигарету, прикурил и глубоко затянулся. Потом вскочил и, не произнеся ни слова, ушел.

— Я вовсе не хотел его обидеть, — сказал Якуб Ким.

— Ты его и не обидел. Просто ты спросил его о том, что он хотел бы забыть. И притворяется, будто забыл. Предо мной тоже. А я перед ним притворяюсь, будто забыла. Но ты новенький и не знаешь правил игры. Не беспокойся, скоро он вернется. Сейчас он, наверно, заправляет в себя понюшку кокаина в сортире на носу.

Несколько минут они сидели молча, глядя на мутную зеленую воду Миссисипи. И вдруг услышали голос Джима. Он стоял над ними, опершись на релинг. В правой руке он держал початую бутылку красного вина.

— Я хотел купить виски, но у бармена на этой калоше лицензия только на торговлю пивом и вином, — сообщил он. — Так вот, Якуб, я вернулся, чтобы рассказать тебе короткую интимную историю Соединенных Штатов. Слушай внимательно, потому что этого ты не прочтешь ни в одной книжке в этой изовравшейся стране.

В июне тысяча девятьсот тридцать четвертого года хозяин самой крупной типографии в шикарном вашингтонском районе Джорджтаун спросил своего единственного, тогда уже сорокапятилетнего сына, почему у того до сих пор нет детей. Задавший этот вопрос был владельцем настоящей типографской империи и очень беспокоился о наследниках, тем более что собственного сына считал самой большой неудачей своей жизни. И на то у него были все основания. Сын не закончил ни одной школы, хотя начинал учиться поочередно в четырнадцати разных заведениях, не считая краткого пребывания в интернате в Швейцарии, из которого был исключен уже через три недели.

Уже почти двадцать лет он не делал ничего, что можно было бы назвать полезным; единственное, что его интересовало, — это гольф и женщины. Именно в такой очередности. Он исходил из того, что гольф и секс имеют много общего. И там и там не нужно быть слишком сильным, чтобы получать удовольствие.

В возрасте тридцати девяти лет сын, покорившись воле отца, женился на дочери высокопоставленного чиновника Государственного департамента. Чиновник этот, обеспокоенный тем, что его единственная дочь до сих пор не замужем, гарантировал «словом чести», но для верности еще и отдельным договором, что в случае, если этот брак состоится, все, что надо печатать Белому дому, будет печататься в типографии его будущего зятя.

Надо полагать, Якуб, ты представляешь, сколько всего надо печатать Белому дому и какими деньгами это пахнет. Тем паче что Президентом тогда был некто Франклин Делано Рузвельт. Настоящий американский президент, связанный с политиками, которые проводили отпуск на Сицилии, консультирующийся перед тем, как принять любое важное решение, у астрологов, главный мужчина в жизни минимум трех женщин — одновременно двух любовниц и одной пользующейся безукоризненной репутацией жены. Постоянно пребывавший под мухой после тех восьми или десяти мартини, которые он выпивал за день. И несмотря на то что Рузвельт курил сигарету за сигаретой, он славился безумно эротическим голосом, которым завоевывал даже не понимающих ни слова по-английски мексиканских служанок из южных штатов. Кроме того, он был президентом, который желал все держать под контролем, что привело к невиданному до того росту бюрократии.

Надо думать, Якуб, ты понимаешь, что для хозяина типографии нет ничего лучше, чем хорошо функционирующая бюрократия.

Дочка предусмотрительного и коррумпированного чиновника госдепа была девушка послушная, умная, полная душевного тепла, впечатлительная и интеллигентная. Она декламировала по памяти стихи Эдгара По, читала труды немецких и французских философов и играла на фортепьяно. Но красотой отнюдь не отличалась.

Кроме того, она была хромой. От рождения.

Сын владельца типографии никогда не вожделел к ней и переспал с нею один-единственный раз.

Произошло это через три года после свадьбы. Он был тогда невменяемо пьян после приема по случаю дня рождения тестя. Для нее же это было впервые, и она запомнила пронзительную боль в районе заднего прохода, а также как она ударялась головой о ножку кровати, под которой ей не удалось спрятаться, и отвратительную вонь его мочи, проникшую даже в ее кожаный протез и еще долгие месяцы напоминавшую ей про неописуемую боль и унижение, которые она испытала в тот вечер.

Мало того что она осталась девственницей, по крайней мере биологически, он еще заразил ее сифилисом.

С того дня они больше никогда не ездили вместе на приемы, а кроме того, стало ясно, что детей у них не будет. А будет тебе известно, что Флори и Чейн[1] стали лечить пенициллином венерических больных только после тысяча девятьсот сорок третьего года. Впрочем, тебе ведь это известно, не правда ли? — спросил Джим у Якуба и, не дожидаясь ответа, продолжал свой рассказ: — Но отец безумно желал внука, а сын безумно боялся, что его лишат наследства. И он поклялся отцу, что сделает все, чтобы обеспечить себе потомка. Посему он отказался от всех запланированных на каникулы турниров по гольфу и на пароходе вместе со своей хромоногой супругой отправился из Филадельфии на Гренаду. Гренаду он выбрал не потому, что она сильно отличалась от других вест-индских островов, на которых он играл в гольф, а потому что администратор территории вокруг Гренвилла, второго по величине города на этом острове, был сыном английского поставщика бумаги для их типографии. Гренада, кроме неповторимо прекрасных пляжей, дешевого рома и невообразимой нищеты, славилась также своими исключительно либеральными законами в части усыновления. В деревнях вокруг Гренвилла можно было усыновить ребенка без особых формальностей. Достаточно было говорить по-английски, быть белым и заплатить от трехсот до восьмисот долларов, в зависимости

---

[1] Чейн Эрнст Борис (1906—1979) — английский биохимик, выделил в чистом виде пенициллин и совместно с английским ученым Флори Хоурдом Уолтером (1898—1968) исследовал его терапевтические свойства и впервые применил с лечебной целью.

от уровня бедности семьи, предлагающей младенца для усыновления, а также от степени белизны его кожи. Разумеется, чем кожа была белее, тем платить приходилось дороже.

Девочки же всегда были дешевы вне зависимости от оттенка кожи и шли по триста долларов.

Единственная проблема была связана с официальным получением права на вывоз ребенка за пределы острова, но именно эту проблему разрешил сын поставщика бумаги, заодно обеспечив отцу заказы на поставку самое малое на ближайшие пять лет.

Ким, милая, не могла бы ты сходить на нос в бар? Ты же знаешь эту историю. Видишь, у меня кончилось вино.— И Джим продемонстрировал ей пустую бутылку. — Когда ты вернешься, уже будет эпилог.

Ким встала, грустно взглянула на Джима, поправила волосы и ушла. А Джим продолжил:

— Было предложено усыновить близнецов Хуана и Хуаниту Альварес-Варгас. Седьмого и восьмого ребенка служанки администратора региона Гренвилл. Предложение было просто очень удачным, так как все знали, хотя вслух об этом не говорилось, что отцом близнецов вовсе не был отец остальных шестерых детишек. Он не мог им быть, поскольку уже два года сидел в тюрьме Сент-Джорджеса, столицы острова. Отцом был некий очень белокожий шотландец, который по приглашению администратора провел короткий отпуск в Гренвилле. Шотландец с имперскими замашками — Гренада до тысяча девятьсот семьдесят четвертого года была британской колонией — считал, что может не только пить ром из подвалов хозяина, но и свободно пользоваться его прислугой. В том-то и была причина этой удачной оказии. Детишки были исключительно белые и обладали правильными имперскими генами.

Несмотря на чрезвычайно низкие цены и мольбы матери близнецов, а также просьбы хромоногой жены, усыновлен был только мальчик. В акте усыновления рядом с настоящими именем и фамилией ребенка стояла их фамилия и имя Уильям. Таково было имя его нового дедушки. В сущности, все ведь делалось для старика. Единственное, чего недоставало в акте,— даты рождения. Рассеянный служащий магистрата в Гренвилле просто забыл заполнить эту графу.

Новоиспеченные родители заметили это только на пароходе, везущем их обратно в Филадельфию. Чтобы избежать хлопот в иммиграционном ведомстве, новый отец Уильяма, ничего никому не сказав, собственноручно поставил дату. Он выбрал день и месяц рождения своего отца.

Что может быть радостней для деда, чем внук, носящий его имя и вдобавок отмечающий свой день рождения тогда же, когда и он?

Служащий забыл про дату рождения, однако не забыл подписать в качестве приложения счет за усыновленного ребенка в сумме четырехсот восьмидесяти долларов.

Для подачи в налоговое ведомство.

А спустя восемнадцать лет Уильям искал в старых семейных документах свое свидетельство о рождении, чтобы приложить его к заявлению о приеме на педагогический факультет Колумбийского университета в Нью-Йорке. Свидетельства о рождении он не нашел, но обнаружил пожелтевший акт об усыновлении с приложенным к нему счетом, на котором стояла печать «учтено» финансового управления округа Колумбия.

Уильям был замкнутый молчаливый юноша, мечтавший стать учителем. Кроме того, он с шестнадцати лет занимался американским футболом и — втайне от отца — боксом. Самым сильным его желанием было стать сильным, чтобы иметь возможность противостоять отцу, когда тот в приступах хамской агрессивности вымещал злобу на матери. Отца он ненавидел так же сильно и безгранично, как сильно и безгранично боготворил мать.

В тот вечер, когда он нашел эти документы, мать рассказала ему обо всем.

Он стоял перед ней на коленях и плакал, однако в конце улыбнулся и сказал: «Ты даже не представляешь себе, какое это облегчение — знать, что эта куча дерьма, купившая меня за четыреста восемьдесят долларов, на самом деле мне не отец. И кто бы ни был моим отцом, он не сможет быть хуже его».

Как думаешь, Якуб, откуда я знаю все это в таких подробностях?

Кстати, Ким могла бы уже вернуться с вином, потому что я трезвею и мне становится чертовски грустно. А грустное-то будет впереди.

Так вот, все это я знаю от своей матери Хуаниты Альварес-Варгас, которую не удочерили, потому как она была девочка.

А еще через полгода Уильям встречал сестру, которая приплыла с Гренады в Нью-Йорк. И хоть никогда раньше он ее не встречал, но когда увидел испуганную худенькую девушку с такими же темно-синими глазами, как у него, осторожно спускающуюся по трапу, сразу же понял — это она. Как-никак она была его близняшкой. И была младше на десять минут. Для обоих это было достоверно и бесспорно. А вот официально записанные даты их рождения различались на несколько месяцев. Потому-то ни он, ни она так точно и не знали, когда на самом деле они родились.

Уильям истратил на ее билет все свои сбережения, а затем умолил своего второго деда, вышедшего на пенсию чиновника Государственного департамента, помочь Хуаните, и тот устроил ее уборщицей на свою бывшую службу. Там охотно брали уборщиками всех, кому можно было мало платить, кто не знал английского, а следовательно, не мог ничего подслушать, а кроме того, имел «рекомендацию». Во времена Трумэна, «холодной войны» и «охоты на ведьм», которую организовал сенатор Маккарти, это было особенно важно, поскольку позволяло избежать длительного и дорогостоящего «просвечивания». Хуаните, рекомендованной «заслуженным» коллегой, естественно, не устраивали проверку, кроме проверки визы в паспорте и разрешения на работу, и в феврале пятьдесят второго года она начала убирать секретариат заместителя пресс-секретаря главы Госдепартамента, то есть одного из самых охраняемых государственных учреждений в США.

Джим прервал рассказ, так как появилась Ким. Она принесла хлопчатобумажную сумку, из которой извлекла бутылку виски, и, не говоря ни слова, протянула ее Джиму. Тот тоже поначалу никак не откомментировал появление этого напитка, а только торопливо открутил металлическую пробку и жадно стал пить из горлышка.

— Потом, малышка, расскажешь, что ты сделала, чтобы бармен так рискнул и продал тебе это, — произнес он, оторвавшись от бутылки.

— Не продал, а просто дал. И не расскажу. Иначе мне пришлось бы очень худо говорить о моей матери. Хватит того, что ты скверно говоришь о своей.

— Ничего худого о ней я пока еще не сказал. А кроме того, что-то мне мстилось, будто этот бармен здорово смахивает на массажиста твоей мамаши,— язвительно засмеялся Джим.

Он поставил бутылку и вернулся к рассказу:

— Заместитель пресс-секретаря был озлобившийся трудяга-чиновник, дошедший до своей должности в основном потому, что никогда не спорил с начальством и всегда был готов остаться на службе после окончания рабочего дня, а также был готов на любую подлость, лишь бы его не обвинили в недостатке лояльности. Такой же лояльности он требовал от своих подчиненных. Поэтому первое, что он сделал, когда появилась молодая уборщица Хуанита Альварес-Варгас, это проверил, насколько она лояльна. Но поскольку она была с Гренады, существенного прошлого, как у настоящей американки, у нее не было, и единственное, что он обнаружил,— Хуаните нет еще восемнадцати лет и работает она нелегально.

Исполняя свой преступный замысел, она вытирает тряпкой обоссанное сиденье унитаза в его роскошном персональном клозете и с заранее обдуманными намерениями ежедневно ползает на карачках по полу, терпеливо стирая с ковра жирные пятна от горчицы, которая вечно капает с его любимых хот-догов.

Но он решил проявить величайшую снисходительность и дать ей возможность «искупить свою вину».

Это пришло ему в голову в один из вечеров в среду.

Вот уже три года он по средам ужинал со своим шефом и его женой. А поскольку знаменитый вашингтонский ресторан «Одд Эббит Гриль» находился недалеко от места его службы, он сразу же после ужина не отправлялся в такси домой, а возвращался к себе в кабинет, чтобы выпить мартини с маслиной. Стал он так поступать после третьего по счету ужина, заметив, что когда он думает о губах молодой — третьей — жены шефа, то возбуждается и потеет.

И вот однажды в таком возбуждении он как-то возвратился в пустой кабинет, приготовил свой любимый «мартини драй» с маслиной, поставил его на столике для почты, включил пластинку с любимым же третьим фортепьянным концертом C-dur Гайдна, спустил брюки и трусы в желтых пятнах мочи, открыл огромное окно и встал перед ним, преисполненный упоением эксгибициониста, который свято верит, что мир с удивлением и восхищением взирает на его молекулярно маленький члениk в состоянии полуэрекции. Когда же полуэрекция, вопреки его усилиям, прекращалась, он вновь вызывал ее, думая о том, как глубоко и искренне он ненавидит своего шефа, который получил все, чего нет у него: гораздо больший кабинет, рукопожатие президента и уже третью жену. И каждая новая оказывается моложе предыдущей.

А у него, несчастного, была всего одна жена на шесть лет старше его, которая, когда он перестал с нею спать, так растолстела, что он постыдился бы показаться с ней даже в ближней булочной. Ненавидя шефа, он мстил ему, воображая, что его новая молодая жена, возбужденная видом его мужественности и музыкой Гайдна, стоит перед ним на коленях и жадно берет в рот то, что он с такой гордостью демонстрировал миру за окном.

Его жена никогда бы не взяла его в рот. Как-то он дал ей понять, что хочет этого. Но она отреагировала с таким отвращением, словно он предложил ей обсосать таракана.

Однажды в среду, вернувшись, как обычно, к себе в кабинет, он застал там еще не ушедшую новенькую «нелояльную» уборщицу, которая, стоя на коленях, терпеливо оттирала с ковра пятна горчицы.

Джим замолчал, обернулся, схватил бутылку и жадно припал к ней. Потом закурил сигарету и немножко отодвинулся. Теперь его лицо, скрытое тенью шлюпки, было не видно. Голос у него тоже немножко изменился.

— И тогда ему пришло в голову, что он может кое-что сделать для сохранения Хуаниты Альварес-Варгас на ее должности.

Он приготовил себе «мартини». Поставил Гайдна. Открыл окно на улицу. Подошел к пишущей машинке. Вытащил торчащий из нее лист и написал печатными буквами: «Виза (Гренада)». Вернулся к стоящей на коленях уборщице, положил перед ней этот лист бумаги и, ни слова не говоря, отошел к окну.

Через минуту выключателем над столиком для почты он выключил свет во всем кабинете. Потом спустил брюки и ждал, чувствуя, что сегодня у него более сильная полуэрекция.

Он стоял, повернувшись спиной к окну. Сейчас мир, который должен был онеметь от восхищения, весь сконцентрировался в его кабинете.

Она прекрасно поняла, чего он хочет. Она знала, когда-нибудь это все равно обнаружится. Но на Гренаду возвращаться ей никак нельзя. Однажды она уже проиграла, потому что она женщина. А сейчас может выиграть, потому что она женщина. К тому же какая разница. Рано или поздно это все равно произошло бы — с каким-нибудь туристом.

Не поднимаясь с колен, она опустила ладонь глубоко в ведро с жидкостью для чистки ковров. Ей нравился этот запах. Она протерла этой жидкостью рот и нос и, не вставая с колен, подползла к нему. Взяла в рот. Закрыла глаза. Сосредоточилась на музыке. О том, что делает, она не думала.

Она вспомнила, как неделю назад Уильям пригласил ее в японский ресторан на суши. Это было отвратительно. Суши. И сейчас у нее было ощущение, словно она слизывает остатки суши из грязного, забитого волосами стока ванны в воняющей мочой ванной комнате.

Не прошло и минуты, как все было кончено. Она вскочила на ноги и понеслась в его туалет. Сперва она отплевывалась. А потом ее вырвало; при этом она думала, что это не такая уж высокая цена за будущее. Когда она плыла с Гренады, ее все время рвало. Но уборная на пароходе была не такая красивая, как здесь.

Через полтора месяца, тоже в среду, Трумэн объявил, что не станет выдвигать свою кандидатуру на следующий президентский срок.

То был один из самых счастливых дней в жизни заместителя пресс-секретаря Государственного департамента. Следующие выборы мог выиграть только Эйзенхауэр. После всего, что говорил журналистам про республиканца Эйзенхауэра его шеф, можно было быть на сто процентов уверенным, что в Госдепартаменте сменится пресс-секретарь. В ту среду, возвращаясь в такси с ужина, он торжествовал. Новым пресс-секретарем может быть только он — Фицджералд Дуглас Макманус-мл.

Когда, сияя от радости, он вошел в кабинет, Хуанита, как обычно, стирала с ковра пятна от горчицы. Гайдна в тот день он не поставил. «Мартини экстра драй» с маслиной тоже делать не стал. И к окну не пошел, чтобы в очередной раз очаровать мир видом своего членика. Он был лишком возбужден, чтобы помнить все это. В ту единственную и исключительную среду он двинулся прямиком к Хуаните. Поднял ее с колен и потащил к своему письменному столу. Отодвинув пишущую машинку, повернул Хуаниту задом к себе и, хрипло дыша, задрал ей юбку и сорвал трусики.

Впервые за восемь лет у него случилась полная эрекция. Благодаря Эйзенхауэру.

Ровно через двести семьдесят восемь дней, четырнадцатого сентября тысяча девятьсот пятьдесят третьего года, в роскошной клинике при Джорджтаунском университете родился я, Джеймс Фицджералд Макманус из дома Альварес-Варгас.

В той же самой клинике выкинула своего первого ребенка Жаклин Бувье, известная всему миру под фамилией Кеннеди, но впоследствии там же она родила Кеннеди-младшего. Тот был еще красивей, чем его отец.

Джеймс замолчал и отхлебнул из бутылки.

— То был исключительно неудачный день для рождения внебрачного ребенка. В тот день Америку потряс второй отчет Кинзи[1].

Не знаю, есть ли в ваших польских энциклопедиях описание измывательств американской инквизиции над скромным и пытливым исследователем насекомых по фамилии Альфред Чарльз Кинзи. Хорошо, что соитие — не водородная бомба, а то сенатор Маккарти уже поджарил бы его, как сделал это с Оппенгеймером.

Кинзи, вместо того чтобы исследовать жужжание одного из видов ос семейства Cynnipidae, к чему он имел наибольшую склонность, по заказу ректора Индианаполисского университета занялся исследованием сексуальной жиз-

---

[1] Кинзи Альфред Чарльз (1894–1956) — американский биолог и социолог, основал в 1947 году Институт исследований сексуальности, автор двух знаменитых трудов «Сексуальное поведение мужчины» (1948) и «Сексуальное поведение женщины» (1953).

ни американцев. Он написал на эту тему два толстенных отчета. Я родился в день опубликования второго. О сексуальной жизни женщин.

Все газеты в Вашингтоне в то утро пятидюймовыми заголовками оплакивали нравственное падение и испорченность гражданок Соединенных Штатов, одновременно цитируя фарисейские вопли возмущения политиков, педагогов и священнослужителей, которые согласным хором клеймили Кинзи. Пуританская Америка, только-только зализавшая раны от шока после первого отчета, узнала, что более половины американских религиозных женщин в возрасте за тридцать регулярно и с удовольствием мастурбируют, что каждая третья американка мечтает о приятностях внебрачных сексуальных связей, а каждая четвертая хотя бы раз мечтала о сексе с двумя и более партнерами одновременно, а также что за пять лет, что прошли после выхода первого отчета, число детей, рожденных вне брака, выросло впятеро.

Настоящие американцы были потрясены и проклинали свободу слова, позволившую Кинзи опубликовать эту гнусную ложь. А сверхнастоящие, этакие католики, большие, чем Папа, не могли оставаться безучастными. Поскольку трудно поймать с поличным мастурбирующую американку, а уж тем паче мечтающую о сексе одновременно с водопроводчиком и почтальоном, кое-кто из них решил ворваться ночью в родильное отделение клиники в Джорджтауне. Выражая свое возмущение и солидарность со всеми порядочными женщинами страны, они кровью, принесенной в ведре с бойни, написали на дверях палат, где лежали матери внебрачных детей, большущими буквами слово «шлюха». Но это было не самое худшее. Выражая свою ненависть к Кинзи и к истине, которую он посмел явить всему миру, они ворвались в палату, где лежали новорожденные, и, сорвав с запястий всех рожденных в этот день повязки с именами, переложили зачатых во грехе младенцев с кроватки на кроватку.

Представляешь себе, что творилось в клинике на следующее утро?

Мне, однако, повезло. Моя мать не могла смириться с тем, что после рождения меня у нее забрали, прокралась вечером в палату с новорожденными и взяла меня к себе. А меньше чем через полчаса в клинике неистовствовали возмущенные Кинзи ревнители нравственности с ведрами крови.

Чек за больницу выдал отец, но при условии, что ребенок будет носить его фамилию. Потому я все еще Макманус. Это был последний чек и последнее, что он сделал для меня. Через шесть дней после выхода из клиники моя мама уехала к брату в Нью-Йорк.

Отца я никогда не видел. Да и не желал видеть.

Джим вышел из тени. Глаза у него были красные, оттого что он тер их руками. Он сел рядом с Ким, взял ее руку, поднес к губам и стал нежно целовать. Он даже не пытался вытирать слезы, собиравшиеся в длинном шраме на щеке. После долгой паузы он вдруг тихо произнес:

— Потому-то, Якуб, я и не знаю точного дня рождения моей матери.

Хоть Якуб, пока Джим рассказывал, сидел молча, а точней сказать, онемев, внутренний его голос кричал во всю мочь: «Да как же так получается, что некоторым не везет до такой степени, что их унижают еще до рождения?»

Все это было страшно давно, но Якуб помнил каждую подробность, каждое слово, а особенно ярость Джима в самом конце.

Он открыл глаза, встал, собрал помятые бумаги, на которых сидел. Сложил их в кожаную папку с вытисненным логотипом конгресса. Жаль, что сейчас у него не было косячка, как тогда на Миссисипи, или хотя бы бутылки виски. Они мигом разогнали бы накатившую на него тоску.

Глянув еще раз на то место, где был дом, Якуб двинулся в сторону Сент-Чарльз-авеню. Через несколько минут он уже сидел в такси и ехал на единственное в своем роде кладбище в мире — в City of Dead, то есть Город Мертвых, в Новом Орлеане.

ОНА: Автобус в Париж отправлялся с паркинга у Центрального вокзала. Когда она вылезла из машины, в которой ее привез муж, Алиция и Ася уже были там. Муж резко затормозил у въезда на паркинг и попросту высадил ее. Как таксист. Откровенно говоря, ей это было безразлично. После того, что он сделал ночью, у нее не было ни малейшей охоты на прощальные нежности. Но помочь ей вытащить из багажника тяжелый чемодан он все-таки мог бы. Она даже не обернулась, когда он отъехал с визгом шин. Да он всегда отъезжал с визгом шин. Даже если бы он уезжал на оленьей упряжке, у него все равно взвизгнули бы шины. Но теперь все это не имело для нее никакого значения.

Она ехала к Якубу! В Париж!

По правде сказать, ей было решительно все равно, куда ехать. Она поехала бы даже в Улан-Батор. Ася увидела ее и тотчас же пошла навстречу, чтобы помочь дотащить чемодан до водителя, который загружал вещи в багажные ящики. Алиция уже успела «отъединиться от мира»: она разговаривала с молодым мужчиной с наушниками плеера.

— В прошлый раз, когда мы ездили во Францию, он тоже привез тебя к Центральному. Помнишь? — сказала Ася, когда они волокли чемодан по выбоинам размякшего от жары асфальта. И язвительно добавила: — Но тогда он готов был носить тебя на руках. А сейчас не хочет даже чемодан поднести. Аля права. Мужики похожи на некоторое радиоактивные элементы: у них очень короткий период полураспада. А дальше уже фоновое излучение. И преимущественно в других лабораториях. Хотя необязательно. Достаточно, чтобы лаборантка была чужая и молоденькая.

Ася опустила чемодан, со вздохом выпрямилась и вдруг спросила:

— Послушай, что произошло, почему ты так зла на него?

— Не хочу я об этом говорить. Особенно сегодня, — ответила она.

Ася наклонилась к ней и прошептала:

— У меня распланировано все по минутам. Знаешь ли ты, что пока мы тут торчим, в музее д'Орсе идет выставка практически всего, что написал Ренуар? Ты просто замечательно выбрала время для поездки. Я взволнована так же, как тогда, когда мы ехали в Ним. Твое решение поехать в Париж было как озарение.

Да, лучшего времени поехать в Париж она не могла бы выбрать. Но причиной тому был не Ренуар, смотреть которого, кстати, она могла бесконечно, а совсем другой мужчина. Но Ася о нем — до сих пор — не знала.

А ведь еще дней десять назад она и думать не думала, что это вообще реально. Но он прислал ей e-mail:

Мюнхен, 28 июня.

Я лечу на конгресс в Новый Орлеан. В мой Новый Орлеан. Возвращаюсь через Нью-Йорк, и авиалиния «ТВА» собирается отправить меня оттуда в Мюнхен либо через Лондон, либо через Париж.

Ты какой город предпочитаешь?

Якуб.

Он заставал ее врасплох внезапными сообщениями о своих поездках. С ним мир казался гораздо меньше. Бостон, Сан-Франциско, Лондон, Женева, Берлин, снова Сан-Франциско. А теперь вот Новый Орлеан. Ей было известно, что для него значит этот город.

А спустя несколько дней, возвращаясь домой по Краковскому предместью, в витрине одного из бюро путешествий она увидела плакат, рекламирующий экскурсию в Париж на несколько дней. Обычно она не обратила бы на него внимания, но в тот день Париж у нее ассоциировался с Якубом. Обнаружив, что даты пребывания в Париже включают и тот день, когда он смог бы туда прилететь, она, слегка взволнованная, вошла в пустое помещение, где в эту жару было так приятно прохладно благодаря кондиционеру. Молодой парень, вероятней всего практикант, вскочил из-за стола, когда она вошла, и снова уселся только после того, как подал ей стакан холодной минеральной воды. Когда она, надо сказать, без всякой надежды попросила ломтик лимона — минеральную воду она обычно пила с лимоном,— он улыбнулся, подал ей красочный проспект их бюро путешествий и вышел. А через минуту вернулся с фарфоровой тарелочкой, на которой лежали очищенные ломтики лимона с воткнутыми пластмассовыми шпильками с маленькими польскими и французскими флагами. Подавая тарелку, он улыбнулся ей. У него были большие карие глаза, длинные, изысканной формы руки, и от него пахло дорогой водой после бритья. Она с удивлением подумала, что после знакомства с Якубом у встречающихся ей мужчин глаза снова имеют цвет и от каждого из них пахнет по-разному, а кроме того — это особенно ее с недавних пор волновало,— у них, оказывается, есть вызывающие интерес или совершенно не стоящие внимания ягодицы. Беря ломтик лимона, она указала на французский флаг и поинтересовалась:

— А откуда вы узнали, что я хотела бы поехать в Париж?

Сверившись в компьютере, практикант сообщил, что в автобусе есть еще несколько свободных мест, а вот в гостинице в Париже мест только два. Она спросила, можно ли позвонить. Набрала номер мобильника Алиции.

— Аля, ничего не планируй на воскресенье четырнадцатого июля. Мы с тобой едем в Париж. Ты сама говорила, что с детства мечтала увидеть Париж.

Какое-то время трубка молчала. Слышно было, что Алиция с кем-то разговаривает.

— Гениально, что ты сообщаешь мне об этом сегодня. До воскресенья всего три дня. Разумеется, я еду, но с одним условием: с нами поедет Ася. Она у меня.

Она улыбнулась. Только Аля и Ася могли так прореагировать. Откровенно говоря, она иногда воображала себе мир без мужчин, но мир без двух этих своих подруг представить не могла. В ее жизни они были «всегда». И хотя, а может, потому, что все три они были совершенно разные, ей казалось, что без них мир лишился бы одного измерения. Стал бы плоским.

Алиция...

Заблудившаяся половинка сердца, неустанно разыскивающая свою вторую половинку. Эффектная шатенка, цвет глаз которой в последнее время менялся с изменением цвета контактных линз, которые она приобрела. Обладательница великолепных грудей, скрываемых или демонстрируемых в зависимости от показаний электронных весов у нее в ванной комнате. Когда Алиция была безгранично несчастна по причине одиночества, ее юбки становились короче, косметика заметней, а сама она худела в устрашающем темпе — этой особенности невозможно было не завидовать, — однако груди у нее все равно соблазнительно выпирали под обтягивающими блузками и свитерками. А ежели у нее кто-то появлялся, она с улыбкой на устах полнела и скрывала свое добреющее, но счастливое от прикосновений мужчины тело под широкими черными свитерами, которые сама вязала на спицах.

Она мечтала о большой любви, как ребенок мечтает о подарках под елкой. И повсюду отчаянно искала ее. Уже на первом свидании Алиция думала, какое платье наденет на свадьбу, а на втором, когда он пытался понять, куда они пойдут после ужина — к ней или к нему,— она размышляла в основном над тем, будет ли он хорошим отцом их ребенку. Почти все ее мужчины поселялись у нее уже во вторую неделю их знакомства, но только один выдержал дольше двух месяцев. В своем красочном представлении «своего единственного» Алиция забыла о сером цвете. У мужчин, кроме того большого достоинства, что они согласились быть с ней, имелись также и обычные человеческие недостатки: они храпели, слишком рано извергали семя, мочились стоя и забрызгивали ее стерильно чистый унитаз, после бритья и чистки зубов оставляли грязную раковину и вообще не имели большой охоты к утонченному сексу только потому, что она весь день провела в кухне, готовя ужин при свечах.

Будь она мужчиной, она не раздумывая женилась бы на Алиции. Дважды. И второй раз даже в костеле. Ибо, по ее мнению, Алиция была главным призом в лотерее для гетеросексуальных холостяков, разведенных или намеревающихся развестись. Она была подготовлена к вступлению в брак, как немецкие альпинисты к восхождению на Эверест. У них были даже написанные завещания, заверенные нотариусом. Алиция еще не подготовила завещания, в котором она, разумеется, все оставляла бы «своему любимому мужу», но в ванной комнате у нее половинка шкафчика неизменно пустовала, готовая принять его кисточки для бритья, бритвенные лезвия и презервативы.

Мало того что Алиция была выпускницей лучших кулинарных курсов в Варшаве, она еще неделю брала у знакомого бармена уроки по приготовлению наилучших коктейлей. Все для «него». Но если говорить правду, она не до конца верила, что путь к сердцу мужчины лежит через желудок. Она считала, что путь этот можно сократить. И потому отдала целое состояние за то, чтобы приобрести последнее, разумеется, «оригинальное» двухтомное издание «Камасутры», читала английский «Космополитен», так как польского тогда еще не было, благодаря чему знала, как это делается «по-гречески», а также почему он будет стонать от наслаждения, если она, прежде чем взять «это» в рот, «сперва пососет кубики льда вместе с мятными конфетами». А в последнее время Алиция прямо-таки по-солдатски дисциплинированно тренировала мышцы влагалища.

Но даже это не слишком помогало. Она это прекрасно знала, потому что Алиция, разочарованная своими избранниками преимущественно уже после первой недели, рассказывала ей все в малейших подробностях. Каждый раз она снова убеждалась, что вообще мужчины — странные существа. Они боятся зубного врача, облысения и того, что у их сотового телефона недостаточный роуминг. Алиция полагала, и не без оснований, что причина всех этих страхов кроется в простате. Иногда, чаще всего после третьей недели совместного проживания, у нее возникали опасения, что ее «единственный и идеальный», когда она, сбросив ночную рубашку, прижмется к нему горячей грудью, вдруг скажет ей: «Милая, не приставай ко мне сегодня. Не видишь, что ли, что у меня период?» Все дело в том, что Алиция хотела огня каждую ночь, забыв, что каждую ночь огонь бывает только у пожарных.

В такие моменты Алиция ловила себя на мысли, от которой в жилах у нее стыла кровь, а именно что в сущности тип, лежащий с нею в постели, нарушает то, что она больше всего любит: гармоническое, всхоленное и привычное одиночество. Одиночество с неизменно чистой ванной комнатой, посудой, аккуратно стоящей на сушилке, грелкой, которую можно без стеснения положить на живот в первые дни периода, и ее любимыми субботами перед телевизором или за книгой под негромко звучащую музыку Кенни Дж. вместо кошмарно тоскливого бриджа, когда к тому же все беспрерывно курят, или идиотских встреч под водку с его друзьями по армии, техникуму или конторе.

Однако, возникнув, мысль эта мгновенно исчезала, оставив чувство вины. Ведь одиночество — наихудшая разновидность страдания! Разве не потому Господь Бог сотворил мир, что чувствовал себя одиноким? Ладно, пускай он храпит, оставляет грязные носки посреди комнаты, курит в спальне. Но только пусть будет.

Все «ее мужчины» не умели — или не хотели — разговаривать с ней. Да, они жили вместе, ели вместе, у них был суперсекс, потому что Алиция без колебаний делала все, что они желали и о чем прочла в современных газетах для девушек, которые жаждут многократного оргазма с Настоящим Мужчиной, но это вовсе не означало, что они жаждут с нею состариться. А она хотела разговаривать главным образом об этом и ждала от них решительных заявлений. Тех, кого до сих пор встречала на своем пути Алиция, не слишком интересовали разговоры о браке, совместной покупке квартиры побольше и цвете обоев в детской, если «это будет девочка». Потому и удирали от нее обыкновенно до истечения двух месяцев.

Но так поступали только те, кто мог поселиться у нее. Потому что было много и таких, которые не могли этого сделать. Эти, хоть они чаще тех, других, говорили ей разные романтические вещи, были куда хуже. У них имелись жены, очень часто дети, которым «нельзя нанести такую травму», а также биографии, изобилующие внутренними кризисами. Таких принудить к разговорам на тему обоев в детской комнате было в принципе невозможно, и к тому же Алиции очень трудно было определить разницу между мужчинами, собирающимися оставить жену, и теми, кто это уже сделал. А когда разница эта становилась ей очевидна, как правило, было уже поздно уклониться и не получить очередной удар.

Каждое расставание с очередным «мужчиной ее жизни» для Алиции было как столкновение с грузовиком. А когда она приходила в себя до такой степени, что была способна думать о будущем, то сразу начинала осматриваться вокруг на тот же самый предмет. Алиция опять худела, и у нее опять вызывающе выпирали груди. По этому поводу она очень завидовала Алиции. Когда худела она, больше всего у нее уменьшались груди. А иногда у нее возникало впечатление, что только они и становятся меньше.

Сейчас груди Алиции, едва прикрытые обтягивающей, изрядно декольтированной блузкой, очень подходящей к июльской жаре, вновь возвещали миру, что она опять в поиске. Наверное, потому она так быстро и согласилась на Париж. То было просто крайне удачное стечение обстоятельств. Если бы у Алиции кто-то был, она ни за что никуда не поехала бы. Но, к счастью, в том числе и для себя, она пребывала в одиночестве. Потому и решила съездить. И вдобавок уговорила еще и Асю.

Ася...

Выпускница математического факультета, восхищающаяся матанализом так же, как поэзией Воячека. Брюнетка с длинными волосами и необыкновенно стройными ногами, которые в последнее время она с небывалой отвагой демонстрирует миру, надевая все более короткие юбки.

Дисциплинированная жена мужчины с бесчисленными комплексами и образом мыслей капрала в штрафном батальоне. Мужчины, который чаще и с большим чувством прикасался к кузову и покрышкам трехлетнего малолитражного «фиата», чем к телу своей жены. Когда Ася выходила замуж, то была уверена, что любит этого мужчину. Впрочем, она тогда была еще такая молоденькая. Ей не исполнилось и восемнадцати, когда он появился в их городке и в ее жизни. Спокойный, чисто одетый, он не ругался и не пил. То, что он не пил, больше всего покорило ее. Когда Ася была еще совсем девочкой, она не стыдилась ни худых и кривоватых ног, ни жалких платьиц, которые мама все время перешивала и перекрашивала и над которыми смеялись ее одноклассницы. Она стыдилась только пьяного отца, который часто валялся на скамейке около их дома. Отец пил всегда, мама всегда плакала, она всегда стыдилась. Жених освободил ее от этого стыда. Он не пил и увез ее в Варшаву. Как же она могла не любить его?

Тихая, немножко испуганная, замкнувшаяся в себе искательница волнений и душевных порывов. Каждый день без «переживаний» огорчал ее. Когда в трудной жизни, заполненной работой и заботами о рано родившейся любимой дочке Доминике, удавалось «вырвать минутку для себя», она ходила в музеи, на выставки, в филармонию, а еще слушала лекции о космологии, генетике и психологии. Возвращалась она после этих минут «для себя» возбужденная пережитым, но также испуганная и с чувством вины перед мужем, который, оказывая великую милость и только раз в месяц, соглашался взять на себя «максимум на два часа» заботы о дочке и никак не мог понять, чего «выпендривается» его «ненормальная» жена.

Она обманула его надежды. Полностью и по всем пунктам. Она должна была его любить, воспитывать дочку и научиться варить варенья на зиму. А она закончила математический факультет и варенья покупала в ближайшем продовольственном. Но и это было не самое худшее. Она уже не любила мужа. Как она смела, неблагодарная? Он привез ее в Варшаву «из этой дыры, где даже трамваев нет», чуть ли не научил «есть ножом и вилкой», а она, видите ли, разыгрывает «душевно тонкую интеллигентку».

Совсем недавно на праздновании ее дня рождения они с Асей закрылись в ванной, и та рассказала ей то, чего никогда не говорила при Алиции.

Ася не знала, когда точно перестала любить мужа. Возможно, тогда, когда, невзирая на ее просьбы — а она была на седьмом месяце,— он уехал на неделю в Щирек кататься на лыжах, и у нее началось кровотечение. Она постыдилась позвонить родителям. Сама в ночной рубашке поехала в их малолитражном «фиате» в больницу. Она до сих пор помнит — Асю трясло, когда она рассказывала об этом,— как теплая струйка крови текла по бедрам и впитывалась в только что выстиранное мужем покрытие сиденья. И она не знала, чего больше боится — потерять ребенка или того, что скажет муж, когда увидит на сиденье пятна крови.

А может, это случилось, когда она после бессонной ночи пришла, совершенно измотанная, с работы и увидела, что у самого лифта лежит на холодном бетонном полу в луже мочи их конвульсивно дрожащий черный лабрадор.

Кто-то из соседей, недовольных тем, что они держат собаку, видимо, угостил ее какой-то отравой. Но Ася твердо решила спасти ее. Она ухаживала за ней. Лечила. Она любила эту собаку. Правда, после поездки в Ним, которую они совершили несколько лет назад, она была готова любить всех собак. Ася пичкала ее лекарствами, купленными на собственные, сэкономленные втайне от мужа деньги. А в последние дни она вообще не спала: вытирала рвоту собаки, меняла влажный от мочи плед и давала антибиотики, назначенные ветеринаром. Муж считал собаку исключительно Асиной прихотью и, когда пришел с работы раньше жены, выбросил собаку на площадку, «потому что не мог больше выдерживать эту жуткую вонищу». У Аси в первый раз случилась истерика. Она слышала ругательства, которые выкрикивала неестественно визгливым голосом, и сама удивлялась, откуда ей известны такие слова.

После этого случая муж понял, что существует некая граница, за которой его спокойная и послушная жена становится неуправляемой и от нее всего можно ждать.

Собака подохла через два дня. Ночью. Вдруг она перестала хрипеть. Ася поняла, что это конец. Она сидела на полу в кухне, привалившись спиной к холодильнику, и плакала. Мужу она решила ничего не говорить. Рано утром она позвонила отцу. Они поехали на родительскую дачу в Анине и закопали собаку в конце дорожки около клумбы, на которой весной цвели маргаритки. И теперь, когда она иногда с дочкой приезжает на дачу к родителям, то втайне ото всех идет на то место и садится на траве. Как-то дочка бесшумно подошла к клумбе и увидела, что мама плачет. Ася так ей и не рассказала тогда про собаку. Девочка огорчилась бы.

А может, это случилось после того дня, когда муж раньше пришел с работы и застал Асю за книжкой в спальне, в то время как их дочка рассыпала в кухне муку и вылила на нее содержимое ночного горшка. В общем ничего страшного не произошло. Просто Ася, зачитавшись, забыла обо всем на свете. Она испуганно смотрела сквозь слезы на мужа, который с пеной на губах всячески ругал ее, и думала, куда подевался тот мужчина, который несколько лет назад сумел произвести на нее впечатление почти такое же, как эта книжка.

После этого случая муж решил наказать ее. Он перестал с нею спать. И не потому что у него не было потребности. Потребность была. Случалось, загружая стиральную машину, она находила полотенца с заскорузлыми пятнами его засохшей спермы или белые следы на белье.

Он не спал с нею, наказывая ее.

За то, что она была умней, тоньше, читала книги и способна была плакать над ними.

По правде сказать, для нее это никаким наказанием не было. В этом Ася тоже призналась, когда они заперлись в ванной. Секс с мужем перестал быть восхитительным переживанием, когда Ася поняла, что в принципе она ему не нужна. К тому, что, занимаясь с ней любовью, он молчит, она привыкла через год. Ей хотелось слушать его. Хотелось, чтобы он шептал ее имя, говорил на ухо нежные слова или даже какие-нибудь вульгарности. Этого ей тоже временами хотелось. Но он ничего не говорил. Никогда. А однажды, когда она начала шептать ему нежности, он слез с нее, оттолкнул на край постели и заявил, что «во время этого должна быть тишина, иначе ему не сосредоточиться».

Ох уж это его молчание, когда он, закусив губу, шуровал в ней, ни дать ни взять столярный подмастерье на экзамене на мастера, склонившийся над доской, которую ему нужно перепилить. И происходило это так стремительно, что она даже увлажниться не успевала. Кончив, он сползал с нее и, довольный собой, шел в ванную, откуда к ней не возвращался, а брал в холодильнике бутылку пива, включал телевизор и допоздна смотрел его, чаще всего этот идиотский бокс по «Евроспорту», в то время как она лежала, повернувшись лицом к ободранной батарее, и думала, а не чувствовал бы он то же самое, если бы совал свой пенис в трубку их нового пылесоса. Но такие мысли появились у нее с недавнего времени. А еще несколько месяцев назад она только тихо плакала, закрывая рот, чтобы он не услышал, подушкой, влажной от его пота.

Когда Ася ей это рассказала, она тут же связала это с тем, что произошло несколько месяцев назад во время одной из их встреч в пабе, на которой в порядке исключения был и Асин муж. Он редко приходил с нею, так как на фоне интеллигентной жены выглядел совершенной посредственностью, которой нечего сказать. Впрочем, определение «выглядел» не совсем точное — он не выглядел, он был полнейшей посредственностью и, по правде сказать, никогда ничего не говорил.

В тот вечер Асе, не скрываясь, оказывал знаки внимания молодой актер, которого привел тогдашний жених Алиции. У Аси после выпитого глаза блестели, длинные черные волосы слегка растрепались, и она принялась рассказывать анекдоты. Анекдоты она рассказывала прекрасно и всегда остроумные. И вдруг она спросила:

— А вы знаете, какая средняя продолжительность сексуального акта у супружеских пар в Варшаве?

Разумеется, никто не ответил.

— Около двадцати трех минут. Сюда входит раздевание, предварительная любовная игра, сам акт, а также последние известия «Панорамы» в полночь.

Когда все отсмеялись, Ася продолжила:

— Но в некоторых семьях «Панораму» заменяют «Итоги дня» на канале «Евроспорт». Они длятся двадцать минут, на пять минут дольше, чем «Панорама».

Воцарилась тишина. Все за столиком, кроме этого молодого актера, знали, что Асин муж смотрит исключительно «Евроспорт». И все украдкой поглядывали на него. Он сидел, поджав губы, и в глазах его была ненависть. Через минуту он встал и, ни с кем не попрощавшись, молча вышел. Ася не тронулась с места. Она оставалась со всеми до конца вечера. Молодой актер времени не терял. Он тотчас придвинул к Асе свой стул, и остальные анекдоты она рассказывала только ему.

В тот вечер после возвращения из паба она не могла заснуть, преодолела страх и под каким-то предлогом позвонила Асе, чтобы убедиться, что все в порядке. Она боялась за подругу. Знала, что от Асиного мужа можно ждать чего угодно. Но Аси еще не было дома.

Через два месяца Ася прислала ей e-mail и призналась, что в ту ночь актер пошел провожать ее до такси «коротким путем» через пустой парк, и вдруг она приникла к нему и стала целовать. Ей хотелось всего лишь целовать его. Не больше. Только целовать.

Она помнит, как, читая этот e-mail, она ощущала волнение и что-то наподобие зависти.

Он взял меня за руку. Мы ушли с центральной аллеи и без того пустого парка и укрылись за толстым деревом у пруда. Он снял пиджак, расстелил его на мокрой от росы траве. Легко поднял меня и поставил на пиджак. Снял с меня юбку и колготки. И когда я уже стояла голая ниже пояса, он опустился на колени и стал целовать мне ноги. Он целовал мне ноги так, как никто никогда до той поры не целовал меня в губы. Представляешь?!?!?!

В какой-то момент он на ощупь нашел мои туфли. Осторожно приподнял меня и поставил в них. Я вновь была на 8 сантиметров выше. Позже это нам очень помогло...

Но то было позже. А до того он был во мне двумя пальцами. Обоими и в обоих местах одновременно. Ну ты понимаешь...

Было чудесно. Он все время говорил. Я даже не помню что, но это неважно.

Он говорил.

Больше я с ним не встречалась.

Но в парк этот я прихожу. Чаще всего, когда мне становится грустно или я прочитаю важную для себя книгу.

Когда я под утро вернулась домой, муж ударил меня только раз. Малышка, разбуженная его криком, заплакала, а я вытащила из кладовки чемодан и стала паковать вещи.

Не знаю почему, но прежде всего я положила туда вещи дочки, а потом свои книжки. Когда я выходила из квартиры, он стоял у дверей на коленях и рыдал. И я осталась. В сущности, он человек добрый. Он изменился. Больше не смотрит «Евроспорт».

Ася.

Закончив читать e-mail, она поняла, что это «больше не смотрит „Евроспорт"» — акт капитуляции. И всю горечь и отчаяние этого акта выразить одной короткой фразой могла только Ася. И тем не менее капитуляция эта все равно была победой Аси. Она больше не рядовой в штрафбате.

Рядовых штрафников в Париж не отпускают.

Из задумчивости ее вырвал молодой практикант, осведомившийся с улыбкой:

— Зарезервировать вам два места?

— Нет, — категорическим тоном ответила она. — Я поеду, когда у вас будут три места.

Не говоря ни слова, он повернулся к огромному стеллажу с папками, взял одну из них и сообщил ей:

— У них, у этой гостиницы, есть своя веб-страница. Я могу проверить, не изменилось ли у них что-нибудь. Вы можете немножко подождать? — спросил он, наливая ей в стакан минеральную воду и кладя, уже не спрашивая, очередной ломтик лимона.

— Разумеется, могу. Кстати, вы позволите сесть рядом с вами? Мне бы хотелось видеть, как вы это делаете.

С тех пор как она познакомилась с Якубом, все связанное с Интернетом казалось ей достойным всяческого внимания, интересным и безгранично таинственным.

Не ожидая его согласия, она подвинула свой стул так, чтобы видеть монитор компьютера. Она касалась рукой подлокотника его кресла и мысленно задала себе вопрос, что он подумал бы, если бы она спросила, каким одеколоном он пользуется.

Практикант набрал адрес интернетовской страницы гостиницы: www.relais-bosquet.com.

— А вы знаете, что эта гостиница находится на Марсовом поле и что вы могли бы жить рядом с Эйфелевой башней?

— Теперь знаю. Но мне это абсолютно безразлично. Я хочу быть в Париже семнадцатого июля. И могу спать даже на газоне у Эйфелевой башни. А если все получится, то я вообще не буду спать. Главное для меня, чтобы у моих подруг были кровати в этой гостинице. А если вдобавок будет еще и ванная, то вы — сущее сокровище.

Она смотрела на монитор, пока он листал веб-страницы гостиницы с картинками, изображающими номера, перечнем предоставляемых услуг и картами, показывающими, где гостиница находится и как к ней доехать. Да, пожалуй, трудно было представить гостиницу, находящуюся ближе к Эйфелевой башне. На экране появился график свободных номеров.

— Вас интересует одноместный номер или вы можете спать вместе с вашими подругами? — спросил он, глядя на ее правую руку с обручальным кольцом.

И только когда прозвучал этот вопрос, она осознала: ее интересует только одноместный номер. И плевать, какие нескромные мысли по этой причине у кого-то могут возникнуть, ее интересует именно одноместный номер! Разумеется, ей хочется оказаться один на один с Якубом в парижской гостинице, когда он преодолеет робость и решится зайти к ней в номер. Она еще не знала толком, что может означать это самое «один на один» с ним в гостинице совсем рядышком с Эйфелевой башней, но предчувствовала, что это очень приятно. Потому, как только практикант затронул эту тему, она сразу же подумала, что как раз сейчас у нее регулы, а это означает, что между 16 и 20 июля все, слава богу, будет в норме.

«Регулы кончатся, а номер будет одноместный», — мысленно произнесла она.

Она взяла стакан с водой, смахнула волосы со лба и, не поднимая глаз, сказала:

— Поскольку мы договорились, что мне не придется спать на газоне у этой башни, мне не хотелось бы нарушать сон моих лучших подруг, если мне вдруг придет в голову и вправду не ложиться спать, чтобы не терять времени в этом чудесном городе, или...

Закончить тираду она не успела, потому что практикант вклинился, сообщив:

— Я забронировал вам номер со стороны сада. По другую сторону находится терраса ресторана. А французы, когда выпьют много вина, очень шумны. Вам это, убежден, мешало бы, да? И вы не будете «нарушать» сон никому, кто этого не желает.

Он с улыбкой взглянул на нее.

— Вы не могли бы оставить мне аванс также и за своих подруг? Отъезд через несколько дней, и мне хотелось бы быть хоть в какой-то мере уверенным, что вы не измените решения. Тем паче что гостиница уже подтвердила, что номера для вас забронированы. Вот посмотрите. — Он повернул к ней монитор и ткнул пальцем в текст мейла, подтверждающего бронирование.

Она слегка удивилась, что подтверждение пришло так быстро, причем на польском, но поднимать этот вопрос не стала и только сказала:

— Нет, решения менять я не собираюсь, даже если Эйфелеву башню куда-нибудь перенесут. Главное, чтобы гостиница осталась на месте. Главным образом из-за прилегающего к ней сада. За подруг тоже ручаюсь. Вам достаточно будет поручительства моей «Визой»?

Выходя из бюро, она подумала, что жар, охвативший все ее тело, отнюдь не следствие нынешнего безумно знойного лета. Нет, жарко ей стало оттого, что она поняла: это ее решение радикально изменило, по крайней мере с ее стороны, статус их с Якубом знакомства. Виртуальность, безопасная отдаленность, беззаботное кокетство, неожиданные, но, по сути дела, ни к чему не обязывающие признания, а также интимные подробности в текстах, которые они отстукивали на клавиатурах своих компьютеров, вскоре могут стать воспоминанием о необычном флирте, зачинающем подлинную связь.

Опасную связь.

И хотя прозвучало это патетически и грозно, точно название какого-нибудь телерепортажа, она знала: оно соответствует действительности. Эта связь опасно дрейфовала в одном направлении. Но, невзирая на это, она, вся раскрасневшаяся, ожидая около туристского бюро такси, прошептала чуть слышно:

— Ну и пускай...

При этом она решила обязательно спросить Асю и Алицию, всегда ли были их решения типа «и пускай» правильными. У нее — да. Причем все без исключения.

Она ехала в такси, а в голове клубились мысли. Что нужно прочесть о Париже перед выездом? Да, наверное, ничего она читать не будет. Тем более что Ася, без сомнения, все знает. А что взять с собой? Успеет ли она сходить к косметичке и в парикмахерскую? Нужно ли покупать новое белье? Кстати, о белье... Когда в последний раз она производила депиляцию на ногах? Каким на его коже окажется тот запах, к которому она уже давно примеривалась в парфюмерном магазине? Кстати, о коже... Сколько килограммов можно будет сбросить за те несколько дней, что остаются до его прилета в Париж, если есть одну только спаржу? Недавно она прочла, что, кроме того, что в спарже нет никаких калорий, она еще гениально обезвоживает. Хотя со спаржей лучше не перебирать. Ведь при всех диетах больше всего у нее уменьшаются груди. Но она категорически не желает, чтобы в Париже груди у нее были меньше, чем сейчас. Совсем даже наоборот. Ей бы хотелось, чтобы в Париже груди у нее были большими, как никогда.

На миг у нее мелькнул вопрос, а как ей сказать об этой поездке мужу. Но пока что она ехала в такси назад к себе в фирму, чтобы прежде всего сообщить о ней ему, Якубу!

«В Варшаве сейчас пятый час,— прикидывала она.— Значит, в Новом Орлеане около семи утра. Он выходит в Интернет после завтрака. Если этот таксист за полчаса прорвется с Краковского Предместья к моей фирме, то я могу успеть! Якуб прочитает мой e-mail с информацией о Париже еще до ухода из гостиницы. И у него будет целый день, чтобы подумать об этом».

Она улыбнулась. «И снова это я,— подумала она.— Я его нашла, я втянула его в свою жизнь и вот теперь еду к нему».

Однако никакой неловкости она не испытывала. Во всем, что Якуб писал ей или делал для нее, невзирая на то что очень часто переходил — надо признать, с исключительным изяществом — допустимые границы интимности, он всегда доказывал, иной раз даже с некоторой чрезмерностью, как глубоко ее уважает. Потому то, что это она едет к нему, а не он к ней, никоим образом не может быть ложно понято им. К тому же они не встретились до сих пор лишь потому, что он не желал усложнять ее жизнь.

Кроме того, думалось ей, сам план насчет Парижа, случайность его пребывания там, случайность на ходу сымпровизированной организации ее приезда туда – все это ведет к тому, что их встреча – если она дойдет до результата – будет следствием небывалой совокупности событий, динамике которых они всего лишь подчиняются.

Она вынула зеркальце и размышляла над всем этим, поправляя косметику. И в тот момент, когда в голову ей пришла «совокупность событий», она не удержалась и громко рассмеялась, глядя на свое отражение.

«С каких это пор, – подумала она, – я стала придумывать такую чушь, да еще с использованием псевдонаучного языка?»

Таксист как раз остановил машину перед входом в здание, где размещается ее фирма, и, видимо неверно истолковав этот смех, решил попытать счастья. Повернувшись к ней, он предложил:

– Куколка, а ты не хотела бы, чтобы я прокатил тебя на край света? Разумеется, с выключенным счетчиком. Так хочешь?

Он смотрел на нее, сально усмехаясь и приглаживая остатки жирных волос. Когда он в усмешке щурил глаза, она заметила две большие точки, вытатуированные у него на веках. Она решила не комментировать вопрос, прежде чем выйдет из машины. Не произнеся ни слова, она отсчитала сумму, указанную на счетчике. Отдала деньги и, стоя уже в безопасности на улице, бросила:

– Нет. Не хочу. Для меня край света находится дальше, чем ваша, милейший, дача где-нибудь в окрестностях Варшавы.

Она захлопнула дверцу и быстро вошла в здание, чтобы не слышать его комментариев.

В подобных ситуациях у нее неизменно возникал вопрос, неужели Якуб и, скажем, этот таксист принадлежат к одному и тому же виду.

Кто является мутантом — Якуб или этот таксист? Она решила при случае спросить у Якуба. В конце концов, он известный генетик и должен знать.

Она вбежала в их комнату. Где-то в конце коридора гудел пылесос уборщицы. Она бросила сумочку на стул около окна, нажала фиолетовую клавишу, включающую ее компьютер, вытащила телефонную трубку из зарядного устройства аккумуляторов и, направляясь в кухню, набрала номер Алиции.

— Аля, можешь укладывать вещи. Едем в воскресенье утром. Завтра встречаемся, где всегда, я сообщу все детали. Боже, как я рада! Аля, ты знаешь, он тоже там будет. Целый день. И целую ночь. Ладно, все. Позвони Асе.

Она достала из холодильника минеральную воду, разорвала серебристый пакетик с лимонной кислотой и высыпала содержимое в стакан. Вернулась к себе в комнату. Подключилась через модем к Интернету. Запустила поисковую программу. Нашла сайт аэропорта Шарля де Голля в Париже. После недолгого поиска вывела на экран цветной, очень подробный план фрагмента терминала, на который прилетают из Нью-Йорка самолеты линии TBA. Он ведь оттуда прилетит. Некоторое время она сосредоточенно изучала этот план.

Принтер, стоящий на столе у окна, еще продолжал выдавать страницы с планом аэропорта, а она уже включила почтовую программу. Волнуясь, принялась печатать:

Варшава, 11 июля.

Якуб, хотя в нашем случае это почти невозможно, я впервые каким-то необъяснимым и магическим образом чувствую, что ты находишься страшно далеко. Я прочитала почти все о Новом Орлеане и даже побывала на веб-странице твоего отеля «Дофин». Но ничего не помогло. Я скучаю по тебе еще сильней и совершенно иначе. Как будто твое пребывание в Новом Орлеане в чем-то отличается от пребывания в Мюнхене. Но скоро ты возвратишься. Осталась всего неделя.

Утром в четверг 18 июля ты приземлишься в Париже. Выйдешь через двери рядом с большой световой рекламой «Эр Франс» и свернешь налево, пройдешь мимо стоек «TBA», а потом мимо маленького цветочного магазинчика рядом с газетным киоском. Когда будешь там проходить, иди помедленней.

Я буду стоять там и ждать тебя.

На мне будет зеленое платье, и глаза у меня, несомненно, будут зеленые. Когда я счастлива, у них всегда такой цвет.

Она щелкнула мышью — «отправить»; письмо ушло. Заказала по телефону такси. Выключила компьютер. Уборщица все еще работала, когда она уходила. Уходила странно взволнованная и немножко грустная.

«Почему он так страшно опоздал, — подумала она, — так поздно появился в моей жизни? Опоздал всего на одно „да“».

Сообщение о ее поездке в Париж муж воспринял на удивление спокойно. Ей даже показалось, что он обрадовался тому, что на неделю остается один. Это было как укол иглой. Он обязан был хотя бы недолго, но протестовать. А потом позволить себя убедить, что «она имеет право», что «три года они никуда не ездили» и что «это предложение бюро путешествий просто счастливый случай», тем более что «они с Асей и Алицией давно мечтали о такой поездке в женской компании». Но ничего этого не было. Муж молча выслушал ее, уставившись на экран компьютера, где менялись схемы проекта, над которым он работал, бросил «о'кей» и снова погрузился в работу.

Этот холод между ними, ставший в последнее время просто зримым, существовал еще «до Якуба». Задолго до. И тогда воспринимался ею еще болезненней, чем сейчас. Может, поэтому тепло, которое принес с собой Якуб, так действовало на нее, что она была готова к всевозможным безумствам наподобие этой поездки в Париж. И тем не менее равнодушие мужа, в этих обстоятельствах крайне удобное, уязвило ее.

«Возможно, — думала она, — так устроено в мире, что женщина, если у нее есть такой шанс, хотела бы быть самым главным в жизни как можно большего числа мужчин. Женщина может любить одновременно двух мужчин до тех пор, пока один из них не узнает об этом». А уж это ей было совершенно ясно.

Но, правда, она не была уверена, любит ли еще мужа.

О своих чувствах к Якубу она предпочитала не задумываться. Все может измениться, когда он появится в реальности. Когда его можно будет увидеть, прикоснуться к нему, услышать его голос. В ее диспутах с собственной совестью «измениться» должно было означать, что она каким-то образом опомнится, встретившись с подлинным Якубом. Она встретит его, увидит нормального человека, может, даже очаровательного, но скорей всего это не будет как «безумие» на картине Подковиньского, которая в последнее время вспоминалась ей, после того как Ася однажды утром вытащила ее на выставку этого художника.

А о том, что будет, если «измениться» будет означать нечто совершенно противоположное, она предпочитала не думать.

«Расскажу все Асе», — подумала она. По дороге до Парижа у них будет масса времени все обсудить.

Однако, уже сидя в автобусе и глядя на сидящую напротив Асю, целиком поглощенную чтением новой книжки Гретковской, она усомнилась, есть ли смысл в решении все ей рассказать. Что сможет сказать ей любящая поэзию математик, смирившаяся с судьбой жена биологического отца своей дочери? Она либо объявит, что это уравнение неразрешимо и должно быть просто-напросто проигнорировано как несущественное, либо скажет, что Якуб — это единственно возможное решение. Однако она к обоим этим ответам пока еще не была готова.

С минуту она смотрела на Асю. А та читала книгу всем своим существом. Вздыхала, улыбалась, покачивала головой, прикрывала глаза и на миг задумывалась, чтобы тотчас вернуться к чтению. Она так переживала все и всегда. Этакий синдром прогрессирующей сверхвпечатлительности. В первый раз она заметила его у Аси в тот месяц, что они вместе провели в окрестностях Нима.

Это было несколько лет назад. Они обе еще учились.

Кончался август. Они отмечали ее день рождения. Ася подошла к ней в кухне, когда они там оказались вдвоем, и сказала:

— Около Нима на юге Франции огромные виноградники. Мой знакомый собирает там виноград уже несколько лет. Место красивое и платят неплохо. Не хочешь поехать со мной? Но решить ты должна прямо сейчас. Он ждет ответа.

Через неделю они ехали поездом в Берлин. А от Берлина до Нима решили добираться автостопом. Разумеется, родителям она об этом не сказала. Они бы ее ни за что не отпустили. Но когда Ася предложила автостоп, она ни минуты не колебалась. Их двое. Что может с ними случиться? И впоследствии она ни на минуту не пожалела о принятом решении. Это было замечательное приключение. Все шло лучше не придумаешь. До Лиона. А там удача отвернулась от них.

Из Берлина на автостраду, ведущую на юг, их отвез железнодорожник, у которого Ася спросила дорогу. Говорил он только по-немецки, о существовании французского даже не догадывался, а из английского знал лишь отдельные слова. Он улыбался Асе, в десятый раз объясняя, как проехать через весь Берлин от вокзала ЦОО на кольцевую автостраду. С каждым разом он говорил все медленней, убежденный, что если произносить фразы медленно, то будет понятней. Было видно, что Ася ему нравится. И вдруг он достал из кармана уоки-токи и произнес что-то по-немецки. Потом схватил Асю за руку и быстро повел ее по туннелю к выходу в город. А она бежала за ними. Через час он высадил их у бензозаправочной станции на автостраде, ведущей во Франкфурт-на-Майне. Нашел им достойную доверия машину и, прощаясь, украдкой сунул Асе карточку с адресом и номером телефона.

До Франкфурта они ехали с американцем, военным из специального подразделения американской армии, квартирующего недалеко от города. Американец этот — редкостный случай — прекрасно говорил по-французски. Его страшно веселило то, что Ася разговаривает с ним на французском, а она на английском. Никогда еще она не встречала мужчину с такой красивой улыбкой.

Город Ним он знал. Там он останавливался во время поездки на Лазурный берег, где ежегодно проводил отпуск вместе с детьми. Она поразилась, услышав, что у него четверо детей и он сам воспитывает их, потому что его жена, которая тоже служила в американской армии, погибла при попытке взрыва американского посольства в Тель-Авиве. После того как он это сказал, в машине стало тихо-тихо.

Тишину прервала Ася, попросив американца остановиться на следующем паркинге. Там она побежала в телефонную будку. А когда вернулась, сказала по-польски:

— Знаешь, а этот железнодорожник из Берлина успел выучить несколько слов на польском. Мне стало так грустно, и я почувствовала, что обязана позвонить ему и еще раз поблагодарить. Он сделал гениальную вещь, подвезя нас на автостраду. Представляешь, он чуть не онемел, когда услышал меня. А в конце страшно смешно, как ребенок, произнес: «Дзенькуем, пани».

Во Франкфурте американец довез их до студенческой конторы, которая занималась тем, что помогала дешево доехать на попутной машине в любой крупный город Европы. Так, например, за небольшие деньги можно было добраться до Лиона. Американец перегрузил их рюкзаки в багажник черного «БМВ», стоящего у конторы, о чем-то поговорил по-немецки с водителем, а потом сказал им, чтобы они пересели в «БМВ». Они даже не успели попрощаться с ним: водитель «БМВ» мгновенно резко рванул с места. Она смотрела на этого американского военного и думала о его жене, погибшей в Тель-Авиве.

К Лиону они подъехали под утро, но застряли в гигантской пробке, которую удалось ликвидировать лишь после полудня. Жара доходила до тридцати пяти градусов. Водитель без конца ругался. Они вторили ему. Потом со скуки научили его ругаться по-польски. Когда они высаживались на окраине Лиона, у них были все основания гордиться собой. Водитель, молодой белокурый немец в элегантном костюме от хорошего портного, сидя в своем декадентски оформленном «БМВ» с кондиционером, сосредоточенно ругался, как последний ханыга у пивного ларька на Воле. И вдобавок в перерывах, когда движение на шоссе замирало, записывал транскрипции всех ругательств, которым они его научили. Поразительная педантичность! Хотя, может, у немцев так принято, и они все записывают.

Но время поджимало. Завтра утром им следовало явиться на ферму под Нимом, если они рассчитывали получить работу. Ближе к вечеру на окраине Лиона их взял с собой испанский грузовик. У водителя была стоянка в Ниме.

Когда Ася увидела на указателе «Авиньон», то тут же поинтересовалась у шофера, тот ли этот Авиньон, в котором на мосту «танцуют девушки и парни». И когда услышала, что тот самый, упросила водителя свернуть с автострады в город и высадить их там.

— Я не простила бы себе, если бы проехала мимо этого города, не увидев моста. Ведь ты тоже не простила бы себе, правда же? — оправдывалась Ася. — Мы поглядим на мост, перекусим и поездом доедем до Нима. Ну не дуйся ты, — уговаривала ее Ася.

Да, конечно, и она тоже хотела увидеть этот мост. К тому же она давно уже не была такой голодной. От самого Франкфурта у них во рту не было и маковой росинки.

Мост был как мост. Ничего особенного, достойного такой славы, в нем не было. Единственная драматическая деталь: он неожиданно кончался посреди реки, не доходя до другого берега. Это, конечно, заставляло работать фантазию. Но только у тех, кто не знал историю его разрушения. Но Асе она была досконально известна, так что для фантазии места не оставалось.

Они прошли до самого конца моста и присоединились к находившимся там туристам. Уселись на рюкзаки. Расстегнули блузки и стали загорать.

А когда они пришли на вокзал, оказалось, что в Ним, находящийся на расстоянии ста километров, уже ничего не идет. Тогда они вернулись к мосту и разбили палатку, которую Ася взяла «на всякий случай». Хоть это и было нарушением правил, но ночь они провели под авиньонским мостом, укрывшись вместе с палаткой за стоящим на паркинге грузовиком.

На ферму они приехали с опозданием на полдня. Сборщики винограда были уже набраны. Молодой алжирец, занимавшийся набором рабочих, лишь разводил руки и изображал, что он огорчен. Она помнит, как со слезами на глазах она мысленно проклинала Авиньон, Асю, Эву Демарчик, певшую про этот идиотский мост, и алжирца, который ничем им не мог помочь. И тут в винный погреб, где была конторка алжирца, вошел огромный мужчина. Он был в белой футболке, испачканной кровью, и кожаном переднике, перепоясанном по бедрам широким ремнем. Несмотря на жару, на ногах у него были галоши. И тоже красные от крови. Выглядел он совершенно жутко. Алжирец приветствовал вошедшего как хорошего знакомого, не обращая ни малейшего внимания на его вид. Когда этот мужчина подошел к холодильнику и повернулся к ним спиной, доставая коробку с минералкой, они увидели на спине его футболки черную поблекшую надпись «Варшавский университет». Алжирец принялся что-то ему рассказывать, указывая на них. Гигант подошел к ним и, краснея, как мальчик, сказал по-польски:

— Рядом есть еще одна ферма. Там выращивают цветную капусту. И им как раз нужны рабочие. Платят они меньше, чем на сборе винограда, но поработать можно дольше чем две недели. Если хотите, он позвонит и спросит, примут ли вас.

Они хотели. И еще как.

Уже со следующего дня они вставали в пять утра и ехали с семьей владельца фермы на поле. Работа заключалась в защите цветной капусты от солнца. На левую руку от запястья до плеча надеваешь несколько сотен тонких резинок и подходишь к растущему соцветию цветной капусты — она не представляла себе, что оно может быть таким большим,— оборачиваешь его листьями и концы их скрепляешь резинкой. Это защищает цветную капусту от солнца, поэтому она не буреет, и ее можно выгодно продать.

В пять утра капуста мокрая от ужасающе холодной росы. Поле, которое им досталось, имело в длину шесть километров. Надо было все их пройти, наклониться над каждым растением, обнимая его, как ребенка, и надеть резинку. После нескольких наклонов ты вся мокрая и дрожишь от холода. В полдень тоже мокрая, но теперь уже от пота; от зноя не укрыться, так как на капустных полях нет деревьев. А когда доходишь до края поля, надо поворачивать обратно. Обратный путь — те же шесть километров. По-настоящему помнишь об этом, когда обнимаешь первый кочан первого километра.

После первого дня она ненавидела всю цветную капусту, какая только есть на свете, и того, кто привез ее в Европу. После второго левая рука у нее была синяя, оттого что в течение десяти часов ее сжимали резинки. А на третий день после получения платы за трехдневную работу ненависть к цветной капусте заметно уменьшилась, да и рука уже не была такой синей.

В тот день они решили проведать великана в футболке Варшавского университета. Они знали только его имя — Анджей, однако ничуть не сомневались, что отыщут его, полагая, что не так уж часто на французских виноградниках работают такие великаны, тем более из Польши.

На заработанные деньги они купили несколько банок пива и коротким путем, через поле цветной капусты, направились к знакомому винному погребу. Обе они пребывали в отличном настроении. На полпути они открыли по банке пива, пили его, смеялись и шутили. Капустное поле кончилось, и тут с боковой дороги выехал человек на велосипеде. Они спросили у него, как найти Анджея. Похоже, его тут знали все. Человек сказал, что Анджей работает возле хозяйственных строений, что в нескольких сотнях метров за винным погребом. Когда они приблизились к этим строениям, там раздавалось громкое коровье мычание.

Потом они шли, сдерживая дыхание из-за чудовищной вони, мимо длинной беленой стены скотного двора. Пройдя ее, они, все так же сжимая в руках банки с пивом, в самом наилучшем расположении духа вышли на некое подобие хозяйственной площадки.

Того, что они увидели, она не забудет до конца своих дней.

От ворот скотного двора в сторону поля тянулось некое подобие коридора, образованного из рыжих от ржавчины металлических прутьев. В некоторых местах сварка раскрошилась, прутья оторвались от направляющих и наклонились внутрь коридора. У самых ворот на возвышении из брусьев стоял молодой парень с бутылкой пива в одной руке и длинным электродом вроде того, какой используют электросварщики, в другой. Просунув электрод между прутьями ограждения, он тыкал им загривки коров, которых выгоняли из коровника. Получив удар током, испуганные коровы бросались в паническое бегство, натыкаясь о торчащие прутья. В конце коридор резко поворачивал и сильно сужался. Корова, чтобы протиснуться через это сужение, замедляла бег. Миновав его, она выходила на бетонированную круглую площадку. Посреди ее стоял Анджей в том самом кожаном фартуке. На руках у него были длинные, до локтей, черные перчатки. В правой руке он держал тяжелый молот из тех, какими вбивают колья в землю или дробят щебень. Когда корова появлялась на площадке, Анджей одним могучим ударом молота между глаз разбивал ей череп. С каким-то жутким хрипом корова рушилась на бетон. Из ушей, а иногда и из пустых глазниц, если Анджей наносил неточный удар, у нее текла кровь, перемешанная с сукровицей и слизью из разбитых глазных яблок. На площадку выезжал аккумуляторный погрузчик, какие на складах используют для перевозки штабелей ящиков, огромными стальными вилами, покрытыми прилипшими клочьями окровавленной шерсти, подхватывал еще конвульсивно содрогающуюся корову и увозил в расположенное неподалеку здание. На площадку выходило следующее животное.

Ошеломленная отвратительной жестокостью, она резко повернулась и бросилась бежать. Аси рядом с ней не было, но краем глаза она заметила, что Ася стоит на коленях в высокой траве и ее рвет. Но тогда она даже не подумала остановиться. Ей хотелось поскорей оказаться как можно дальше от этого места. Остановилась она только на капустном поле. Села в борозде между двумя рядами цветной капусты и с отвращением подумала о беспредельной человеческой жестокости.

Из размышлений ее вырвал крик Аси, которая, увидев ее сидящей среди капусты, страшно перепугалась.

Ася подошла и села рядышком. Какое-то время они молчали. Потом она встала, отряхнула землю с брюк и с ненавистью произнесла:

— Если насчет перевоплощения это правда, то желаю этому гадскому палачу в следующей жизни быть коровой. И родиться в окрестностях Нима.

Через неделю они привыкли к цветной капусте. На поле они проводили практически целый день. Затем возвращались в маленькую хозяйственную пристройку, в которой фермер устроил комнаты для рабочих. И они опять были вместе. Готовили ужин, разговаривали. Вообще они были очень похожи на супружескую пару, работающую на одном предприятии. Наверное, не осталось такой темы, которую они не обсудили бы. Обе чувствовали, что их дружба с каждым днем становится все крепче. По многим проблемам мнения у них отличались, но они уважали чужие взгляды и с интересом выслушивали аргументы друг друга.

Время летело быстро. Они ходили по полю и в течение восьми, а то и более часов прижимали к себе цветную капусту. При этом рассказывали друг другу невероятные истории, пели и подсчитывали заработанные деньги.

Произошло это буквально за неделю до возвращения в Польшу.

Была страшно жаркая суббота, и в тот день на поле вышла вся семья фермера. Пока взрослые работали, четырехлетний Франсуа, жизнерадостный блондинчик с нежным, как у девочки, лицом, и его восьмилетний брат Теодор, любимчик отца, отдыхали в тени дерева у дороги. За детьми следила Броуни, золотистый ретривер. Она ни на шаг не отходила от ребят. Ася, любившая всех живых существ от жучков до лошадей, считала, что собака — единственный друг, которого можно себе купить, а уж Броуни она купила «за любые деньги, какие у нее есть и какие еще будут».

Трудовой день шел к концу. Они нагрузили ящики с цветной капустой на прицеп старого грузовика «шевроле» и уже готовились отправиться домой. Теодор упросил родителей разрешить ему ехать впереди на детском велосипеде.

Земля была сухая, потрескавшаяся и покрыта светло-коричневой пылью. Когда машина тронулась, пыль поднялась, и вскоре уже на расстоянии метра ничего не было видно. Вдруг откуда-то появилась Броуни. Вела она себя странно: отчаянно лаяла, пыталась укусить передние скаты «шевроле». И вдруг в буквальном смысле слова бросилась под правое переднее колесо грузовика.

Машина переехала ее и остановилась.

Пыль осела. Меньше чем в двух метрах от радиатора в небольшой впадине лежал под своим велосипедом Теодор и горько плакал. Еще несколько секунд, и «шевроле» переехал бы его.

Ася сидела спереди между ящиками с капустой и все видела. Она спрыгнула с прицепа, залезла под «шевроле» и вытащила Броуни.

Броуни была мертва.

Теодор встал и укатил на велосипеде как ни в чем не бывало. Ася стояла на коленях перед мертвой Броуни и гладила ей морду. Страшно было подумать, что случилось бы, если бы не собака. Все молчали, и, видимо, все думали об этом. Отец Теодора тоже. Ведь это он вел «шевроле». Не кинься Броуни под колеса, он задавил бы собственного сына. Она бросила взгляд на него. Белый как мел и дрожащими пальцами пытался достать сигарету из пачки. Его жена, сидевшая рядом с ним на пассажирском месте, все время притрагивалась рукой к лицу и что-то шептала.

Потом отец Теодора вылез из кабины, подошел к Броуни, поднял ее, коснулся губами загривка, прижал к груди и понес через поле домой. Никто не пытался его остановить.

И вот теперь, через столько лет, сидя в автобусе, еду-щем в Париж, она, вспомнив это событие, задумалась, а не испытывала ли тогда Ася такой же стыд, как она.

Стыд за то, что ты человек.

А у нее было такое чувство. На поле под Нимо тились лицом к лицу самоотверженный героизм жи и человеческая жестокость. С того места, где Броуни бро-силась под колеса «шевроле», видны были стены коровника.

Как-то она беседовала на эту тему по ICQ с Якубом. Он, как обычно, первым делом все свел к генетике. Генетическая карта собаки отличается от человеческой очень немного, разница, можно сказать, исчезающе малая. Просто группе двуногих млекопитающих, известных под названием люди, в цикле развития удалось ухватить чуть больше мутаций. Да и у Дарвина тоже на его знаменитом древе ветка, на которой сидят собаки, находится немногим ниже той, где с такой горделивостью расположились табором люди. Со своей самой верхней ветви они с презрением смотрят на все, что ниже них. Они чертовски горды собой. Ведь только они, а не какой-нибудь там начальный вид эволюционировал настолько очевидно, что обрел способность говорить.

Тогда в Ниме — да и сейчас тоже — она была абсолютно убеждена в одном: если бы мир выбрал иной сценарий развития, дав, к примеру, всем видам одно и то же количество мутаций, и если бы собаки умели говорить, они все равно никогда бы не унизились до того, чтобы заговорить с людьми.

В той беседе с Якубом о собаках и людях она, естественно, рассказала ему историю про Броуни. К ее великому разочарованию, он не разделил ни ее удивления, ни волнения, которое до сих пор вызывает в ней это воспоминание. Он считал, что Броуни сделала это вовсе не из любви или привязанности к Теодору, а «из чувства долга», вдобавок не имеющего ничего общего с чувством долга ответственных, способных предвидеть будущее людей. У Броуни «чувство долга» было результатом дрессировки, точно так же, как результатом дрессировки является «чувство долга» запуганных, панически боящихся своего начальника подчиненных, которые готовы на все, лишь бы их не уволили. В результате дрессировки Броуни боялась наказания за то, что оставила Теодора без присмотра, но, будучи собакой, не обладающей когнитивным предвидением, она не могла знать, что произойдет, когда ее переедет грузовик. Поэтому, когда все остальные ее действия не дали результата, она бросилась под колеса.

Она читала его лишенное эмоций логическое объяснение и чувствовала, как у нее на глазах эта история с Броуни утрачивает ауру легенды. И она подумала, что даже если он прав, то мог бы удержать при себе этот вывод. Тоже мне ученый нашелся! Что он может знать о Броуни, кроме того, что у нее, как у всех собак, были гены? А того, как Броуни смотрела на Теодора, не передаст никакая программа последовательности генов. Никогда.

Через несколько недель они совершенно случайно вернулись к тому происшествию в Ниме. Якуб умел так направлять их разговоры по ICQ, что в них часто возникала тема Бога. Она в Бога не верила; ее контакт с Церковью завершился обрядом крещения, на который ее родители пошли главным образом для того, чтобы к ним не цеплялись соседи.

В самом начале их знакомства ее слегка раздражало, что Якуб при своем научном и безоговорочно рациональном подходе к миру так часто ссылается на Бога. Когда человек подвергает, подобно Якубу, сомнению практически все аксиомы и общепризнанные истины, его тяготение к понятию, до такой степени основанному на вере и на нерациональном по самой своей сути идеализме, звучит диссонансом. Уже после, внимательно вчитываясь в то, что он писал о религии, теологии и своей вере, она стала этот диссонанс минимизировать. И он совершенно исчез, когда она однажды прочитала в его мейле:

И хоть я более или менее знаю, что происходило в первые несколько десятков секунд после Большого Взрыва, и знаю, как из глюонно-кварковой плазмы начала создаваться эта неоживленная Вселенная, тем не менее не могу избавиться от впечатления, что весь этот проект мог возникнуть только в бесконечном разуме некоего Конструктора. И я никогда также не слышал о какой-нибудь научной конференции, где читались бы доклады о существовании или несуществовании Бога. Подобных конференций не устраивал даже Сталин, а он, не дрогнув, взялся исправлять генетику — ты, наверное, слышала о его придворном биологе Лысенко, — чтобы марксисты не наследовали, избави бог, аристократическим предкам. Нет абсолютно никаких причин, кроме психологических, которые воспрепятствовали бы мне верить в Бога лишь потому, что существуют черные дыры и действует заумная теория струн. Идея Творца становится еще соблазнительней, когда от кварков переходишь к жизни. Возникновение жизни на клочке материи, каковым является наша Земля, служит доказательством, что невероятные события все-таки случаются. И совсем уж невероятно, с точки зрения вероятностных моделей, существование человека, который, даже если не принимать во внимание разум, обладает телом, являющимся такой сложной системой, что невольно возникает идея существования Великого Программиста. Некоторые считают, что Бог запустил программу и на том роль его закончилась. Программа исполняется сама без его участия и вмешательства. Так полагают деисты. Порой, когда я вижу, сколько зла вокруг, я начинаю думать, что они правы.

Кстати, о теле. Ты не расскажешь мне сегодня что-нибудь о своем теле? О селезенке и поджелудочной железе можешь умолчать. Сосредоточься на груди, а потом перейди к губам. О нижней части живота пока ничего не рассказывай. К этому я еще не готов.

Вот такой он, Якуб! Способный от кварков, глюонов и идеи Творца без малейших колебаний перейти к тривиальной эротике. Притом происходило это так естественно, что она не могла даже убедительно изобразить негодование.

Тогда это вовсе не было «провокацией воинствующей атеистки». Она спросила из чистого любопытства. Просто однажды ей вспомнилась сцена с жестоким убийством коров в Ниме. Воспоминание это всегда пробуждала в ней агрессию. Она подробно рассказала ему, как все происходило. И опять впала в ярость от воспоминаний. На этот раз к ярости добавился циничный сарказм, и она написала ему:

ОНА: Как так получается, что христианская Церковь, и не только католическая, соглашается с убийством животных? Или их страдания для Бога не имеют ни малейшего значения?

Ведь это же он сотворил всех животных. К тому же животные не должны страдать из-за первородного греха, так как они его не совершали. Это не их праматерь сорвала запретный плод с древа познания, чтобы обрести знание и получить капельку наслаждения. Ни жеребца, ни кобылы, которые заслужили изгнания из рая, ведь не было. Животных вовсе не касается, о чем ты знаешь даже лучше, чем я, коллективная ответственность — кстати, нелепая коллективная ответственность больше всего отталкивает меня от религии — за поступок грешной женщины, подговорившей отведать яблочка слабого мужчину, который тотчас же наябедничал Богу. Животным не за что молить об искуплении.

Между прочим, Якуб, ты мог бы, хотя бы сквозь зубы, похвалить мою теологическую эрудицию. Я уверена, что хоть я и не хожу святить яйца на Пасху, но о воскрешении Христа знаю поболе, чем большинство служек в костеле в нашем квартале. Так похвалишь?

А может, страдания животных все-таки имеют значение? Может, Бог до того занят придумыванием новых форм страдания для грешных людей, что на предупреждение страданий безгрешных зверей у него просто не хватает времени и он откладывает эту проблему на потом?

Не пиши только, что такова логика нашего мира. О том, что это неправда, знает даже глубоко и искренне верующая моя соседка, имеющая неполное среднее образование, и потому она вступила в Лигу защиты животных.

Спрашиваю я, потому что недавно видела по телевизору репортаж об одной скотобойне на юге Польши. Камера в широком ракурсе показала со всеми деталями подвешенных за задние ноги коров с перерезанными горлами, из которых в ведра стекает кровь. На заднем плане невозможно было не заметить крест, висящий на стене над дверьми, ведущими в морозилку. Я была несколько удивлена этим крестом. Но потом сказала себе, что это, очевидно, была сакральная скотобойня.

Насколько я знаю Церковь, у нее, наверное, есть и по поводу животных какие-нибудь логические объяснения. Якуб, если они тебе известны, объясни мне, пожалуйста.

ОН: Нет, у них нету. И вообще объяснение крайне неловкое и мало кого убеждает. Если ты успела уже успокоиться после прилива гордыни и торжества, оттого что «именно так думала», и обещаешь мне, что постараешься прочесть мое послание без чувства превосходства, я напишу тебе все, что знаю на этот счет.

ОНА: Не было у меня чувства торжества. Животные для меня гораздо важней, чем минутная победа бездушного атеизма над милосердным христианством. Поэтому я абсолютно без труда могу обещать тебе то, о чем ты просишь. Так как же христиане объясняют согласие Бога с мучениями животных?

ОН: Туманно и по-разному, в зависимости от силы веры. Некоторые считают, что ощущения, а следовательно боль и страдания, происходят в душе. А поскольку, по их мнению, животные лишены души, то и страдать они не могут. Теория эта исключительно неправдоподобная, так что Церковь предпочитает забыть о ней. В то же время некоторые генетики склоняются именно к такому подходу. В рамках этой теории полностью оправдана вивисекция крыс в научных целях.

Другие объяснения куда логичнее. Страдание является страданием уже по самому факту его длительности. Но даже если Броуни испытывала некие ощущения, то в соответствии с этой теорией она не наделена была сознанием. А только благодаря сознанию, страдая в данный момент, можно предвидеть, что, вероятней всего, будешь страдать и в следующие. Неспособность осознать грядущую продолжительность страдания приводит к тому, что животные страдают гораздо меньше. К такому выводу пришел один английский философ по фамилии Льюис. Он никому не сказал, каким образом он добыл эту информацию, тем паче что из его биографии следует, что он не ездил верхом на лошадях и даже собаки у него не было.

Льюис тоже до конца не знал, почему животные, хоть они и не согрешили, вообще должны страдать. И он все свалил на дьявола, который якобы подстрекнул животных ко взаимному пожиранию. Одним словом, во всем виновен дьявол. Бог этого не хотел.

Еще один англичанин по фамилии Гич фактически превратил Бога в Великого Конструктора, абсолютно лишенного совести. Он считал, что Бог, проектируя живой мир, подверженный эволюции, ни в коей мере не думал о минимизации страданий ни людей, ни тем более животных. Гича никто не принимал всерьез, иначе как согласовать облик бесконечно доброго отца, разделяющего страдания со всем, что он создал, и предложенный Гичем образ Бога в виде руководителя проекта под названием «Эволюция». Уж лучше согласиться с дьяволом Льюиса.

ОНА: Так считают два англичанина, о которых я в первый раз слышу. А что ты об этом думаешь?

ОН: Меня это беспокоит. Я не способен объяснить. Любое страдание, которое не является ритуалом какого-нибудь искупления, не представляет собой кару за некую провинность, беспокоит католика. А Броуни... Броуни доказывает, что беспокойство совершенно справедливо. Когда я прочел то, что ты написала про Броуни, у меня от волнения дыхание в горле перехватило.

Вдруг она почувствовала, что кто-то осторожно трогает ее за руку. Ася.

— Проснись. Ты говоришь во сне. Мужчина, что сидит за нами, даже в проход наклонился, чтобы услышать, что ты говоришь.

Видно, она задремала. В последнее время с ней это часто случалось. Она научилась переходить от мысли в сновидение, не замечая разницы.

— Где мы? — поинтересовалась она.

— Проезжаем Берлин, — ответила Ася, протягивая ей пластиковый стаканчик с кофе из термоса. — Алиция, похоже, уже планирует совместное будущее с тем молодым человеком с плеером. От самой Варшавы они сидят вместе. Она уже успела положить ему голову на плечо. Симпатичный мужчина. А кто такой Якуб? Ты раза два повторила сквозь сон это имя.

ОН: Кладбище City of Dead St. Louis, потому что таково его официальное название, хотя все зовут его просто Dead City, являет собой один из самых угрюмых образчиков американского китча. И хотя в путеводителях по Новому Орлеану оно именуется одной из главных достопримечательностей города, Якуб считал, что кладбище, «бурлящее жизнью», как написал о нем в одном из путеводителей какой-то вдохновенный графоман, могло возникнуть только в Америке.

Кладбище напоминает миниатюрный город. Надгробия, а точней сказать гробницы, возвышаются над поверхностью земли и неодолимо ассоциируются с домами. У одних есть фасады с дверьми, около других небольшие палисадники с оградой и калиткой, возле некоторых имеются пышные фонтаны, а кое-где на дверях дома-гробницы или у калитки повешены почтовые ящики. Перед большинством гробниц торчат высокие мачты, на которых развеваются американские флаги. Впрочем, не только американские. Иногда встречаются канадские, итальянские, иногда ирландские, есть даже польские.

С удивлением Якуб отметил, что практически ни на одной могиле нет свечек. Зато есть галогеновые прожекторы, которые включаются и выключаются фотоэлементами в зависимости от поры дня и направлены на фронтоны гробниц.

То, что он здесь видел, было не так уж и оригинально. Египтянам подобная идея пришла несколько тысяч лет назад, и они строили пирамиды, а американцы совсем недавно сотворили из нее пирамидальный Диснейленд. Неторопливо шагая по кладбищенской аллее, он все ждал, что вот-вот увидит «Макдоналдс» или автомат с «кока-колой».

Миновав часовню, он пошел медленней. В полутора десятках метров от нее между двумя огромными гробницами в тени апельсинового дерева находилась небольшая плита из черного мрамора, на которой была закреплена мраморная ваза.

В вазе стояли белые розы.

На плите сверкала под солнцем позолоченная надпись:

Хуан (Джим) Альварес-Варгас.

Кроме имени и фамилии, никакой другой информации на плите не было.

Ничего. Абсолютно ничего. Скромность этой могилы среди демонстративной пышности прочих бросалась в глаза. Хоть плита была очень маленькая, вокруг нее простирался непропорционально большой свежеподстриженный газон.

Он подошел к могиле Джима, опустился на колено и первым делом прикоснулся к лепесткам роз в вазе. И сразу же переместил ладонь на нагревшуюся от солнца черную плиту. После смерти родителей он очень часто бывал на кладбищах. Словами он не смог бы объяснить, но ему казалось, что, прикасаясь к их могилам, он входит с ними в контакт. Когда он разговаривал — а делал это он часто — с умершим отцом или матерью, он всегда преклонял колено и клал руку на надгробную плиту. Точно так же поступил он и здесь.

Джим. Наконец он отыскал его.

Джим был одним из его немногих друзей. Джим изменил его, изменил его мир, научил дружбе, пытался научить, что самое главное — ничего не изображать. Но до конца так и не сумел научить. Главным образом потому, что он понимал жизнь иначе, чем Джим. По Джиму жизнь слагалась только из тех дней, которые заключали в себя волнение. Все другие не шли в счет и были подобны времени, потерянному в приемной дантиста, где нет даже газет, хотя бы позавчерашних.

И Джим искал волнение везде — в женщинах, которых он способен был поначалу почитать и боготворить, а потом бросал без всяких угрызений; в книгах, которые он порой покупал на последние деньги, даже зная, что у него не останется на сигареты; в спиртном, которым он глушил свои страхи; в наркотиках, которые «помогали ему извлечь подсознание на поверхность».

Подсознание было его хобби. Пожалуй, он знал о нем больше, чем сам Фрейд. И похоже, как Фрейд, проводил с ним разнообразнейшие эксперименты. Был у него период, когда он медитировал, помогая себе опиумом. И период, когда он преднамеренно причинял себе боль — парадоксально, но в момент физической боли на энцефалограмме мозга появляются точно такие же волны, как при оргазме,— нанося себе раны или покрывая свое тело татуировкой. К боли как к наркотику он прибегал, когда у него не было денег на то, что можно вдыхать, глотать либо вкалывать. Но в основном он «извлекал» подсознание на поверхность с помощью разнообразных химических веществ. Волшебными психоделическими грибами он «высвобождал свой разум», когда шел в галерею на выставку и хотел увидеть больше, чем другие. ЛСД он принимал, когда начитался статей о психоанализе и хотел самостоятельно, без участия психотерапевта, «проанализировать» себя. Амфетамин же, когда «проникал в свой внутренний космос, настраивался и отключался». А кокаин, когда не мог справиться с поражениями и нужно было выбираться из депрессии, чтобы почувствовать, что «все еще стоит заставлять себя дышать». Это вещество было необходимо ему чаще всего.

И хоть Джим не признавался в этом, в конце концов он впал в зависимость от этих «веществ». Главным образом психически. Джим увлекался всем связанным с мучительным вопросом: «Что было в самом начале?» Он мог часами говорить о черных дырах, теории струн, сжимающейся или расширяющейся Вселенной, растяжении времени и книгах Хокинга[1], который был для него культовым писателем. Да, именно писателем. Как Фолкнер, Камю и Миллер, а не ученым и физиком, как Эйнштейн или Планк. Притом, по мнению Джима, его болезнь и увечье «при просто безмерном уме и интеллигентности» являли собой доказательство «величайшей победы Гарварда над Голливудом».

— Понимаешь, — говорил он, — некоторые не способны составить нормальную инструкцию по пользованию пылесосом без всяких там «преобразователей вторичного напряжения», а он сумел описать, как возникла Вселенная, не применив ни одного математического уравнения. Иногда я пытаюсь понять, не был ли Хокинг «под химией», когда писал о младенческих вселенных. А если был, очень бы хотелось узнать, какие соединения он принимал.

Джим и сам был способен придумывать собственные теории, а потом менять их после нескольких бутылок пива. Однажды, когда они в разговоре дошли до той «особенной точки» в пространстве-времени, которая, не только по мнению Хокинга, позволяет исключить необходимость начала

---

[1] Хокинг Стивен Уильям (р. 1942) — английский астрофизик, считается одним из выдающихся физиков-теоретиков нашего времени, автор научно-популярной книги «Краткая история времени» (1988). Вследствие заболевания центральной нервной системы с конца 60-х годов прикован к инвалидному креслу и вынужден общаться с помощью синтезатора голоса.

Вселенной, — вовсе не нужно начало, чтобы была середина, поскольку в конце трудно что-либо предполагать, — он вовсю пытался образно растолковать Джиму сущность этой точки, не прибегая к сложным математическим выкладкам. И вдруг Джим прервал его:

— Можешь не объяснять, я чувствую, в чем тут дело. Иногда мне удается войти в такую точку. Делаешь шпагат между прошлым и будущим. Одна нога в прошлом, другая в будущем. Ты одновременно находишься в нескольких пространствах или же в одном, в котором больше восьми или восемнадцати измерений. И у тебя совершенно отсутствует ощущение, что между прошлым и будущим имеется какое-то настоящее. Настоящее просто излишне. Ты можешь одинаково надежно стоять на левой ноге в прошлом или на правой в будущем. И осматриваться во Вселенной. И твоя линейка на письменном столе находится от тебя на расстоянии световых лет, а не в нескольких сантиметрах. И вся эта вселенная заполнена, но только в самом конце «улета» и тоже не всегда музыкой Моррисона, которую играет симфонический оркестр, и впечатление такое, будто видишь каждую извилину мозга Хокинга. Такие особенные точки у меня обычно бывают после чего-нибудь растительного или после грибов. И никогда после тяжелой химии.

После небольшой паузы он, смеясь, добавил:

— Интересно бы знать, не был ли Бог после грибов, когда он мастерил Вселенную.

Наркотики для Джима были катализаторами сознания и подсознания, и принимал он их для того, чтобы постоянно «чувствовать». Когда же ему это не удавалось, у него начиналась «фаза». Он пропадал, отдалялся от близких людей и, не в силах справиться с одиночеством, обрушивался в черную дыру депрессии. Тогда он мог целыми днями лежать на кровати, не открывать глаз, ничего не говорить и реагировал только на боль.

Тем не менее он предпочитал отсутствовать полностью, чем присутствовать частично, а в недостающей части изображать присутствие. Потому он был таким необыкновенным с людьми, знавшими его. Если он оказывался рядом с ними, он всецело был собой. Либо его вообще не было. Но это только для избранных. Всех прочих он попросту не замечал. Они казались ему нейтральной серой массой, потребляющей кислород и воду. Избранным мог быть только тот, кто был «клевый». А «клевым» был тот, кто иногда мог рискнуть и остановиться в крысиной гонке, чтобы оглядеться вокруг.

На следующий день после приезда в Новый Орлеан и поселения у Робин в дверь к нему постучали. Это был Джим. Нервным голосом он произнес:

— Послушай, меня зовут Джим, я живу в соседней комнате, и сейчас мне позарез нужно доллар шестьдесят пять на пиво. Ты не мог бы дать мне в долг на два дня?

Стипендию Якубу должны были перечислить на счет только послезавтра. В кармане у него было около двух долларов, полученных после сдачи банок из-под «колы» и пива, которые он выгреб из мусорного мешка в кухне у Робин. Он собирался купить на них утром хлеба на завтрак и оплатить проезд на автобусе до университета. Но он ни минуты не колебался. Достал кошелек, высыпал все, что там было, и отдал Джиму. А через четверть часа Джим опять постучался и спросил, не хочет ли он выпить пива.

Так началось их знакомство. Однако вскоре невозможно было оставаться всего лишь знакомым Джима. Трудно быть только знакомым человека, о котором ты знаешь, что он без колебаний отдаст тебе, если в этом будет необходимость, собственную почку.

У их дружбы было несколько начал. Никогда не кончаясь, она начиналась многократно. И всякий раз по-другому. Но с того момента, когда они спасали жизнь Ани, Джим стал просто-напросто частью его биографии. Как дата рождения, как первый день в школе и имена родителей.

— Прошу прощения, не могли бы вы сказать, что такого было в этом Альварес-Варгасе, что к его могиле просто настоящее паломничество? — услышал он за спиной.

Якуб резко вскочил, немножко пристыженный тем, что его поймали на том, что он преклонил колено. Он повернулся и увидел пожилого толстяка в темных очках, сидящего за рулем аккумуляторного кара, вроде тех, на каких разъезжают по полю для гольфа. Толстяк был в кожаной ковбойской шляпе, на брючном ремне у него висел сотовый телефон, а к нагрудному карману коричневой рубашки был прикреплен пейджер. У него было загорелое лицо. На передней панели кара виднелась яркая надпись с названием кладбища. Якуб отметил, что, кроме номера телефона и факса, там был также адрес веб-страницы.

«Теперь уже и кладбища online», — с изумлением подумал он.

Человек этот явно работал на кладбище.

— Я, разумеется, мог бы вам рассказать, но вам пришлось бы взять несколько дней отпуска, чтобы выслушать всю историю, — ответил Якуб. — А почему вас это интересует?

— Да причин много. Извините, я не представился. Я — администратор этого кладбища, — сказал толстяк и назвал свои имя и фамилию. — С этой могилой, хотя она тут самая маленькая, одни хлопоты. С самого начала. Сперва три раза переносили похороны, потому что ФБР не выдавало тело. На похоронах практически никого не было, хотя я, как обычно, зарезервировал несколько лимузинов. Я здорово прогорел, потому что платить мне за них никто не пожелал. Пришли только две женщины. Одна выглядела так, словно она восстала из какой-нибудь здешней могилы, только что косметики на ней было меньше, чем обычно накладывает на лицо покойника мой работник. И она все время курила. Даже когда опустилась на колени, чтобы помолиться. А вторая потребовала, чтобы ей разрешили за гробом идти с собакой. Это был карликовый пудель с черным бантиком на голове. Поверьте, мистер, люди и впрямь совершенно ненормальные. — Он тяжело вздохнул и продолжил: — Похороны организовала какая-то адвокатская контора. Я так и не смог узнать, кто за это платил. Они выкупили такой участок, какой обычно берут для большого объекта с фонтаном и другими прибамбасами. Я уже радовался, что заработаю несколько долларов, а они велели положить эту плиту с визитную карточку и посеять вокруг траву. Представляете? Мистер, это называется расточение общественного достояния. Если бы так поступал каждый, покупал чуть ли не акр земли и засеивал его травой, вместо того чтобы строить приличный объект, это кладбище можно было бы закрыть, потому что тут стало бы уныло, как на похоронах, и сюда не заглянула бы ни одна живая душа. А это кладбище, мистер, после джаза самое лучшее, что есть в нашем городе.

Толстяк снял темные очки и выключил сотовый телефон.

— Я не прочел всего, что в этом договоре было написано мелким шрифтом. Это была моя ошибка, мистер. Какая разница, откуда мрамор, из Мексики или из Италии? Я заказал в Мексике, все-таки ближе. А они через две недели прислали какого-то эксперта. И пришлось мне заменять плиту. Вазу тоже. Жуткие расходы, скажу я вам. Но это было только начало. Похоронили его как Макмануса. А через три месяца велели изменить фамилию на Альварес-Варгас. Мистер, вы когда-нибудь слышали, чтобы покойнику меняли после похорон фамилию? Я не хотел менять, но, оказывается, у них и это было записано в договоре. Остались следы букв предыдущей надписи. Шлифовка не помогла. Пришлось опять везти мрамор из Италии. Хорошо, хоть вазу можно было оставить. Эта ваза, мистер, почти такая же дорогая, как плита.

Толстяк на несколько секунд умолк.

— Можно я закурю? — спросил он, достав металлическую коробку с сигарами. Он подошел к кару и особой гильотинкой обрезал толстую сигару. — Я потому спрашиваю, мистер, что некоторые не желают, чтобы рядом с их могилами курили. Они даже против сигар. Как будто покойникам это может повредить. А между прочим, мистер, я не курю сигар дешевле десяти долларов штука. Но это еще не конец. Потом о его могиле была целая статья в «Таймс-Пикайан». Семья клиента, что покоится рядом — вон там, слева, — то ли не заметила, то ли решила не обращать внимания и, когда стала заливать бетон в фундамент для прожектора, залезла на фут в глубь газона вокруг могилы этого самого Альвареса. На целый фут! Что тут началось, мистер. Адвокатская контора, как только получила донесение от их гориллы, что приходит сюда с фотоаппаратом каждые три недели, мигом подала судебные иски на что только возможно. Они даже потребовали возмещения за «страдания семьи их клиента». Их якобы клиент — это Альварес, который тут лежит. Мистер, никакой семьи у него нет! Мне говорили о какой-то сестре, но никто ее тут не видел. Как только адвокаты выиграли этот процесс, так сразу же сюда приехал маленький экскаватор. От них. Мне они не доверили. Бетон этот выковыряли и заново посеяли траву. А тем, которые проиграли процесс, пришлось за все заплатить. Честно говоря, так им и надо. Я тут уж многое повидал, но они из этой своей могилы сделали какую-то площадку аттракционов.

Якуб слушал, не прерывая. Потом спросил:

— А кто поручил вам менять в вазе розы?

— Та же адвокатская контора. У меня с ними договор. Каждый день тут должно стоять одиннадцать белых роз. Вы, мистер, представляете, какую кучу денег кто-то выбросил на эти цветы? Уже столько лет на этом объекте каждый день свежие розы. Сперва я сам ежедневно сюда приезжал. Это подешевле, чем поручить доставку цветочному магазину. Но потом у меня с женой пошли проблемы, потому что я по субботам, воскресеньям и даже в День благодарения ехал, чтобы купить и поставить эти чертовы розы. Жена с самого начала говорила, что за всем этим стоит какая-то женщина. С тех пор как я ей рассказал про эту могилу и розы, она постоянно сюда приходит. Раньше, когда она иногда перед праздниками приезжала на машине, чтобы забрать меня отсюда, она заходила только в часовню. А теперь вот каждый раз приходит взглянуть на эту могилу. Меня это все, мистер, здорово удивляет,— толстяк понизил голос и оглянулся, словно опасаясь, не подслушивает ли кто его,— потому как это был наркоман. Обычный наркоман. Я знаю это от племянника, который служит в ФБР в отделе убийств. Его нашли в Марди-Гра[1] — вы ведь знаете, наверно, что это последний день безумной недели, на которую в Новый Орлеан люди съезжаются со всего света,— на свалке, и мало того что он весь был продырявлен ножом, как швейцарский сыр, и правую руку ему отрезали, кто-то, видно по случайности, взрезал ему ножом в желудке презервативы, наполненные кокаином. Должно, он проглотил их перед смертью. Кокаина в нем было больше двух фунтов. Так что умер он, надо думать, под большим кайфом. Племянник рассказывал, что во время следствия допрашивали какую-то женщину. Вроде она какой-то важный прокурор в Луизиане. Он утверждает, что это она дала поручение тем адвокатам. Я однажды, всего один-единственный

[1] Mardi Gras *(фр.)* — «жирный вторник», последний день карнавала перед Великим постом.

раз, видел тут странную такую женщину. Я внимательно наблюдал за ней, потому что уж очень необычно она себя вела. К могиле не подошла, а стояла на дорожке. И смотрела на плиту Альвареса. Час, наверно, стояла и смотрела. Но это было всего один раз. Примерно через год после того, как ему сменили на надгробной плите фамилию. А вы, мистер, позвольте поинтересоваться, кем ему приходитесь?

После этого вопроса Якуб опустился на колено, коснулся пальцами губ, после чего положил руку на могильную плиту Джима. Встал и бросил могильщику:

— Я? Да, в общем, никем. Мы кайф вместе ловили. Всего-навсего.

И, не дожидаясь реплики толстяка, направился к воротам кладбища.

ОНА: Ровно в полдень автобус остановился перед стеклянными раздвижными дверьми отеля «Релэ Боске», полностью заблокировав узкую с односторонним движением улицу Шан де Мар. Не обращая внимания на отчаянные гудки водителей, которые оказались в пробке, образовавшейся за автобусом и увеличивающейся с каждой минутой, их шофер выключил двигатель, открыл багажные отделения, порекомендовал всем как можно скорей перенести вещи в холл, а сам стремительно скрылся в отеле.

Вытаскивая свой тяжеленный чемодан, она успела вспотеть. В тот день в Париже было тридцать шесть градусов при неподвижно застывшем воздухе.

«Практикант из туристского бюро не соврал, этот отель действительно находится в самом центре Парижа», — подумала она, входя в кондиционированный холл. Сомнений тут быть не могло: разыскивая отель, их шофер несколько минут кружил по окрестностям. Марсово поле с Эйфелевой башней видно было невооруженным глазом, до станции метро «Эколь Милитер» ходу было не больше пяти минут.

Рваться к стойке портье она пока не собиралась. Пусть вся эта толпа разойдется по своим номерам.

Она нашла кожаный диванчик напротив входных дверей, уселась поудобней и положила ноги на чемодан, который поставила перед диваном. Рядом с ней села Алиция. Ася вместе с остальными стояла в очереди к портье.

— Послушай, он просто чудо. Он приехал сюда на учебу. Он не женат, и даже невесты у него нет. По пути он читал мне стихи по-французски. А кроме того, он такой заботливый. Видишь, стоит за меня в очереди. Так что я не очень уверена, что буду ночевать в этом отеле. Он пригласил меня поужинать. Обещал еще почитать стихи. Так что сегодня вечером на меня не рассчитывайте.

Последнюю фразу Алиция произнесла с некоторой долей гордости. Было ясно, что она опять располнеет. Но вовсе не от сегодняшнего ужина.

Через несколько минут, когда у стойки уже никого не было, она с сожалением встала с удобного дивана, взяла сумку с документами и подошла к молодому портье.

— Для меня забронирован одноместный номер со стороны сада, — начала она по-английски.

Портье поднял глаза от регистрационной книги.

— Да, знаю. Это я бронировал вам номер по звонку из Варшавы, — улыбаясь, ответил он на польском без малейшего акцента.

Удивленная, она внимательно взглянула на него. У него были большие карие глаза и темные волосы, стянутые на затылке резинкою в хвост. И еще у него были поразительно красивые, длинные, тонкие и ухоженные пальцы. Она всегда, с тех пор как стала интересоваться мужчинами, обращала внимание на их руки. У мужчин первым делом она смотрела на руки, потом на обувь, а потом уж на все остальное. Она отметила его руки, когда он переписывал данные из паспорта.

Закончив писать, он повернулся к шкафчику с ключами и из ячейки с ее номером взял ключ и оливково-зеленый конверт. Подавая их ей, он сказал:

— А мы уже получили для вас e-mail.

Она зарделась, пытаясь не выказать радость и волнение.

— Если вам захочется что-нибудь послать через Интернет, оставьте текст у портье. Моя коллега или я с удовольствием отошлем его. Эта услуга бесплатная. Наш электронный адрес вы найдете в информационных материалах в номере.

И, словно угадав ее мысли, он вышел из-за стойки, подошел к висящему на стене плану Парижа, надел очки и, повернувшись к карте, сказал:

— Если вас это интересует, поблизости имеются два интернет-кафе. Одно, примерно в ста метрах от гостиницы, около аптеки, сразу при въезде на нашу улицу, открыто круглые сутки. Но оно очень дорогое. Час там стоит семь долларов днем и пять ночью. Второе находится под землей на станции метро «Эколь Милитер» и вдвое дешевле, но работает оно только днем, и там всего несколько компьютеров, причем одни только «макинтоши».

Она слушала его, а сама думала, откуда ему известно, что именно об этом она собиралась его спросить. Она торопливо спрятала оливковый конверт в сумочку, поблагодарила и пошла к лифту. Как только двери закрылись и портье не мог ее видеть, она тут же вытащила конверт и нетерпеливо надорвала его. Само собой, e-mail был от Якуба!

Новый Орлеан, 14 июля.

Сегодня я не смог толком вспомнить то время, когда не было тебя. У тебя какое-то колдовское влияние на меня, а потому влияй, как только можешь. Как только вдруг — благодаря Парижу — это стало возможно, я отчаянно жажду увидеть тебя. И сейчас просто не могу с этим справиться. С ожиданием. И с напряжением. А более всего с приступами нежности. Могут ли быть приступы нежности? Наверное, назвав их так, я отнял у того, что происходит со мной, всю красоту. Я должен был бы быть поэтичней. Но тогда я не был бы правдив. Это действительно приступы — как астмы или мерцательной аритмии. Когда приступ проходит, я в основном слушаю музыку, пью или читаю твои письма. Дошло до того, что я делаю это все одновременно: слушаю Вэна Моррисона, которого ты так любишь, пью мексиканское пиво «Десперадо» с лимоном и порцией текилы и читаю «мега-мейл» от тебя. Я соединил все твои электронные письма за последние шесть месяцев и читаю их как одно огромное послание.

А знаешь ли ты, что за эти 180 дней ты писала мне больше 200 раз?

Статистически это означает больше чем один e-mail в день. В них ты использовала ровно 116 раз слово «целую», хотя на самом деле я даже не знаю, как выглядят твои губы. И я страшно рад, что мне не нужно в очередной раз просить тебя рассказать о них. Вскоре я их увижу.

Ты 32 раза использовала слово «коснуться» и 81 раз «хочу», но всего 8 раз «боюсь». Я проверил это, использовав программу Word, так что об ошибке речи быть не может. Подсчитал я именно эти слова, так как в последнее время думаю о них чаще всего. И у меня получилось, что хочешь ты в десять раз чаще, чем боишься. И хотя это всего-навсего статистика, я успокоился. Статистика не лжет. Лгут только статистики.

МОЖЕТ, ТЫ ЗНАЕШЬ, ЧТО БУДЕТ С НАМИ ДАЛЬШЕ?

Наверное, это из-за Парижа у меня такие мысли и я задаю столь драматический вопрос. У меня неодолимая потребность идентифицировать наши отношения. Дать им название, придать определенные границы и рамки. Мне вдруг захотелось знать, с какого предела моя печаль имеет смысл, а радость причину. И еще я хочу знать, до какого пункта я могу дойти в моих надеждах. В воображении я и так был во всех, даже в самых-самых.

Но сейчас я не один из них посещать не стану, а лягу спать. И радуюсь, что через несколько снов ты опять будешь ближе.

Но ты ближе даже уже наяву. Приветствую тебя в Париже! Ах, как мне хотелось бы уже лететь к тебе.

Береги себя. Особенно сейчас.

Якуб.

«Боже, что он пишет! Ведь эта статистика врет! – подумала она. – Я так боюсь. И главное, того, как сильно я его хочу».

В этот миг двери лифта открылись. Она по-прежнему стояла в кабине, прижимая к груди оливковый листок. Портье со смехом смотрел на нее, ситуация действительно была комическая. Вошедший в лифт постоялец осведомился у нее, на какой этаж ей нужно. А она не смогла ответить. Забыла. Она посмотрела на ключ. В нижней части живота она чувствовала странное тепло.

Она вышла из лифта напротив номера 1214. Вставила магнитную карточку ключа в щель замка и открыла дверь. Впихнула ногой чемодан в номер. Там было темно, если не считать полосы света, падающей сквозь неплотно задвинутые шторы на широченную кровать, занимающую центральную часть комнаты. Она подошла к окну и раздвинула тяжелые бархатные шторы. Тепло не проходило. Даже усиливалось. Она растворила окно.

Номер, как ей и обещали в Варшаве, действительно находился над садом. Отделенный от каменного гостиничного двора густой живой изгородью более чем двухметровой высоты, он был подобен зеленому мазку, сделанному случайно рассеянным художником на песчано-сером фоне холста. Облизывая губы, она разглядывала сад. В левой части, отделенной от правой старательно выметенной аллейкой, находились грядки клубники, кусты красной смородины у стены и круглая клумба с розами. Розы по большей части были пурпурного цвета. Она обожала пурпурные розы. Между клумбой и аллеей располагались грядки с фасолью, картошкой и ряд помидорных кустов, клонящихся к земле под тяжестью плодов. Грядки с фасолью в центре Парижа! Правая часть была засеяна травой. Сад этот напоминал бабушкину дачу над Бугом. Только этот был в центре Парижа, в нескольких сотнях метров от Эйфелевой башни.

Она приподняла одну ногу, потом вторую — сбросила туфли. Сразу стало легче. Дернула «молнию» на юбке, расстегнула пуговицу, и юбка плавно сползла на пол. Она отошла от окна и упала на кровать, накрытую тяжелым цветастым покрывалом. В номере пахло фиалками и стояла приятная прохлада — приглушенно гудел кондиционер. Закрыв глаза, она лежала на кровати, которая в падающем из окна свете выглядела, как небольшая сцена посреди комнаты. Обеими руками она прижимала к груди оливковый конверт с письмом от него. Потом она положила его рядом. Села и стащила через голову кофейного цвета джемперок, в котором ехала в автобусе. Медленно расстегнула застежки лифчика и обеими руками сдвинула его на живот. Взяла его в левую руку, а правую засунула в трусики и, чуть приподняв таз, сдвинула их ниже бедер. Подняла вверх ноги и сняла трусики, после чего положила их вместе с лифчиком на письмо. Подложила под ягодицы небольшую подушку, что лежала около головы. Широко раздвинула ноги. Сунула в рот три пальца правой руки, смочила их слюной и ввела их ниже лобка, где кончаются волосы. Вскоре дыхание ее стало хриплым и прерывистым.

@7

ОН: Кончился последний день его пребывания в Новом Орлеане. Завтра ему предстояло лететь в Нью-Йорк.

«А там уже остается только ночь и полтора дня. К тому же в Нью-Йорке время бежит куда быстрей», — думал он утром, дожидаясь в отличном настроении кофе за столиком, стоящим на ресторанной террасе около бассейна.

А после Нью-Йорка будет Париж, а в Париже — она. И, думая о ней, он ощущал тончайшую меланхолию тоски, слитую с напряжением и нетерпением ребенка, дожидающегося, когда кончится рождественский ужин и можно будет развернуть подарки под елкой. Нужно только перетерпеть этот ужин, а потом...

Сегодня он совершил без малейших угрызений совести и даже с неподдельным удовлетворением две вещи, которые никак не приличествует делать ответственному «научному работнику».

Во-первых, утром, еще до ланча, он незаметно выскользнул из затемненного зала, где шло заседание его секции, и помчался в соседнее здание центра. Он хотел обязательно послушать доклад молодого биохимика из исследовательского института в Ла-Джолле неподалеку от Сан-Диего. Он наткнулся на реферат его доклада совершенно случайно, просматривая во время завтрака материалы конференции. И сразу же обратил на него внимание. То, что утверждал этот молодой человек с очень киношной фамилией Янда, было поразительно. Ибо утверждал Янда, что он и его институт находятся на кратчайшем пути к созданию вакцины, которая не даст людям попасть в зависимость от кокаина.

«Янда не мог выбрать лучшего места, чтобы сообщить миру о своем открытии», — подумал он.

А кроме всего, то, что говорил молодой ученый, было настолько гениально прекрасно, что у него, когда он слушал его доклад в переполненном до предела зале, по спине бежали мурашки. Все чувствовали, это самый важный доклад на конференции.

Якубу не терпелось рассказать или написать ей об этом. Она, как никогда прежде, разделяла его восторги достижениями разума. А кроме того, не стыдилась своего невежества, что при ее любознательности и упорном стремлении все понять приводило к тому, что и он — вынужденный объяснять ей — на многие вещи теперь смотрел с иной перспективы.

Молекула кокаина слишком мала, чтобы детекторы иммунной системы человека могли ее зарегистрировать и перехватить как нежелательного пришельца. Не будучи зарегистрирована, она беспрепятственно попадает в клетки нервной системы. Иммунная система, «не проинформированная» о нападении, не посылает антитела, которые могли бы с ней бороться. Но вот если «привязать» кокаин к достаточно крупным протеинам — это как раз и было гениальной идеей Янды и его группы, — иммунная система воспримет подобный гибрид как врага и уничтожит антителами, прежде чем кокаин проникнет в мозг. Янда утверждал, что ему удалось добиться этого — правда, пока только у крыс — и заставить их иммунную систему производить антитела, которые уничтожают приклеенный к тяжелым протеинам кокаин, прежде чем он доберется до рецепторов нейронов в мозгу. Подобные антитела вырабатываются как реакция организма, например, на присутствие вакцины. Янда впрыскивал разработанные его институтом вакцины крысам — разумеется, он не сообщил, что является действующим веществом этой вакцины, — а потом давал им кокаин. В процессе эксперимента кокаин не достигал рецепторов нейронов в мозгу, вследствие чего крысы не уничтожали друг друга. Это было наилучшим доказательством, что вакцина действует, так как от кокаина крысы превращаются в свирепых чудовищ. Впрочем, не только крысы. Бойцовые собаки тоже часто приходят от кокаина в возбуждение.

Янда утверждал, что создание подобной вакцины для человека — вопрос недолгого времени.

Якуб в этот момент просто не смог не вспомнить Джима. А также вспомнил собственный опыт общения с кокаином. Несколько лет назад в другом районе этого города он, уже вдохнув кокаин, иногда задумывался над механизмом его действия. Иногда ему тоже приходило в голову то, до чего додумался этот молодой химик: что в нервных клетках мозга, нейронах, существуют некие особые рецепторы. Они — словно замочные скважины для ключа к мозгу. Если ключ не подходит, внутрь ничего не проникает. Вот разве если что-нибудь маленькое, вроде молекулы кокаина, которая без труда пролезет в любую щелку. Уже тогда в Тьюлейне он ясно представлял себе этот механизм. Но ему никогда не приходило в голову увеличить размеры ключа так, чтобы он не подходил к замочной скважине. А хитроумный Янда подумал об этом.

Кроме того, когда в зале прозвучало «рецепторы у нейронов», Якубу припомнилась очень печальная история молодой аспирантки Кэндейси Перт из Джорджтаунского университета в Вашингтоне. Джиму она тоже была известна. И с тех пор как он рассказал ее Джиму, тот всегда поднимал тост за «Кэндейси Перт, женщину, которая точно знает, что происходит за слизистой оболочкой».

Кэндейси Перт исследовала в семидесятых годах механизм действия морфина, так много послужившего в борьбе с болью. Еще учась в университете, она открыла, что у нейронов есть места, которые формой и размерами совпадают с молекулой морфина. Как ключ и замок. И именно в этих местах морфин проникает в клетки. Так он подавляет боль.

Откуда бы у нейрона взяться замочной скважине для какого-то морфина? Почему организм подготовил скважину для ключа, существование которого предвидеть не мог? А может, существуют вещества, структурой и действием подобные морфину, которые производит сам организм? Да, существуют. Конечно же существуют. И так же, как морфин, они успокаивают боль, воздействуют на настроение, вызывают приятные ощущения, а временами даже эйфорию. Называются они эндорфины, «внутренние морфины». Образно говоря, оргазм — это не что иное, как наводнение мозга эндорфинами. Точно так же, как страх приговоренного к смерти перед казнью на электрическом стуле. Вопреки видимости, в обоих случаях химический состав вещества в мозгу идентичен.

Мало кто знает, что после открытия Кэндейси Перт началась захватывающая и не прекращающаяся до сих пор история молекул эмоций. Именно это ее открытие позволило думать, что люди — лишь сочетание нуклеотидов, памяти, желаний и протеинов. И не будь у нейронов рецепторов, совершенно точно не было бы поэзии.

Мысль о таких рецепторах пришла Кэндейси Перт, эффектной брюнетке из Джорджтаунского университета, еще в 1972 году. Дальнейшая история ее открытия служит ярчайшим доказательством, какими тщеславными, завистливыми, безжалостными интриганами могут быть люди науки. Якуб знал это по собственному опыту, так что история Кэндейси не стала для него шоком.

Перт была уже на пороге своего открытия, и тут руководитель проекта, титулованный профессор, которого она регулярно информировала, как продвигается работа, категорически посоветовал ей закончить исследования, утверждая, что «они бессмысленны и ведут в тупик». Однако вскоре он вместе с двумя не менее титулованными коллегами был выдвинут на престижную американскую премию Ласкера, которая является прямой дорогой к Нобелевской, — именно за исследования рецепторов нейронов. За ее исследования! Комитет по присуждению премии Ласкера полностью игнорировал ее вклад, не упомянув даже фамилии.

Как вспоминает сама Перт, у нее был выбор: махнуть рукой, промолчать и жить с чувством унижения и «сознанием своей правоты» или протестовать. Она не стала молчать. Слишком хорошо она помнила историю другой женщины, у которой украли результаты ее работы, признание, известность. И помнила, чем это кончилось.

Якуб тоже знал во всех подробностях трагическую историю Розалинды Франклин. Как-никак это была его генетически-биохимическая лужайка.

Розалинда Франклин, выпускница прославленного Кембриджа, воспользовавшись в начале пятидесятых годов совершенно новой тогда техникой рентгенокристаллографии, открыла, что ДНК — это двойная спираль, напоминающая лестницу, и нити ее — фосфаты. Директор ее института Джон Рендал представил результаты исследований, а также еще неопубликованные соображения своей молодой сотрудницы на узком семинаре, в котором участвовали три человека, в том числе Джеймс Уотсон и Френсис Крик. Вскоре после того семинара, в марте 1953 года, Уотсон и Крик опубликовали знаменитую статью, безупречно описывающую структуру двойной спирали ДНК.

В том марте началась современная генетика. Мир онемел от восхищения. Но не весь. Пока Уотсон и Крик раздавали интервью, горделиво входили в историю и резервировали себе места в энциклопедиях, Розалинда Франклин молча страдала. Она не протестовала и никогда публично не рассказывала, что чувствует.

В 1958 году Розалинда Франклин заболела раком, хотя отличалась крепким здоровьем и не имела для этой болезни никаких генетических предпосылок, и через несколько недель умерла.

Ей было тридцать семь лет.

В 1962 году Уотсон и Крик получили в Стокгольме Нобелевскую премию.

Молекулы эмоций? Пептидные рецепторы уныния открыли дорогу мутации раковых клеток? По мнению Перт, а сейчас также и по мнению большинства иммунологов, уныние, скорбь и боль способны убивать точно так же, как вирусы.

Кэндейси Перт не смирилась с тем, что ее грабят. Она протестовала. Титулованный профессор не получил Нобелевской премии и канул в забвение. Она же стала научным авторитетом.

Якуб думал об этом, слушая доклад Янды, и задавал себе вопрос, а знает ли тот, что не будь Кэндейси Перт, он не стоял бы перед этим заполненным до отказа залом.

Кроме побега на доклад о вакцине против кокаина, он в этот последний день совершил нарушение стократ более тяжкое: сказавшись больным, отказался от участия в официальном рауте, завершающем конгресс. У него не было ни малейшего желания в очередной раз слушать одни и те же надоевшие за многие годы речи о том, кто великолепно проявил себя и кто это высоко ценит, либо о том, «как плодотворна была эта встреча» и «какие новые вызовы встают перед нами». Всемирный конгресс в Новом Орлеане в этом смысле ничем не отличался от съезда сельскохозяйственных кружков в каком-нибудь захолустье.

И еще ему не хотелось весь вечер составлять общество почтенным и бесконечно усталым супругам профессоров, которым, как и их женам, давно уже нечего сказать, и единственно, на что они способны — ездить с конгресса на конгресс и стричь купоны со своих давно уже пожухших достижений и славы.

Он хотел по-своему попрощаться с Новым Орлеаном. Поужинал он в маленьком ресторанчике, называющемся «У Эвелин» на углу Чартерз-стрит и Айбервилла. Для частых посетителей этого города — уникальное заведение с настоящей местной кухней, причем известное только посвященным. Кроме того, там всегда happy hour. Заказав одну текилу, получаешь три — две бесплатно. И это замечательно воздействует на восприятие тамошнего скорей неприглядного помещения. После первой заказанной текилы на его вид перестаешь обращать внимание. А после второй оно уже кажется прекрасным. Время от времени «У Эвелин» происходило то, чего в Новом Орлеане не бывало больше нигде. Эвелин приглашала приехать — преимущественно перед Марди-Гра — свою младшую сестру, которая, как она говорила, «единственная вырвалась из гетто, потому что у нее есть мозги и потому что она не любит кухарить». Студентка Детройтской консерватории по классу скрипки, необычайно талантливая, лауреат нескольких конкурсов в обеих Америках, приезжая в заполненный дымом клуб своей сестры, забывала о концертных залах и Детройте. Она заплетала негритянские косички и играла джаз и блюзы. На скрипке! Впечатление, будто Марвин Гэй поет блюз.

Впрочем, и сама Эвелин, хозяйка ресторана, тоже явление. Могучая негритянка с улыбкой ангела, играющая «в свободное время» на ударных в диксиленде. А «в несвободное» ей приходилось готовить для своих клиентов. Нет, «приходилось» не то слово. Эвелин считала — и Якуб знал это доподлинно, так как слушал ее разговоры с Джимом, когда много лет назад они вместе приходили сюда, — что «лучше поварского дела только хороший джаз и долгий секс». И кроме того, Эвелин всякий раз повторяла, что мир обрел смысл, когда появился джаз, и что он пережил три революции: Коперникову, эйнштейновскую и изобретение гамбо — пикантной креольской похлебки из экзотического овоща по названию «окрос», которая подается к красной фасоли с кейджунскими приправами. Нигде в Новом Орлеане не угощают таким гамбо и такой красной фасолью, как «У Эвелин». Вечером, когда в ресторане бурлит жизнь и раздаются взрывы смеха, иногда удается уговорить Эвелин исполнить соло на барабанах. В таких случаях она надевает белые перчатки до локтей, поправляет косметику, усаживается на вращающемся стуле у входа в кухню и играет. До тех пор, пока кто-нибудь не начнет умолять ее прекратить. Очень часто во время таких сольных выступлений Эвелин Джим выходил во двор за рестораном. Он не был любителем джаза. Якуб помнит, как Джим развеселил его, заявив, что «джаз — это месть негров белым за рабство». Тем не менее он регулярно бывал в этом ресторане.

С тех пор тут почти ничего не изменилось, за исключением того, что Эвелин поправилась килограммов на пятнадцать.

ОНА: Разбудил ее шорох за дверью. Через открытое окно долетали голоса детей, играющих в саду. Сияло солнце.

А она дрожала от холода. Оказывается, она спала голая, ничем не укрывшись, и кондиционер всю ночь работал.

Одеяло лежало на полу возле окна. Она встала и подошла к двери. Из щели под дверью торчал оливковый конверт. Она взяла его. Улыбаясь, прижала к груди, и побежала обратно в постель. Но только она достала листок с отпечатанным мейлом от него, зазвонил телефон. Ася.

— Насколько я знаю тебя, ты еще валяешься в постели. Надеюсь, ты не забыла, что сегодня день Ренуара? — поинтересовалась Ася каким-то странно изменившимся голосом.

Естественно, забыла. Но не призналась в этом и молча слушала Асю.

— Сейчас же вставай, иди на станцию «Эколь Милитер» и поезжай до «Сольферино», пересадка на «Конкорд». На «Сольферино», когда выйдешь из метро, увидишь здание бывшего вокзала. Там теперь музей д'Орсе. Запомнила? Станция метро «Сольферино». Я стою в очереди за билетами уже с пяти утра. Успела познакомиться с мужчиной из Венесуэлы, девушкой из Бирмы и четырьмя чехами, которые стоят за мной. Чехи пришли с коробкой пива. Открывать бутылки они начали около семи. Сперва я не могла смотреть на это... Бр-р... Пиво до завтрака. Но с восьми часов я, так и не позавтракав, пью вместе с ними. Ты, наверно, почувствовала это по моему голосу? Господи, как хорошо! По всему залу вокзала в Париже Ренуар, а я в девять утра уже выпила пять бутылок пива. Мне бы так хотелось запечатлеть это состояние. Но фотоаппарат не бери. Там запрещено фотографировать. Приезжай обязательно. Мне бы хотелось видеть это твоими глазами. Нам будет что вспоминать до конца жизни. Я несколько раз пыталась поймать Алицию. Звонила ей в номер. В конце концов портье-поляк признался мне, что ее нет. Вчера после ужина она ушла и больше не появлялась. Не забудь: станция метро «Сольферино». Выезжай немедленно. А я возвращаюсь к чехам. — Но прежде чем повесить трубку, Ася еще сказала: — Только умоляю тебя, ни под каким видом не заглядывай в то интернет-кафе на «Эколь Милитер». Вчера ты сказала, что заглянешь туда на пять минут, а пробыла два часа. Напишешь ему, кто бы он ни был, позже, когда вернемся из музея. Обещаешь? Пожалуйста!

Она в очередной раз подумала: Ася — необыкновенная. В принципе ей не хотелось бы, чтобы Якуб познакомился с Асей. Они как-то очень опасно подходят друг другу.

Она побежала в ванную. Быстро приняла душ. Надела короткие белые облегающие брючки и красную майку, открывающую живот. Лифчик надевать не стала. Жара обещала быть ничуть не меньше, чем вчера. В сумочку перегрузила все содержимое косметички.

«Накрашусь, — решила она, — пока буду ехать в метро».

Портье не мог отвести взгляда от ее груди, пока она сбегала с еще влажными после душа волосами в зал ресторана. Он тут же последовал за ней. В этом небольшом отеле портье был заодно и официантом. По крайней мере, во время завтрака.

Он подошел с карандашом и блокнотом и принял у нее заказ. Она заказала кофе и рогалик с медом. Когда он отошел, она все оставила и побежала наверх в номер. Взяла со столика плеер для компакт-дисков, нашла в чемодане последний альбом Вэна Моррисона и возвратилась в ресторан. Кофе уже дожидался ее. Рядом с чашкой лежал свежий номер «Интернэшнл Геральд Трибюн».

Портье не было. Она торопливо отодвинула газету, чтобы даже не видеть заголовков.

«Не стоит портить себе настроение информацией о том, что происходит в мире», — подумала она.

Она надела наушники. Выбрала «Have I Told Lately That I Love You», любимую у нее песню Моррисона.

«Не только Ася должна быть внутренне подготовлена к Ренуару», — решила она.

Она тоже. Музыка у нее уже есть. Сейчас она позаботится о химии.

Пришел портье с горячим рогаликом, над которым даже пар поднимался. Она выключила музыку и сняла наушники. Взгляд портье по-прежнему был прикован к ее груди.

— Не могли бы вы принести еще чашку кофе? А если да, не могли бы вы влить в нее рюмку ирландского виски?

Он улыбнулся и поинтересовался:

— Двадцать пять, пятьдесят или сто миллилитров? Если сто, у вас будет кофе в виски, а не наоборот.

— А как вы думаете, при каком количестве мне станет лучше всего?

— После двадцати пяти миллилитров виски в кофе и ста шампанского в бокале с ягодкой клубники. Шампанское за мой счет. Ренуар тоже пил шампанское. И очень часто до завтрака. Обратите внимание в д'Орсе, сколько бутылок стоит на столах на его знаменитой картине «Завтрак гребцов».

— Ну да. Вам все обо мне известно. Вы читаете и пишете мои мейлы, знаете, что мне нужен Интернет, и вдобавок вам известно, что сейчас я отправляюсь на свидание с Ренуаром. Откуда, если не секрет?

— Мейлы я получаю от вас или для вас, Интернет мне необходим в последние месяцы, как кислород, то же я предположил и о вас, так как вы похожи на потребительницу Интернета, а насчет Ренуара... О нем я знаю от вашей подруги. Прежде чем я соединил ее с вашим номером, она рассказала мне почти все об этой выставке в д'Орсе, а потом принялась пугать, что если вы не поднимете трубку, то это означает, что вам стало дурно и мне надо немедленно бежать к вам наверх. Она у вас такая милая, когда сочиняет. Можете это ей передать.

После этих слов он направился к бару и через минуту принес ей чашку кофе, бокал с ягодой клубники в игристом шампанском и хрустальную вазочку клубники, посыпанной кокосовой стружкой. Поставил перед ней на стол и сказал:

— Вам предстоит чудесный день. Два дня назад я был на этой выставке. Ренуар — единственный из импрессионистов, кто писал исключительно для удовольствия, так что вы тоже получите огромное удовольствие в д'Орсе. Если бы не работа, я попросил бы позволения сопровождать вас. Но сегодня я смотрел бы вовсе не на картины.

И прежде чем отойти, он приблизился к стулу, на котором она сидела, и поправляя маргаритки в небольшой фарфоровой вазочке, стоящей рядом с бокалом шампанского, произнес:

— И кроме того, вы очаровательно выглядите с влажными волосами и без косметики.

«Как здорово, что он сказал это», — благодарно подумала она.

Ей так хотелось «очаровательно выглядеть» и хотелось, чтобы мир это заметил. Особенно в ближайшие дни здесь, в Париже. Да, это будет стоить целое состояние, но она еще из Варшавы записалась — разумеется, через Интернет — на визит к парикмахеру. В Париже. Всего в нескольких кварталах от их гостиницы. На день перед прилетом Якуба.

Она съела рогалик. У кофе был приятный горьковатый привкус виски. Выпив шампанское, она пальцами достала из бокала ягоду и положила ее в рот. Она чувствовала, что благодаря второму кофе и бокалу шампанского ее восприятие мира стало приближаться к Асиному восприятию. «Это просто замечательно, — подумала она. — У нас на остаток уходящего века будут схожие воспоминания об этой выставке».

О Господи, как бы ей хотелось прикоснуться сейчас к его губам. «Всего лишь прикоснуться, — подумала она. — Снова начинается. И зачем я только пила?»

Она стремительно встала, надела наушники и продвинула регулятор громкости плеера. Сейчас ей была необходима громкая музыка и обязательно Вэн Моррисон. Проходя через ресторан к выходу, она подняла руку и, не поворачивая головы, пошевелила пальцами в знак прощания. Она предполагала, что портье наблюдает за ней. В дверях она неожиданно обернулась. Да, она не ошибалась. Он смотрел на нее.

ОН: Поужинав, он начал поход по клубам, пабам и ресторанам Французского квартала Нового Орлеана. Как тогда. Однако что-то все-таки было не так, как в те времена. Сейчас ему приходилось выискивать в себе радость и беззаботность. А тогда он чувствовал их непрестанно.

Проходя мимо одного из ночных клубов с неоновой вывеской над входом, он, как тогда, остановился и откупорил бутылку пива, нагревшегося в заднем кармане.

«Жизнь — это вожделение. Все прочее всего лишь детали», — беззвучно вопил мигающий неон.

Он подумал, что неоновый текст в точности подходит для определения этого города. Ведь люди сюда приезжают, чтобы хотя бы в течение нескольких дней заняться своими вожделениями. Даже если они этого до конца и не осознают.

«Все прочее всего лишь детали», — подумал он, мысленно улыбнувшись.

В гостиницу он возвращался радостный и возбужденный. Около часа ночи он вышел из кондиционированного блюзового клуба на углу улиц Бурбон и Ванесса и окунулся в парную, душную новоорлеанскую ночь. Температура была около тридцати при влажности воздуха более девяносто трех процентов. На улице бурлила жизнь. Пестрая толпа туристов, перекрикивающаяся на всех возможных языках, двигалась наподобие демонстрации по Бурбон-стрит, останавливаясь перед ресторанами и клубами, из дверей которых вырывалась музыка.

Мир меняется, но Бурбон-стрит, к счастью, нет. Она вечно такая же безумная. «Наверное, потому тут всегда столько людей», — подумал он.

Он прошел еще два квартала, повернул на Конти-стрит и вышел на Дофин-стрит. Через несколько минут он стоял перед отелем, двухуровневым домом в колониальном стиле, увитым виноградом и украшенным несколькими огромными американскими флагами, которые освещал прожектор, установленный на доме по другую сторону улицы. Звезды на флагах мигали синими лампочками. Он улыбнулся, в очередной раз отметив, что американцы со своим патриотизмом временами бывают забавны и обезоруживающе безвкусны.

В кондиционированном холле он взял у заспанного портье ключ и уже шел к себе в номер, как вдруг услышал музыку, доносящуюся из патио в южной части гостиницы. Несколько секунд он пребывал в нерешительности, заглянуть туда или нет. Рано утром ему предстояло лететь в Нью-Йорк. Он представил себе, какая это будет мука, когда зазвенит будильник. И тем не менее решил пойти выпить последнюю рюмку и послушать этот блюз. Пять минут, не больше. На середине первого лестничного пролета он повернул и направился в патио.

То был типичный двор богатого колониального дома во Французском квартале с небольшим каменным фонтаном посреди эллиптического бассейна, заросшего белыми лилиями. Такими огромными они могли вырасти только в этом климате. У стены примостился небольшой бар, освещенный лампочками, имитирующими свечи, а вокруг него стояло несколько круглых мраморных столиков и небольшие металлические стулья с причудливо изогнутыми спинками. Разлапистая пальма своей кроной затеняла лампу, которая должна была освещать небольшой танцевальный круг позади фонтана. Возле бара стоял белый рояль. Молодой негр в черном смокинге и белой сорочке с черной «бабочкой» аккомпанировал пожилой толстой негритянке в блестящем платье до пола. И хотя стояла ночь, она была в темных очках. Она пела блюзы.

Рядом с фортепьяно стояла ударная установка, за которой никого не было, но сбоку на кресле безукоризненно белой кожи сидел молодой белый мужчина с гитарой на коленях и что-то отхлебывал из бокала.

Отзвучал блюз «Bring It Home to Me». Якуб подошел к бару, заказал виски с содовой и со льдом и уселся за столик, что был ближе всего к роялю. Внезапно гитарист встал, дал знак певице, и та сняла микрофон со стойки. Гитарист заиграл. Якуб сразу же узнал мелодию.

И вдруг до него дошло, что до сих пор он слышал эту вещь в мужском исполнении, и теперь, когда ее пела эта негритянка, она зазвучала совершенно невероятно. По-иному, захватывающе.

Якуб медленно отхлебывал виски, слушал и невольно стал подергиваться в такт музыке. Внезапно на танцевальный круг вышла белая девушка с черными волосами до плеч, одетая в коричневую длинную юбку и черную блузку, открывающую живот, и в туфлях на высоких каблуках. В левой руке она держала высокий хрустальный бокал.

Якуб еще раньше заметил ее, когда заказывал у стойки бара виски. Она привлекла его внимание алебастровой белизной совершенно незагорелого живота и лица, а также большими пухлыми губами, пунцовость которых контрастировала с лицом. Она молча сидела, погруженная в задумчивость, за соседним столиком в обществе мужчины, одетого, несмотря на жару, в серый костюм, с сотовым телефоном в руке. Они делили стол с еще одной парой.

У второй девушки в пряди длинных светлых волос были вплетены цветные нити гаруса. Одета она была в короткие брючки, открывавшие невероятно длинные загорелые ноги. Черная маечка с тесемками-бретельками, обтягивающая ее большую грудь, кончалась гораздо выше пупка. Ее партнером был худощавый шатен в белой спортивной майке, открывающей для всеобщего обозрения впечатляющие мускулы и сине-красную татуировку на правом плече. Они держались за руки, все время шептали что-то друг другу на ухо и тут же взрывались смехом. По всему они были похожи на европейцев, и чувствовалось, что составляют они одну компанию.

Девушка, вышедшая на танцевальный круг, стала понемножку двигаться. Глаза у нее были закрыты, и она все так же держала в руке бокал.

«Rock me baby, rock me all night long...»

Блюз становился все ритмичнее. Неожиданно девушка подошла к Якубу, взглянула на него, улыбнулась и, не спрашивая разрешения, поставила свой бокал рядом с его, слегка при этом коснувшись пальцами запястья его левой руки. И тут же вернулась на танцевальный круг.

«Rock me baby, and I want you to rock me slow, I want you to rock me baby till I want no more...»

Ее бедра вздымались, опадали, описывали круги, колыхались. Порой она усиливала их движение, бросив на них ладони и выпячивая вперед. При этом чуть приоткрывала рот и высовывала кончик языка.

«Rock me baby, like you roll the wagon wheel, I want you to rock me, baby, you don't know how it makes me feel...»

Она вновь приблизилась к его столику, встала напротив него. Не двигаясь с места, она лишь ритмично покачивала бедрами. Правую руку она положила на левую сторону груди, как американские моряки, когда исполняется гимн, а пальцы левой поднесла к губам. И он явственно видел, как ее безымянный палец медленно входит и выходит изо рта.

Ему стало неудобно, и он инстинктивно отвел глаза в сторону. И увидел, что блондинка села на колени к своему татуированному партнеру, и они оба совершали медленные движения в ритме музыки. Она раскинула длинные ноги, опустила их вдоль его ног и терлась о него ягодицами — сидя, танцевала вместе с ним блюз. Он обнимал ее там, где кончалась маечка, и его ладони касались ее грудей, распирающих трикотаж. И только мужчина в сером костюме ни на кого не обращал внимания, поглощенный разговором по мобильнику.

«Want you to rock me baby till I want no more...»

Якуб восхищенно смотрел на танцующую девушку. Просто не верится, что можно так красиво танцевать блюз. Он огляделся вокруг. Все смотрели на нее, причем мужчины и женщины с равным интересом и удивлением.

Как правило, женщины ненавидят тех, кто привлекает внимание мужчин дешевой и вульгарной сексуальностью. Они считают, что такая дешевая вульгарность ведет к инфляции этого общего для всех женщин аргумента в их отношениях с мужчиной. С другой же стороны, они бывают поразительно едины в удивлении, когда сексуальность достигает степени подлинного искусства. Девушке, танцующей здесь с такой фантазией, отказать в этом было невозможно. Даже те, кто завидовал вниманию, какое она привлекала, и мыслям, которые возбуждала, могли лишь удивляться и восхищаться ею.

Якуб полагал, что присутствующие в патио мужчины не думали о том, достойна она или нет восхищения. Он полагал, что они вообще не думали. Самое большее, они воображали. Причем воображали одно и то же.

Внезапно и он стал думать о сексе.

За одним-единственным исключением — это когда он виртуально «соблазнял» ее в том ночном баре варшавской гостиницы, — разговоры с ней никогда не касались непосредственно секса. Она была замужем, поэтому он просто не мог затрагивать эту тему, не испытывая чувства вины и внутреннего беспокойства. Он не желал попасться в ловушку банального треугольника. В Интернете, где отсутствуют такие искусы близости, как аромат духов, тепло руки или дрожь голоса, удержаться от этого было гораздо легче. Да, совсем не трудно было оставаться на уровне дружбы, исполненной симпатии, но с примесью двусмысленного флирта. Она не обязана была давать какие-либо обещания, сохраняя, по крайней мере формально, статус виртуальной хорошей знакомой, «не совершающей ничего дурного». У него же не было формального повода испытывать разочарование, когда она, рассказывая о событиях своей жизни, употребляла множественное число. Они пребывали в системе, сконструированной так, чтобы иметь возможность демонстрировать готовность к обещаниям, но никаких обещаний не давать. Чтобы совесть была спокойна.

И тем не менее плотскость их связи проявлялась почти в каждом разговоре по ICQ и почти в каждом мейле. В двусмысленные описания происшествий и ситуаций они втайне протаскивали свои крайне однозначные мечты и желания. Он был убежден, что при их встречах в Интернете нежных прикосновений бывало куда больше, чем при свиданиях так называемых обычных парочек на парковой скамейке. Они говорили о сексе, никогда не произнося этого слова.

И вот в Париже это уйдет — наконец-то — в прошлое. С одной стороны, мысль о грядущей встрече электризовала, как начало эротического сна, с другой, порождала в нем напряжение и беспокойство. В Париже за дверьми аэропорта фантазия могла разойтись с действительностью. То, что было между ними, взросло на почве очарованности словом и выраженной вербально мыслью. И, наверное, было оно таким сильным, интенсивным и непрестанным, потому что практически не имело шансов исполниться в реальности.

Он ощущал ее притягательность, не видя ее. Неоднократно, когда он читал ее письма, у него происходила эрекция. Эротика — это всегда создание воображения, но у большинства людей воображения, инспирированного некой телесностью. В его случае ее чувственность была чем-то вроде любовных стихотворений в поэтическом томике. К тому же в томике, который кто-то еще продолжает писать.

Он всегда любил любовную лирику. Многие стихи знал на память. И к нескольким десяткам стихотворений польских поэтов, которые он декламировал еще в средней школе, теперь добавились стихи Рильке. На немецком! Но это уже в последние годы, когда он стал «чувствовать» немецкий язык и даже сны ему начали сниться на немецком. А до того ему казалось, что немецкий больше пригоден для казармы, чем для поэзии. Похоже, это такой польский исторический балласт.

Он думал об этом, попивая очередной виски и глядя на танцующую девушку. Любовная лирика у него слегка путалась с сексом. Видимо, из-за виски, этой девушки и музыки.

«Да, — решил он, — пожалуй, это из-за музыки».

Уже более десятка лет музыка, причем не обязательно блюзовая, ассоциировалась у него с сексом. Началось это давно благодаря одной женщине.

Это было еще до Нового Орлеана. Он получил министерскую стипендию на проведение исследований в рамках общего проекта его вроцлавского института и университета в Дублине.

В Дублине, когда он туда приехал, стояла серая, дождливая и холодная весна. Он работал в компьютерной лаборатории факультета генетики в восточной части кампуса, находящегося почти в самом центре города. Жил он в комнате, отведенной для гостей университета, на территории кампуса, который казался ему чудовищным лабиринтом соединенных между собой зданий из красного кирпича. Ему говорили, что из его комнаты можно, ни разу не выходя на улицу, пройти по коридорам до самой компьютерной лаборатории. Как-то вечером он попробовал это сделать, но когда оказался в воняющей сыростью и формалином прозекторской медицинского факультета, уставленной столами с голыми трупами, решил больше таких попыток не предпринимать.

Первый месяц он работал, что называется, не разгибаясь. У него был какой-то эйфорический транс. Благодаря деньгам ООН на три месяца он покинул польский «зверинец», где для получения доступа к ксероксу надо было писать заявление декану, и оказался в мире, где ксерокс стоял в холле университетской столовой. Ну как тут было не впасть в эйфорию?

В основном он ходил протоптанной дорогой, ведущей из компьютерного центра через столовую, в которой он торопливо проглатывал ланч, к себе в комнату, где около двух ночи ложился спать, утомленный и возбужденный прошедшим днем, чтобы в седьмом часу утра снова встать. И только через месяц он обратил внимание, что у него все чаще бывают минуты, когда он испытывает мучительное одиночество. Ему нужно было вырваться из этого замкнутого и полностью подчиненного работе цикла жизни в Дублине.

И вот в длинный уик-энд он поехал поездом на юго-западное побережье острова в городок Лимерик, лежащий над глубоко врезающимся в сушу заливом, который напоминал широкий норвежский фиорд. Весь день он провел, странствуя по побережью и останавливаясь только в маленьких ирландских пабах, где пил «Гиннес» и прислушивался к разговорам местных жителей, пытаясь понять их. Как правило, понять ему ничего не удавалось, и даже очередные кружки «Гиннеса» не способны были изменить эту ситуацию. Ирландцы не только по-другому говорят. Они просто другие. Гостеприимные, упрямые, скрывающие впечатлительность под маской улыбки. И в своем мировосприятии очень близкие к полякам. Маршрут он спланировал так, чтобы закат солнца наблюдать, сидя на дальней точке у подножья знаменитого Мохейрского обрыва, отвесной скальной стены почти что двадцатиметровой высоты, покрытой трещинами и зелеными пятнами травы. Солнце заходило в такт разбивающихся о скалы океанских волн. И вдруг ему стало ужасно тоскливо. Он смотрел на прижимающиеся друг к другу парочки, на родителей, держащих за руки детей, на дружеские компании, попивающие пиво и громко обменивающиеся впечатлениями, и внезапно ощутил, до чего он на самом деле одинок и никому не нужен.

Поздно вечером он ехал в поезде в Дублин. В купе вместе с ним сидела элегантно одетая старушка в очках, сдвинутых к кончику носа. Она занимала место возле окна. В черном платье до пола, в шнурованных черных ботинках и шляпке на сколотом серебряными шпильками седом коке она казалась пассажиркой поезда XIX века. Исполненная достоинства, неприступная, она была по-своему красива. Когда он осведомился, не против ли она, если он займет место в этом купе, она приветливо улыбнулась ему. Он вынул из рюкзачка «Плейбой», который купил в киоске на вокзале в Лимерике. Попытался читать, но почувствовал усталость и отложил журнал. Решил подремать. И тут старушка спросила у него, можно ли ей взглянуть на «этот журнал». Он удивился. Хоть он и считал «Плейбой» — у него была неплохая коллекция номеров на разных языках — интересным и высококлассным изданием, эта старушка как-то не сочеталась с журналом. Он молча протянул ей «Плейбой». Она неторопливо листала его, время от времени на чем-то задерживалась, что-то в нем читала.

Он молча смотрел в окно и чувствовал, как постепенно уходит усталость этого заполненного впечатлениями дня. Подумал, что, когда приедет в Дублин, с удовольствием сядет за компьютер. Через полчаса они подъезжали к Порт-Лише, маленькому городку на полпути между Лимериком и Дублином. Старушка встала и принялась приготавливаться к выходу. Когда поезд стал тормозить, она, протягивая ему журнал, совершенно спокойно промолвила:

— А знаете, сейчас даже fuck значит не то, что значило когда-то. И по правде сказать, это жаль.

Закрывая дверь купе, она улыбнулась ему.

А он мысленно рассмеялся, изумленный и позабавленный этим комментарием.

«Но ведь она права насчет fuck», — вдруг подумал он.

Совсем недавно в Дублине какой-то идиот, театральный критик, восторгался постановкой «Фауста» Гете, в которой Фауст ширяется героином, занимается оральным и анальным сексом с Гретхен, а в финале танцует с ее трупом.

Каким чудом fuck сейчас может значить то же, что когда-то, если на фильм, где главная, к тому же шестнадцатилетняя, героиня укладывает себе прическу спермой, которую только что изверг ее дружок, который, кстати сказать, немногим старше ее, в Лондоне пускают двенадцатилетних детей?

Да, старушка была абсолютно права. Доброе старое fuck уже значит не то, что раньше...

Она вышла, и к нему вернулось какое-то специфическое чувство сожаления... Он никогда больше уже не встретит эту старушку. Она существовала в его жизни всего несколько минут и больше не вернется. А ему так хотелось бы хоть разок еще встретиться с нею. Люди следуют по трассам, предуказанным судьбой или предназначением — неважно, как это называется. На какой-то миг трассы эти пересекаются с нашей и вновь расходятся. Только немногие и крайне редко выказывают желание идти по нашей трассе и остаются с нами чуть дольше. Однако бывают и такие, кто существует с нами достаточно долго, чтобы их захотелось удержать. Но и они уходят дальше. Как эта старушка, что только что вышла с поезда, или та красивая девушка, которой он недавно любовался, стоя в очереди в банке. Ему всегда становится грустно, когда случается что-либо подобное. Интересно, другие тоже испытывают похожую печаль?

В Порт-Лише к нему в купе вошел крепко сложенный улыбчивый мужчина примерно того же возраста, что и он. Якуб сразу отметил, что тот говорит с акцентом, и после нескольких минут разговора он внимательней присмотрелся к нему. Что-то его толкнуло, и он рискнул задать вопрос:

— Простите, вы случайно не говорите по-польски?

Попутчик улыбнулся и ответил:

— Ну да... конечно... это вы... Я вас видел в университетской столовой.

Оказалось, что его зовут Збышек, он приехал из Варшавы и уже почти год работает над диссертацией. Они тут же перешли на «ты». Выяснилось, что Збышек занимается информатикой и пишет software для проектирования транзисторов большой мощности. Они заговорили о компьютерах, электронике, о своих планах, но поезд уже подошел к Дублину.

Так началась их дружба, нелепо и глупо оборвавшаяся два месяца спустя.

После встречи в поезде Якуб стал часто бывать у него. Они встречались практически каждый день. Они с симпатией относились друг к другу, им нравилось вместе проводить время. Как-то вечером они выбрались в ближний паб. Вдруг Збышек встал и поцелуем приветствовал улыбающуюся девушку. Они обменялись несколькими словами на английском, потом Збышек представил ее Якубу:

— Позволь представить тебе мою добрую знакомую Дженнифер. Дженнифер — англичанка и изучает здесь экономику. — Затем, улыбнувшись, добавил: — Ко мне она хорошо относится только потому, что Шопен был поляком.

Никогда до сих пор он не встречал женщины с такими длинными ресницами. Они явно были настоящие. Никакая тушь так не удлинила бы их. Иногда ему казалось, будто он слышит, как она закрывает глаза. Поначалу, пока он не привык к их виду, ему приходилось сосредотачиваться, когда он смотрел ей в глаза. К тому же ее невозможно голубые глаза при таких ресницах и почти черных волосах до плеч казались неподходящими к ее облику. И притом все время чудилось, будто в них стоят слезы. Тому, кто не знал ее, могло показаться, что она плачет. Она просто замечательно выглядела, когда взахлеб смеялась, а при этом в глазах у нее блестели слезы.

На ней были обтягивающие широкие бедра черные брюки и такой же кашемировый свитерок с большим вырезом мыском. Шею обнимали большие и, разумеется, тоже черные, с кожаной отделкой, наушники плеера, который висел на поясе. Она была худенькая, что при маленьком росте создавало впечатление миниатюрности. Почти хрупкости. Потому-то широкие бедра и непропорционально большие, распирающие свитерок груди приковывали внимание. Дженнифер знала, что ее груди «тревожат» мужчин. Почти всегда она носила облегающие вещи.

Подавая руку, она поднесла ее ему к губам и, глядя в глаза, шепотом промолвила:

— Поцелуй. Мне безумно нравится, как вы, поляки, здороваясь с женщинами, целуете им руки.

От ее руки пахло жасмином с легкой примесью ванили. В ней все возбуждало — и этот шепот, и запах. И бедра. Ко всему прочему ему нравилось, когда у хрупких женщин были большие, тяжелые груди.

Он представился. Она спросила, с какой буквы начинается его второе имя, и, узнав, что с «Л», произнесла нечто, чего он тогда не понял:

— JL, как Йони и Линга. У тебя инициалы тантры. Это сулит наслаждение.

И пока он думал, что она подразумевает под тантрой, Дженнифер поинтересовалась, не против ли он, если она поменяет местами и соединит инициалы и будет называть его Элджот. Удивленный, он улыбнулся, но счел, что это будет даже оригинально, и согласился.

Так он познакомился с Дженнифер с острова Уайт.

С того дня они встречались довольно часто. Она почти всегда была в черном и почти всегда с огромными наушниками плеера на шее. Дело в том, что Дженнифер больше всего, за исключением, быть может, секса, любила музыку и слушала ее каждую свободную минуту. Как потом оказалось, слушала она музыку и в минуты, которые в общепринятом понимании трудно определить как «свободные». К тому же слушала Дженнифер только серьезную музыку. Она знала все про Баха, могла рассказать месяц за месяцем жизнь Моцарта, напевая при этом отрывки из его менуэтов, концертов и опер, знала либретто почти всех опер, названия многих из которых он даже не слышал. Она, единственная из знакомых ему иностранцев, способна была написать фамилию Шопена так, как пишут ее поляки, то есть с Sz, а не так, как в остальной Европе — с Ch. Она пыталась расспрашивать его о Шопене и, когда поняла, что он не может рассказать больше того, что ей уже известно, была изрядно разочарована. Через некоторое время ему уже стало очевидно, что Дженнифер все чаще оказывается там, где бывает он.

В ней было что-то электризующее. Она была необыкновенно — сама она говорила «отвратительно» — интеллигентна. Это отпугивало от нее многих мужчин, которых она привлекала своей внешностью и вызывающей сексуальностью, но которые после нескольких минут разговора начинали испытывать сомнения, готовы ли они на «такое» интеллектуальное усилие, ради того чтобы затащить ее в постель. У большинства, кстати, никаких шансов не было, а те, у которых были, совершали большую ошибку, отступаясь, ибо Дженнифер была лучшей наградой за подобное усилие.

В ней была некая загадочность. Дженнифер поражала его. С первой минуты она умела слушать, была непосредственна, обладала фотографической памятью. Бывала сентиментальной, робкой, смущенной и через минуту вдруг становилась разнузданной до вульгарности. В течение нескольких секунд могла перейти от анализа принципов функционирования биржи — его, приехавшего из «угнетенной коммунистической» Польши, это всегда интересовало — к рассказу полушепотом, почему она плачет, когда слушает «Аиду» Верди. И рассказав ему об этом за столиком в ресторане, она действительно заплакала. Он никогда не забудет, с каким свирепым осуждением смотрели на него кельнеры, решившие, что он жестоко обидел ее.

Она казалась недоступной. Да, Дженнифер нравилась ему, однако не настолько, чтобы он был готов в ущерб своей работе тратить время на завоевание ее и проверку степени ее недоступности. Он решил: пусть Дженнифер будет вызывать в нем вибрацию и глубоко затаенное искушение все-таки попытаться, однако он будет противиться этому искушению. «Ради науки и Польши», — мысленно усмехался он.

Случилось это в его именины. Хотя имя Якуб отмечено в этот день не во всех календарях, он праздновал именины 30 апреля. Как хотела его мама. Но поскольку сей раз этот день выпал на середину недели, друзей он пригласил к себе на субботу. Близилась полночь, а он все еще работал. И вдруг раздался негромкий стук.

Дженнифер.

Совершенно другая. Без наушников на шее и не в черном.

Она была в облегающих, сужающихся книзу светло-фиолетовых брюках и светло-розовой блузке на пуговицах, заправленной в брюки. Лифчик она не надела, и это было видно сквозь материал блузки. Волосы у нее были зачесаны коком и причудливо повязаны шелковым платочком в цвет брюк. Блестящие глаза «со слезой» она чуть подвела фиолетовым и мазнула губы помадой того же цвета. Контуры же губ обвела более темным оттенком фиолетового, что создавало впечатление, будто они у нее очень пухлые.

Якуб, как зачарованный, смотрел на нее не в силах скрыть удивления.

— Как ты думаешь, Шопен тоже праздновал свои именины? Про это я нигде не смогла прочесть. Я так хотела успеть с поздравлениями до полуночи. Видишь, успела. Сейчас без восьми двенадцать.

Она подошла к нему, приподнялась на цыпочки и коснулась губами его губ. Прижалась к нему. Он решил, что как-нибудь спросит, что за фирма так гениально сочетает в ее духах жасмин с ванилью. От нее пахло так же, как в день их знакомства.

Видя, что он стоит и не знает, что делать с руками, она чуть отодвинулась и, глядя ему в глаза, подала маленького желтого плюшевого тигренка, на животе у которого черной ниткой было вышито по-английски: «Get physical»[1].

— Это подарок тебе на именины. А сейчас заканчивай работать. Я приглашаю тебя к себе выпить по бокалу вина. Обещаю, что не стану устраивать тебе экзамен по Шопену.

Немножко ошарашенный, он улыбался и все время думал: значит ли это «Get physical», что он может прикоснуться к ней. Надо признаться, ему очень хотелось, чтобы так оно и было. Выглядела она сегодня просто невероятно. Женственно, загадочно и совершенно по-другому, чем всегда. И этот ее аромат, ее голос, бедра. И тигренок. Он решил, что немедленно начнет учить английские идиомы.

Он хотел сразу идти с нею, но тут его ударило, что нужно закрыть программу, которую он запустил, когда она постучала к нему, и выключить компьютер. Он поцеловал ее правую ладошку и вернулся к компьютеру. Стал вводить на клавиатуре команды и вдруг почувствовал, что она встала у него за спиной, прижавшись грудью к затылку, наклонилась и тихо задышала ему в ухо. Пальцы у него замерли на клавишах. Он не знал, что делать. То есть знал, но не мог решиться. Странная сложилась ситуация. Он сидел не двигаясь, словно парализованный, с руками на клавиатуре, а она целовала его волосы. Вдруг она отодви-

---

[1] Дай волю рукам *(англ.)*.

нулась. Но он не шелохнулся. Он услышал шелест ткани и через секунду розовая блузка упала на его ладони, замершие на клавиатуре. Он медленно повернулся на кресле. Она еще больше отступила, чтобы дать ему место. Ее грудь оказалась на уровне его глаз. Дженнифер втиснулась между его раздвинутыми ногами и медленно поднесла груди к его губам. Они оказались больше, чем он представлял. И он приник к ним.

Потом поднялся и прижал ее к себе. Его била дрожь. Он всегда дрожал в такие моменты. Как будто от холода. Иногда даже выбивал зубами дробь. Он слегка стыдился этого, но ничего поделать с собой не мог. Он вошел языком в ее раскрывшийся рот. Поцелуй длился долго. Внезапно она оторвалась от него, взяла блузку, набросила ее на себя, не застегивая пуговиц, и за руку потащила в коридор.

— Идем же ко мне, — прошептала она.

Почти бегом она тянула его по институтским коридорам, освещенным лишь зелеными лампочками, указывающими аварийные выходы. Видно, она чувствовала, что он весь дрожит. Неожиданно она остановилась и за обе руки втянула в темную лекционную аудиторию. Не отрываясь от его губ, она подталкивала его, пока он не уперся спиной в стену у двери. Она опустилась перед ним на колени. Он держал ладони у нее на голове, пока она делала это. Поддаваясь ее движениям, он плечами то нажимал, то отпускал выключатель, оказавшийся позади него. Батареи ламп дневного света, подвешенные к потолку, с треском то зажигались, то гасли. Когда вспыхивал свет, он видел ее, стоящую перед ним на коленях. И это еще больше усиливало его возбуждение. Но он уже не дрожал. Было чудесно.

Однако продолжаться долго это не могло. Он просто не был к этому подготовлен. И кроме того, его беспокоили — не думать об этом он не мог — две вещи. Во-первых, что вот-вот — слишком скоро, ибо ему хотелось, чтобы это длилось как можно дольше, — произойдет эякуляция, а во-вторых, он не знал, может ли он перейти так далеко границу интимности и извергнуть семя ей в рот. Они ведь не уговаривались на этот счет.

Дженнифер знала, что момент этот приближается. Она схватила его обеими руками за бедра и не позволила выйти. Он вскрикнул. Поднес ее ладонь к губам и принялся ласково покусывать и покрывать поцелуями. Она все так же стояла на коленях. Так продолжалось некоторое время. И все это время царило молчание. Наконец она поднялась, обняла его, положила голову ему на плечо и прошептала:

— Элджот, именины твои прошли. Но это ничего. Я по-прежнему хочу, чтобы ты пришел ко мне. И сейчас даже больше, чем несколько минут назад вчера. Я хочу, чтобы мы сделали что-нибудь для меня. Сделаем, да?

Она отодвинулась, застегнула одну пуговицу на блузке, взяла его за руку и потянула за собой из аудитории. Он с закрытыми глазами бежал за ней по темному лабиринту университетских коридоров и думал, что первое, что он сделает, это закурит. Глубоко затянется. Прикроет глаза и подумает, как было чудесно. Без сигареты «сразу после» любовный акт кажется каким-то «незавершенным». Вскоре они стояли перед дверью ее комнаты в восточной части кампуса. Свет они не зажигали. Ему уже не хотелось закурить. Хотелось как можно быстрей войти в нее.

Совершенно обессиленные, они заснули, когда уже начало светать.

В лаборатории в тот день он появился около полудня. Увидев его, секретарша радостно вскрикнула.

— Мы уже несколько часов разыскиваем вас, — сообщила она. — Хотели даже уже в полицию сообщить. Мы привыкли с самого вашего приезда, что вы тут появляетесь в семь утра. Сейчас позвоню профессору, что вы нашлись. Мы все так беспокоились, — и тихо добавила: — Как хорошо, что с вами ничего не случилось.

Ему было немного неудобно, что он стал причиной таких тревог. Но не мог же он предвидеть, что произойдет этой ночью. «А произошло, — мысленно улыбнулся он. — Шесть незабываемых раз, если не считать того, что было в аудитории».

Но то, что произошло в аудитории, он не оставил без внимания. Утром, когда они еще лежали, прижавшись друг к другу, в постели, курили и пили зеленый чай с грейпфрутовым соком и льдом — Дженнифер считала, что зеленый чай «очищает не только тело, но и душу», — и слушали ноктюрны Шопена, он напрямую спросил ее про то, что было в лекционной аудитории. Ее ответа он никогда не забудет. Она высвободилась из его объятий, по-турецки села на постели перед ним — ее бедра раскрывались как раз на уровне его глаз — и перешла с шепота на нормальный голос:

— Тебя интересует, что стало с твоей спермой? Элджот, посмотри на это таким образом. Сперма состоит из лейкоцитов, фруктозы, электролитов, лимонной кислоты, углеводородов и аминокислот. В ней всего лишь от пяти до четырнадцати калорий, и она не вызывает кариеса. Ее температура всегда равна температуре твоего тела. Притом она всегда свежая, потому что постоянно обновляется. В принципе она безвкусна... Но если бы ты пил ананасовый сок и не курил бы столько, она была бы сладковатой. Кроме того, так как в ней содержится от пятидесяти до трехсот миллионов сперматозоидов, ее почитают эликсиром жизни. Во всяком случае в культурах Востока. Пошло это от индусов. Мой последний учитель музыки на острове перед моим отъездом в Дублин был индус. Они превратили секс в искусство. И это искусство — тантра. Для тантры физическая любовь — это таинство. В тантре не совокупляются. В тантре Линга, то есть светоносный скипетр, или по-английски пенис, заполняет Йони, то есть священное пространство женщины, или по-английски вагину. Твои инициалы JL — это инициалы тантры. Уже по одному этому ты изначально сулишь наслаждение.

Она улыбнулась, наклонилась к нему и принялась целовать его в глаза, а потом продолжила:

— Кстати, ты знаешь, что символом индуистского бога Шивы является дивный, жилистый, пульсирующий пенис и что на большинстве изображений Шива медитирует в состоянии чудесной почти вертикальной эрекции? И еще он так ценил свою сперму, что, по верованиям индусов, сотни лет доводил свою жену Паравати до безграничного экстаза, ни разу при этом не извергнув семени. Именно поэтому не столь божественные индийские йоги сразу же после полового акта высасывают свою сперму из влагалища партнерши. Они считают, что таким образом спасают свою жизненную силу. — Дженнифер тихо засмеялась. — Жаль, что ты не индийский йог. И еще у меня предчувствие, что такой вот отсос сразу после, если он хорошо произведен, прибавляет приятных ощущений и жизненной силы индийским женщинам. Я также читала, что истинные наставники в искусстве любви в эпоху древнекитайской династии Тан тоже почитали сперму божественной субстанцией. И некоторые из них после долгих годов упражнений якобы были способны на так называемую обратную эякуляцию, то есть на выделение спермы внутрь собственного тела. Так писал какой-то французский историк. Но что-то мне не верится.

Она ласково провела пальцами по его губам.

— Так что видишь, Элджот, какую культовую субстанцию я проглотила в той аудитории. Однако не все считают, что сперма заслуживает почитания. Совершенно иначе относятся к собственной сперме подлинные художники. Тулуз-Лотрек — ты его, несомненно, знаешь, о нем рассказывают детям в школах, даже католических, — когда не слишком напивался, чтобы не впасть в белую горячку, продавал свою сперму проституткам, среди которых жил под конец своей недолгой жизни. Он советовал им оплодотворяться его спермой, чтобы родить такого же гения, каким он считал себя. Поскольку проститутки по натуре отзывчивы на чужую беду и поскольку его живописный талант вызывал у них восхищение — сам по себе он не мог вызвать ничьего восхищения, так как был изуродованным сифилисом карликом отталкивающей внешности, — они покупали у него сперму. Чтобы он долго не страдал и у него было на выпивку. Эксцентричный Сальвадор Дали не скрывал, что когда на него снисходило вдохновение, он частенько онанировал, особенно если ему казалось, будто он опять влюблен, и сперму извергал на краски, которыми писал. Он считал, что благодаря ей цвета набирают мягкости и становятся исключительно насыщенными. А картина в этом случае пахнет совершенно по-особенному. Так утверждал Дали. Но гениальный художник Дали был и гениальным лгуном. Он лгал так же, как лгут об окружающем нас мире его картины.

Похоже, Дженнифер завершила эту импровизированную лекцию. Она опять легла, повернувшись к нему спиной и прижавшись, как можно тесней, а его правую руку положила себе на грудь. Какое-то время они лежали молча. Дженнифер не могла не почувствовать, что у него опять произошла эрекция. Довольная, она тихо замурлыкала и шепнула:

— Ведь вы, мужчины, любите, когда вам это делают, да? — И, не дожидаясь ответа, со смехом сказала: — Убеждена, что если бы вы были более гибкими, то ежедневно сами брали бы его в рот. Ведь правда?

Якуб расхохотался, повернул ее к себе лицом и, прежде чем поцеловать, шепнул:

— Отныне буду меньше курить и есть исключительно ананасы.

После той памятной ночи он приходил к Дженнифер после работы в лаборатории почти ежедневно. Часть студенческих комнат, подобно его «гостевой», представляли собой маленькие однокомнатные квартирки с кухней и ванной.

Маленькие, это по мнению Дженнифер. Его гостевая комната была куда больше, чем вся квартира его родителей в Польше.

Разумеется, за такие комнаты, в какой жила Дженнифер, платить приходилось гораздо больше, чем за стандартные. Но для нее это не имело никакого значения. Хоть они никогда не говорили на эту тему, у Дженнифер могли быть любые проблемы, кроме денежных. Как-то Якуб поинтересовался у Збышека материальным положением Дженнифер, но тот знал только, что ее отец является владельцем сети паромов, связывающих остров Уайт, расположенный в проливе Ла-Манш недалеко от берегов Корнуолла, с Портсмутом и Саутгемптоном. Однажды он спросил у Дженнифер про ее родителей. Она ответила грустным голосом:

— Отец мой американец родом из той части Коннектикута, где мужчины надевают галстук, даже отправляясь поработать у себя в саду, а мама — англичанка из такой семьи, в которой матери перед первой брачной ночью советовали дочерям закрыть глаза и думать об Англии. То, что они подарили мне жизнь — если это только они, —

граничит с чудом. Я ни разу не видела, чтобы мой отец поцеловал или хотя бы прикоснулся к моей матери. Отцу положено было быть богатым, а матери положено было быть дамой. Я появилась на свет, очевидно, только потому, что нужна была наследница. Причина эта не слишком романтическая, но у нее есть и свои плюсы. Уж коль я не могу обрести их любовь, то пусть мне хотя бы будет приятно жить.

Помолчав, она произнесла:

— Пожалуйста, не спрашивай меня больше про них.

Она никогда не говорила с ним о деньгах. Они у нее просто-напросто были. К примеру, аппаратура hi-fi у нее в комнате стоила дороже, чем ее небольшой серебристый кабриолет «судзуки», который она ставила возле общежития и на котором они время от времени ездили на прогулку. Удивляться стоимости аппаратуры не приходилось: провода к звуковоспроизводящим колонкам были из сплава золота. Причем золото в нем преобладало.

Комнату Дженнифер можно было найти вслепую. Он часто задумывался, как это выносят соседи. Из ее комнаты все время неслась громкая музыка. Он бы долго такого не вытерпел, пусть даже это Бах, Моцарт, Чайковский или Брамс. Но соседи терпели. Может, для этого нужно быть англичанами. Как оказалось, в соседних с Дженнифер комнатах жили сплошь англичане.

Иногда Якуб приходил к ней так рано, что они вместе ужинали и разговаривали. Его английский постоянно улучшался. А также и знание классической музыки. Через несколько недель он уже был способен не только отличать Баха от Бетховена, но и оперы Россини от опер Прокофьева.

Кроме того, мир классической музыки и музыкантов, который открывала ему Дженнифер, был подобен закрученному роману о всех грехах мира сего. Раньше ему казалось, что из музыкантов по-настоящему грешить были способны только Мик Джаггер или вечно одурманенный всем, что можно сосать, глотать или вкалывать, Кейт Ричардз. Как он заблуждался! Порочность началась вовсе не с рок-н-ролла. История греха в музыке оказалась старше, чем оперы Монтеверди, а он сочинял их почти триста лет назад. Главными грехами было пьянство и прелюбодеяние. С самого начала. А если уж не с самого начала, то во всяком случае с тех пор, как опера перешла из дворцов в театры и началась продажа билетов и нужно было чем-то заинтересовать толпу. Большинство великих композиторов тех времен пребывали в зависимости не только от музыки, но и от алкоголя, своего безмерного тщеславия и не своих женщин.

К примеру, Бетховен умер от цирроза печени. Он сильно пил, потому что был впечатлителен, беден и к тому же глох. В 1818 году — в этом году восьмилетний Шопен впервые выступил с публичным концертом — Бетховен оглох окончательно, но тем не менее продолжал сочинять музыку. Когда он узнал, что у него цирроз, то перестал пить коньяки и перешел на рейнские вина, поскольку считал, что они обладают необыкновенными целебными свойствами. У Бетховена это было генетическое. Алкоголизм, за который ответственна самая маленькая из хромосом, хромосома 21, передается по наследству. У матери он был восьмым ребенком — три из них были глухими, два слепыми, а один душевнобольным. Она, когда забеременела в восьмой раз, была алкоголичкой и больна сифилисом. Пила она с горя, как, впрочем, и Людвиг. Дженнифер рассказывала ему об этом с таким волнением, как будто говорила об алкоголизме собственного отца. Как хорошо, что тогда еще не было феминисток, борющихся за право женщин на аборт! Уж они точно посоветовали бы матери Бетховена сделать аборт, и человечество осталось бы без Седьмой симфонии!

— Ты можешь себе представить мир без Седьмой симфонии? — воскликнула Дженнифер.

Он-то прекрасно мог. Как совершенно спокойно представлял себе мир без первой и вплоть до шестой, а равно и без восьмой. Однако он предпочел не провоцировать ее. А она продолжала:

— Ведь эта симфония так же бесконечно важна для человечества, как египетские пирамиды, китайская стена, мозг Эйнштейна, первый транзистор или открытие этой твоей ДНК. Она настолько гениальна, что в цифровой записи полетела вместе с фотографией человека и рисунком

Солнечной системы в космос на американском зонде, который через несколько лет покинет Солнечную систему и в принципе может быть получен другой космической цивилизацией. Но прежде всего она просто прекрасна. Ты знаешь, что для этой единственной симфонии в Париже и Вене построили концертные залы увеличенных размеров.

Дженнифер знала множество пикантных историй о порочном мире прославленных композиторов XIX века. Например, о Брамсе, произведения которого наряду с бетховенскими чаще всего оказывались в списке шлягеров того времени.

Брамс так же, как Бетховен, сильно пил. Но только вино и никогда коньяк. Зато постоянно прелюбодействовал. Между прочим и с женой своего доброго друга и музыкального покровителя. Прелюбодеяние его вошло в историю главным образом потому, что он спал с Кларой Вик, женой Роберта Шумана, еще одного великого композитора XIX века. Свет никогда ему этого не простил. Но не потому, что он спал с ней. Это как раз соответствовало образу человека искусства. Все дело было в обстоятельствах, при которых это произошло. Когда в 1854 году после неудачной попытки наложить на себя руки Шумана заключили в сумасшедший дом, Брамс приехал в Дюссельдорф, где у Шуманов был собственный дом, дабы «утешить» жену неудачливого самоубийцы красавицу Клару. Из утешителя он быстро стал ее любовником и даже жил два года вместе с ней. Именно тогда Брамс сочинил свой подлинный шлягер, Первый фортепьянный концерт d-moll, целый год числившийся в списке самых исполняемых произведений концертных залов Европы. Когда в 1856 году Шуман умер в сумасшедшем доме, Брамс оставил Клару и уехал из Дюссельдорфа. После этого он стал пить. Иногда он пил вместе с Вагнером, еще одним знаменитым композитором, которого ненавидел и который вечно завидовал Брамсу, но не его славе, а успеху у женщин.

В общем, мирок композиторов покроя Брамса и Листа исполнен зависти, ревности, суетного тщеславия и интриг. И лишь одного все они чтили и восхищались им. Его играли Моцарт и Бетховен. На нем, кстати, учился музыке Шопен.

Композитор этот всегда был en vogue[1] — как прежде, так и теперь. Это Бах. Всегдашний evergreen. Если бы тогда существовало MTV, там показывали бы клипы с музыкой Баха, как сейчас показывают «Пинк Флойд» или «Дженезис».

— Уж ты-то, Элджот, должен любить его больше других композиторов, — говорила Дженнифер. — Его музыка — это математическая точность. Как твои программы. А между тем им восхищались и холодные рационалисты, и сентиментальные романтики. И джазмены никого так не любят, как Баха. В Бахе есть драйв и свинг. Даже в «Страстях по Иоанну» и Мессе h-moll есть свинг. А кроме того, Бах — он как Бог. Невозможно Баха любить или не любить. В Баха либо верят, либо нет. Бах, несомненно, был запланирован в момент сотворения мира. Баха можно играть на любом инструменте, и это всегда будет звучать, как Бах. Даже на электрогитаре или губной гармошке.

Все это он узнавал во время ужинов у Дженнифер. Она открывала принесенную им бутылку вина, декламировала либретто опер либо рассказывала захватывающие истории из мира музыки, ставила на проигрыватель пластинку, садилась ему на колени, и они молча слушали. Иногда он закуривал сигарету, а иногда, когда просила Дженнифер, сигару. Дженнифер покупала их в фирменном магазине в Дублине. Бывало, они курили вместе. Дженнифер нравились сигары. А еще больше она их полюбила, когда заметила, как на него действует вид сигары у нее во рту, особенно после нескольких бокалов вина.

Им было хорошо. Если бы ему сейчас нужно было както определить время, проведенное тогда в Дублине с Дженнифер, он сказал бы, что они были похожи на счастливую пару сразу после свадьбы. Но они никогда не называли себя парой и ни разу не говорили о своем будущем. Они просто вместе проводили время. Он не любил ее. Она всего лишь очень нравилась ему. И он желал ее. Может, поэтому им и было так хорошо вместе.

Браки не должны заключаться в тот лихорадочный период, каким является так называемая влюбленность. Это

---

[1] В моде *(фр.)*.

нужно запретить законом. Если уж не в течение всего года, то хотя бы в период с марта до мая, когда это состояние из-за нарушений в механизме выделения гормонов становится всеобщим и симптомы его особенно усиливаются. Прежде надо излечиться, пройти детоксикацию и только после этого вернуться к мысли о браке. В том состоянии, в каком пребывают влюбленные, допамин переливается у них через каналы разумного мышления и затапливает мозг. Особенно левое полушарие. Это было доказано сперва на крысах, затем на шимпанзе, а недавно и на людях. Если бы влюбленность длилась слишком долго, люди умирали бы от истощения, аритмии или тахикардии, голода либо бессонницы. Ну а те, кто случайно не умер, в наилучшем случае кончали бы жизнь в сумасшедшем доме.

С Дженнифер он держал свой допамин под полным контролем, но, несмотря на это, у них было множество незабываемых переживаний. Их связь, которую впоследствии ему не удалось повторить ни с одной женщиной, была доказательством победы чистой, спиритуально передаваемой мысли над тем, что выражается химией каких-то там гормонов и нейропередатчиков.

Раз уж Дженнифер страстно увлекалась музыкой, он хотя бы из дружеского чувства заставлял себя, по крайней мере вначале, участвовать во взаимном ее прослушивании и выдавливать из себя какую-то видимость восторгов. Так было первые две недели. А потом он стал замечать, что после целого дня, проведенного за анализом программы расшифровки генов и занятием нуклеотидами и гистонами, хорошие записи музыки Бизе, Равеля или Вагнера приятно успокаивают его. А вот у Дженнифер все происходило совсем наоборот. Каждый концерт она переживала, как собственную свадьбу. Была взволнована и очень возбуждена. И это для них обоих оказывалось великолепным сочетанием. Они шли в постель, а случалось, занимались любовью в кресле или на полу. При ее возбуждении и его спокойствии ничто не происходило преждевременно. Благодаря музыке они кончали почти одновременно.

И еще он заметил, что лучше всего им бывало после опер Пуччини. Потому «Турандот», «Тоска», «Мадам Баттерфляй» для него были не просто названиями опер, но и записями в интимной истории его жизни. Особенно ему врезались в память две оперы Пуччини.

«Тоска» для Дженнифер была чем-то вроде спектакля политического театра ужасов или, как она определяла, «оперным репортажем из камеры пыток». Она считала, что если бы ее сочинили в наше время, то без сомнений в Голливуде и называлось бы это, как фильм со Шварценеггером, «Умирай медленно». У Дженнифер были несколько записей «Тоски» в разном исполнении. Якуб знал только Марию Каллас, но Дженнифер утверждала, что поистине божественно эту партию поет некая Рената Тебальди. Он никакой разницы не видел, но Дженнифер восхищалась Тебальди:

— Она поет так, словно находится здесь, в этой комнате, и смотрит нам в глаза. Неужели ты не чувствуешь этого? — удивлялась она.

Нет, он не чувствовал. Ему, кстати, вовсе не хотелось чувствовать ничье присутствие в комнате, кроме Дженнифер. И если бы Тебальди вдруг появилась здесь, он немедленно попросил бы ее удалиться.

И всякий раз, когда доходило до сцены, в которой Тоска видит, как расстреливают ее возлюбленного Каварадосси, Дженнифер начинала дрожать. А чуть позже, когда Тоска в отчаянии бросалась в пропасть, Дженнифер прижималась к Якубу, как ребенок, напуганный грозой. А через несколько минут в постели была безмерно нежная, ласковая и молчаливая. То была какая-то необычайная молчаливость. Обычно — и это ему страшно нравилось — Дженнифер была очень шумлива.

А вот «Богема» Пуччини приводила Дженнифер чуть ли не в экстатическое состояние. Слушала ее она очень часто. Перед ужином она одевалась по-праздничному, доставала шампанское, отвергая принесенное им вино, рядом с тарелкой с десертом клала лучшие гаванские сигары, а потом, после ужина, к нему в кресло приходила уже без белья. После «Богемы» они никогда не успевали добраться до постели. А уже после всего она любила говорить об этой опере. И как-то призналась ему, что мечтает написать вторую часть «Богемы». Этакую «Богему»-2. Такое могло прийти в голову только Дженнифер. Кроме того, она считала, что, когда мужчина встречает женщину, случиться может все. И «Богема» является тому наилучшим подтверждением.

А в те дни, когда он работал допоздна и вечер они проводили не вместе, Дженнифер оставляла дверь в свою комнату открытой. Приходя, он сразу шел под душ и голый ложился в постель. Она любила, когда он будил ее и, забравшись под одеяло и покрывая поцелуями ее тело, пробирался губами туда, где расходились бедра.

Время с Дженнифер было похоже на телесериал, который приятно смотреть по вечерам, сериал, в котором нет ничего печального или занудного, но зато много секса и хорошей музыки. Но при всем при том он заботился о ней, как о своей женщине. Он дарил ей цветы, массировал опухшие ноги, когда она приходила после аэробики, терпел беспричинные приступы раздражения в ее трудные периоды, ремонтировал текущие краны, по утрам, уходя к себе в лабораторию, целовал ей руки, ездил с нею в Дублин и часами без слова протеста ходил по магазинам, пил вместе с ней зеленый чай и беседовал о музыке, занимался с ней перед ее экзаменами, звонил и спрашивал, поела ли она. Ограничить себя в курении ему не удавалось, но зато он регулярно ел ананасы и пил ананасовый сок.

И хотя ни он, ни она ничего не обещали друг другу и не требовали друг от друга клятв верности, они и представить себе не могли, что могло бы быть иначе. Дженнифер всего лишь раз подняла эту тему. Да и то не впрямую. В один из уик-эндов она полетела к себе домой на остров Уайт.

Он скучал по ней. Чувствовал неподдельную грусть из-за ее неприсутствия и территориальной разделенности с ней. А через два дня нашел у себя в ящике почтовую открытку. Кроме нотного стана с несколькими нотами, которые она всегда — но всегда из разных произведений — прибавляла ко всем своим письмам или открыткам, там было написано:

Элджот, я хочу, чтобы ты знал (хотя, по правде сказать, не знаю, в чем тебе может быть полезно это знание), что ты — единственный мужчина, который прикасается ко мне.

Так же и в моих мыслях.

Возможно, я не столько хочу, чтобы ты это знал, сколько хочу сказать это тебе.

Дженнифер.

Тогда до него впервые дошло: то, что происходит между ними, для Дженнифер вовсе не телесериал. Впоследствии она больше не возвращалась к этому признанию и никак не комментировала ту почтовую карточку.

С Дженнифер он узнавал все больше опер различных композиторов, отличал друг от друга все больше симфоний, курил самые лучшие сигары, все лучше говорил по-английски и осуществлял все более изощренные сексуальные фантазии. Вплоть до того утра за три недели до его возвращения в Польшу.

Близился конец его пребывания в Дублине. Он так заработался, что ему все реже удавалось поужинать с Дженнифер. Бывало, работать он заканчивал так поздно, что даже не шел к ней в комнату. Возвращался к себе и валился без сил, даже не раздеваясь, на постель. Но в ту ночь он все-таки пошел к ней. На этот раз ему не пришлось будить ее поцелуями, хоть он это очень любил. Когда он скользнул к ней под одеяло, она не спала. Она лежала обнаженная. Ждала его.

Они оба чувствовали, что близится конец всему. И любили друг друга как-то по-иному. Без неистовства, неспешно, словно бы с раздумьем. Как будто хотели доподлинно и осознанно все пережить, запомнить как можно больше и как можно на дольше. Может, даже на всю жизнь. Дженнифер тоже по-другому переживала оргазм. Бывало, что плакала сразу же после. И когда он спрашивал почему, не отвечала и только молча изо всех сил прижималась к нему.

Утром он проснулся от ощущения, будто его тело придавила какая-то тяжесть. В первый миг он решил, что ему это снится. Он медленно открыл глаза. Обнаженная Дженнифер, откинув голову назад, сидела на нем, пальцами сжимала свои соски и ритмично приподнималась и опускалась. Она дышала тяжело, хрипло. Он был в ней!

Он чуть приподнял голову и обнаружил, что на ушах у нее огромные черные наушники. Она слушала музыку. Какое-то время он не показывал, что видит это. Просто прижмурил глаза и наблюдал за ней. А она то ускоряла, то замедляла ритм, дышала то быстрей, то медленней, временами из ее груди вырывался стон. То было необыкновенное зрелище. Ее тяжелые груди поднимались и опадали. Губы у нее были полураскрыты, и она время от времени облизывала их языком. В какой-то момент она, видимо, ощутила, что его эрекция стала интенсивней. Она открыла глаза и взглянула на него. Улыбнулась. Приложила палец к губам, веля молчать. Не переставая приподниматься и опускаться на нем, наклонилась, взяла со своей подушки вторую пару наушников. Сняла со своей груди его руки и вложила в них наушники. Он приподнял голову и надел их.

Философ Коллин как раз пел знаменитую арию «Vecchia zimarra». Рудольфу кажется, что Мими засыпает, и он отходит задернуть шторы на окне. Дженнифер не только приподнимается и опускается. Сейчас она, производя бедрами круговые движения, двигает ягодицами в горизонтальной плоскости. Когда Рудольф поворачивается к Шонару, Коллину и Мюзетте, то по их глазам видит, что Мими умерла. Дженнифер громко плачет. Она стискивает бедра. Рудольф подходит к Мими. Дженнифер внезапно поворачивается спиной к Якубу, все так же продолжая приподниматься и опускаться. Якуб стискивает руками бедра Дженнифер, всякий раз плотнее прижимая ее к себе. Рудольф падает на колени перед постелью Мими. Дженнифер с криком срывает наушники.

«Богема» Пуччини кончилась. Дженнифер внезапно наклонилась вперед и вонзила ногти обеих рук в бедра Якуба. Когда она встала, он увидел у себя на ногах по три глубоких царапины чуть ли не десятисантиметровой длины, которые начали уже наполняться кровью.

Шрамы, оставшиеся после «предутренней» «Богемы», были настолько глубокие, что он их привез и в Польшу. А вот в Дублине они приводили его в смущение всякий раз, когда он раздевался перед еженедельной тренировкой по сквошу, которым он занимался вместе со Збышеком.

С тех пор как он стал бывать у Дженнифер, Збышек избегал его. Под конец его пребывания в Дублине они встречались только на сквоше.

То, что причина была в Дженнифер, выяснилось только за день до отъезда, во время прощальной вечеринки, которую устроил Якуб. Он пригласил нескольких знакомых из института, Збышека и, разумеется, Дженнифер, пришедшую вместе со своей однокурсницей из Франции Мадлен.

Настроение, которое было в тот вечер у Якуба, невозможно описать одним словом. Печаль от расставания мешалась с радостью, что наконец-то он возвращается в Польшу. А кроме того, его изрядно возбуждали мысли о том, что он сделает с материалами, которые собрал здесь. Но одно он знал наверняка: он будет тосковать по Дженнифер.

Для этого вечера Дженнифер купила белое платье в крупных зеленых цветах. И поразила всех. Ее впервые видели в платье, а училась она в Дублине уже четыре года. Выглядела она потрясающе. Якубу безумно нравилось, когда она зачесывала волосы в кок, открывая шею. Пришла она с небольшим опозданием, куря огромную сигару, и все, естественно, заметили, что под довольно прозрачным платьем на ней нет лифчика, но зато она надела черные очень открытые трусики. Она была уже немножко под хмельком. Под мышкой у нее были несколько пластинок. Когда кто-то шутливо спросил ее насчет трусиков, не вполне подходящих к платью, она ответила:

— Сегодня первый день траура по Якубу. Завтра я надену черный лифчик и сниму трусики.

Вечеринка шла своим чередом. Француженка явно заинтересовалась Збышеком, и тот во время танца демонстративно целовал ее, особенно если Дженнифер смотрела на них. В перерывах между танцами все усаживались за стол, уставленный бутылками, в которых отражались огоньки свечей. Якубу удалось убедить Дженнифер не «мучить» людей принесенными операми. За столом шел общий разговор. Дженнифер, прислушиваясь к собеседникам, время от времени прикасалась к Якубу и собирала теплый воск, стекавший с подсвечников.

И вдруг раздался громкий смех. Дженнифер поставила рядом со своим бокалом с мартини слепленный из собранного воска пенис нормальных размеров в состоянии эрекции.

Когда смех утих, она взяла пенис, вложила его в ложбинку между грудями и произнесла мечтательным тоном:

— Совершенно неосознанно мои руки вылепили это чудо. Ответственно за это если не мое сознание, то, значит, подсознание. Теперь вы знаете, чем занято мое подсознание.

И она прильнула к Якубу. Збышек резко и демонстративно вышел из-за стола. Было видно, что он взбешен. Вдобавок француженка проигнорировала его демонстрацию и осталась сидеть за столом. Дженнифер, похоже, не обратила на все это внимания. Она сидела и молчала. А потом вдруг взяла его под столом за руку и сказала:

— Пошли. Вернемся в наш последний день к нашему первому дню.

Она вывела Якуба из комнаты и побежала по коридорам в направлении его института. У дверей лекционной аудитории, которую он запомнил со своих именин, Дженнифер остановилась и, как и тогда, затащила его туда. Как и тогда, она стояла перед ним на коленях, как и тогда, с шумом зажигались и гасли ряды ламп дневного света, и он подумал, что все-таки это не дежа-вю. Теперь с ним была его Дженнифер. Когда потом они, тесно прижавшись друг к другу, стояли в этой темной аудитории и плакали, Дженнифер шепнула:

— Якуб, я так тебя люблю, что даже не могу себе представить завтра.

Из задумчивости его вывело прикосновение к плечу. Блюз кончился. Танцевавшая девушка сидела перед ним.

— Вы пьете из моего бокала, причем там, где отпечаталась моя губная помада.

Это была не Дженнифер.

— Ради бога, извините. Я задумался. Мне крайне неудобно. Сейчас я куплю вам в баре... Это все от невнимания. Я ужасно рассеянный. Вы уж простите меня.

— Ничего страшного. Вам не за что просить прощения. Наблюдать за вами было безумно интересно. Вы сидели с закрытыми глазами и сосали край бокала.

Она взяла у него бокал и пошла к бару, возле которого музыканты паковали свои инструменты.

— Вы замечательно танцевали. Скажите, вы случайно не с острова Уайт? — крикнул он ей вслед.

— Нет, — ответила она, прежде чем скрыться в дверях, ведущих в отель.

Он встал и последовал за ней.

ОНА:

Париж, 16 июля 1996 г.

Я люблю тебя. Очень. А еще больше я радуюсь, что могу тебя любить. Хотя это всего лишь почти вся правда (я не хочу тут забираться слишком далеко). И не воспринимай меня сегодня слишком серьезно.

Во мне, несомненно, происходит какая-то биохимическая реакция. Я запустила в кровеносную систему чудесную жидкость под названием бренди «Ани», армянский коньяк, кажется, единственный спиртной напиток, который пил Черчилль. Теперь я знаю, почему он выбрал именно его. Не понимаю только, почему у него была постоянно депрессия. Наверно, в этом виноваты вечные лондонские туманы.

Сейчас я всецело благодарна миру за то, что он существует, и за то, что я существую в нем. Я так люблю такое состояние. Тем более что через 52 часа и 36 минут ты должен приземлиться в Париже. Кроме того, сегодня я немножко разнузданная, но, наверно, это не из-за Ренуара. Главным образом из-за Аси. Это она уговорила меня поехать после д'Орси прямиком в музей эротики неподалеку от площади Пигаль. Сперва импрессионист создал у меня настроение, а потом меня возбуждали всеми видами искусства. Такого музея нет больше нигде. Угадай, что мне больше запомнилось — Ренуар или эротика?

Это плохо, что эротика? Ася говорит, нет, потому что иногда надо почувствовать себя секси. Я спросила у нее, что она делает, чтобы почувствовать себя секси, когда она не в Париже. И знаешь, что ответила мне сверхвпечатлительная интеллектуалка Иоанна Магдалена? А ответила она буквально следующее: «Я надеваю обтягивающее платье и не надеваю трусики».

Кто бы мог подумать, что это так просто.

Знаешь, что я заметила в Асе во время осмотра этого музея? Она была захвачена женственностью во всех ее проявлениях. По-моему, Асю с недавнего времени привлекают женщины. Из того, что она порой рассказывает, следует, что ни один мужчина по-настоящему не достигает того уровня, какой она себе вообразила. Я знаю от нее самой, что она способна наслаждаться сексом, но и знаю также, что мужчина для этого ей не нужен.

Когда мы вышли из этого музея, мне захотелось оказаться в одиночестве. Страшно захотелось. И лучше всего у себя в номере. Возможно, когда-нибудь я расскажу тебе, почему именно там. У меня был слишком высокий уровень окситоцина, чтобы переносить рядом с собой кого-нибудь, кроме тебя. Информирую тебя об этом по случаю, как любителя теории гормонов. И притом исключительно «в дело», как ты выражаешься. Может, это пригодится тебе для исследований.

Асю я попросила оставить меня одну. Она ничуть не протестовала. Насколько я ее знаю, ей тоже хотелось побыть в одиночестве. Я отправилась в «Кафе де Флор». Главным образом для того, чтобы написать тебе e-mail. Я еще ни разу не писала тебе ничего на бумаге. И подумала, что в «Кафе де Флор» я могла бы попробовать. Тут писали Камю, Сартр и Превер. Попробовала. Необыкновенное ощущение. Обычный лист, на котором могло бы быть пятно от пролитого вина или отпечаток губ на другой стороне. Интернет этого не заменит. Трудно сосать e-mail, а у меня было такое желание пососать салфетку, на которой я писала тебе в «Кафе де Флор». А кроме того, опасно писать тебе e-mail, лежа голой в ванне. В последнее время это моя самая большая мечта. Писать тебе e-mail в ванне. В крови вино, сверху меня прикрывает пена с ароматом бергамота, кипариса и мандарина, и я слушаю музыку, ощущаю вибрацию голоса Моррисона. Это можно делать только под напряжением. Но, естественно, не электрическим. Поэтому нельзя взять в ванну Интернет, но я все равно обожаю его.

Половина этого текста появилась там. В «Кафе де Флор». А вторая совсем недалеко оттуда. В другом, еще более культовом парижском кафе «Де Дё Маго». Не понимаю, что интеллектуалы нашли в этом кафе. Кофе там ужасный. У горячего шоколада вкус, точно у жура[1] в баре в Плоцке. Как жур это неплохо, но как шоколад чудовищно. Единственно красивый интерьер, и вино действует. Но вот уже несколько дней вино на меня действует везде. Там я написала еще несколько строчек этого текста, который сейчас переписываю в комнатке за стойкой портье нашей гостиницы в Париже. Скоро пробьет полночь. Портье развлекает Алицию и Асю, а мне разрешил погостить на диске своего компьютера. Я в связи с этим немножко распущенная и все думаю, заметил ли он, что сегодня у Аси нет трусиков под облегающим платьем. Она сама мне показала, что нету. Однако я чувствую, что мы в безопасности, потому что никто, кроме тебя, этого не прочтет. Я отошлю этот текст и сотру его. В основном потому, что хочу быть распущенной и развратной только для тебя.

Я по тебе скучаю.

Я чувствую себя, как бы это выразиться, «легковоспламеняющейся». Сегодня в этом музее эротики я заметила одну характерную закономерность. Там было множество картин и скульптур, изображающих ведьм. Что было странно и характерно для этого музея. Обязательно сходи туда, когда в следующий приезд в Париж у тебя будут полтора свободных часа. Итак, я обнаружила там множество нагих ведьм. Они как раз были «легковоспламеняющиеся». Например, когда их живьем сжигали на кострах. И хотя это происходило давно, мне казалось, что ведьмы эти были просто женщины, которых безвинно карали. Карали мужчины, которые не могли простить собственным женам измен и потому приговаривали женщин, с которыми зачастую изменяли своим женам, к сожжению на костре, объявив их ведьмами. Знаешь, что я обнаружила на этих картинах и на этих скульптурах? Ведьмы на костре улыбались.

Опасные, осужденные женщины, которых часто сперва побивали камнями, а потом сжигали, радостно смеялись, горя на костре...

И теперь мне стало грустно, потому что я подумала об этих ведьмах в контексте. Если бы ты мог в Интернете слышать мой голос, то услышал бы сейчас стихотворение, под впечатлением

---

[1] Жур — суп на мучной закваске.

которого я нахожусь уже несколько недель. Я прочла его в Варшаве, уже точно не помню где. Оно мне вспомнилось, когда я смотрела на улыбающихся ведьм в музее неподалеку от площади Пигаль:

Боже, мы Тебе снимся вместе
На краях тарелок, когда я разливаю суп,
И на краешке супружеского остывшего ложа,
В углубленьях морщинок около глаз.
Мы упорно Тебе снимся вместе.
И Ты соединяешь нам руки,
Так что мы не можем убежать друг от друга.
А если нет,
То не введи нас во искушение.
Пусть оплачут меня
Воскресные домашние макароны.
Дай заснуть
И избави нас —
Каждого по отдельности.
Аминь[1].

Написала его, наверно, какая-нибудь современная ведьма. Не могу вспомнить ее фамилии. Но восхищаюсь ей, даже безымянной. Это стихотворение трогает меня, вызывает грусть. Я знаю, что на тебя оно тоже подействует так же. Не понимаю, почему я запомнила его. И вообще я не считаю, что десять заповедей — наилучшие проводники по жизни. Я сообщу тебе, когда ты уже будешь здесь, свою 11-ю заповедь.

P. S. Ты думаешь, что процесс ожидания удлиняет само ожидание. А я не думаю. Я в этом уверена.

Прилетай же наконец.

---

[1] Автор стихотворения Дорота Керштейн Пакульска *(прим. авт.)*.

@8

Было уже почти три, когда он наконец пришел к себе в номер. А в девять утра его самолет вылетал в Нью-Йорк.

«Будем надеяться, что хотя бы один пилот этого самолета выпил сегодня ночью меньше, чем я», — подумал он, чистя зубы в ванной комнате. В отличие от большинства людей он любил становиться под душ с почищенными зубами.

Под душем он думал о ней. Какой вкус у ее кожи? Как будет звучать его имя в ее устах? Какие первые слова они скажут друг другу, когда увидятся в аэропорту? Как ему следует обнять ее? И внезапно ему почудилось, что сквозь шум льющейся воды пробивается звонок телефона. Он переключил душ на кран. Да, действительно звонил телефон. Он раздвинул стеклянные дверцы душевой кабины и, не вытираясь, побежал в спальню, где стоял телефон. Кристиана, секретарша их института, звонила из Мюнхена.

— Якуб, где ты шляешься по ночам? Я уже два часа звоню тебе! Можешь записать то, что я тебе скажу? О'кей. Слушай внимательно. Сегодня ты в Нью-Йорк не летишь. А летишь ты в Филадельфию. Там возьмешь такси до Принстона. Это всего сорок пять минут, если не будет пробок. Тот профессор молекулярной биологии ждет тебя в Принстоне. Электронный билет на рейс до Филадельфии будет ждать тебя на стойке регистрации пассажиров. Номер билета я отправила по факсу портье твоей гостиницы. Твой самолет до Филадельфии вылетает в одиннадцать утра по вашему времени. Все рейсы я заказала, как ты и любишь, в «Дельте». Надеюсь, ты рад? Ты сможешь поспать на два часа дольше. В Принстоне установишь им программу. Помни, только демо[1]. Никакой полной версии. Так, как записано в контракте. От демо у них потекут слюнки, и они купят у нас полную версию. Да, и установишь только в компьютерах клиники. Объясни им вежливо, как ты умеешь. У них должно возникнуть чувство, что она им позарез нужна. Я заказала для тебя в Принстоне номер в «Хайте». Номер заказа также найдешь в факсе. И вот что, Якуб, ты и думать не смей о том, чтобы бросить меня в Мюнхене, а самому перебраться в Принстон. Я-то знаю: у тебя в голове бродят мысли о переезде в Штаты, но, пожалуйста, не делай этого. Умоляю, не бросай меня одну с этими жуткими немцами!

Якуб улыбнулся. И хоть это была шутка, он знал, что в ней есть доля истины. Кристиана была абсолютно нетипичная немка. Спонтанная, разбросанная, неорганизованная, впечатлительная, пылкая, открыто выражающая свои чувства. Она частенько посмеивалась над ним, говоря, что учится у него немецкой педантичности, а он ей говорил, что она по-славянски «расхлябанная» и время у нее протекает сквозь пальцы. Да, он был ее лучшим другом. Он радовал ее в феврале блюдечком клубники, цветами на 8 Марта, хотя в Германии никто не отмечал Женский день, мейлом в день ее рождения, но более всего перетаскиванием тяжелых коробок с бумагой для принтеров и ксероксов. Он, профессор, носил секретарше коробки с бумагой. Некоторых его ученых коллег раздражало столь демонстративное «нарушение структуры иерархии». «Ну, конечно. Он — поляк. Им вечно нужно что-то ломать, нарушать всяческие правила», — должно быть, думали они. Кристиана только в самом начале чувствовала себя неловко. А потом дни, когда привозили бумагу, стали для нее в радость. Ей безумно нравилось демонстрировать «этим немцам, как должно относиться к женщине». А он? Он вовсе

---

[1] Демонстрационная версия.

не был адептом нарушения всех и всяческих правил, просто он иначе не мог.

Однако он следил за тем, чтобы в своих отношениях с Кристианой не выйти за рамки дружбы, хотя знал, что мог бы пойти гораздо дальше. Но он не хотел. Во-первых, потому что у Кристианы, когда он появился в институте, уже был постоянный друг. Да, она нравилась ему. В самом начале пребывания в Германии Кристиана была единственным близким ему человеком. В какие-то моменты своим образом жизни, реакциями она напоминала ему Наталью. Может быть, именно поэтому он не хотел переступить границу в их отношениях. Не хотел разрушать нечто уже существующее, не имея возможности построить на этом месте что-то новое. Свое пребывание в Германии он поначалу воспринимал как переходный этап. Как этакий «зал ожидания» на пути к цели. А целью была Америка. И он считал, что в «зале ожидания» — Кристиана посмеивалась над высокопарностью этого его утверждения — не следует сажать никакие деревья. И вот он сидел в этом «зале ожидания» уже несколько лет, и временами у него было ощущение, что Кристиана там тоже чего-то ждет вместе с ним.

В первый момент, услыхав про Принстон, он хотел запротестовать. Однако подумал о двух дополнительных часах сна и сказал:

— Не бойся, Крисси, — ей очень нравилось эта ласково-уменьшительная форма ее имени, — я не оставлю тебя одну с немцами. После того как я научил тебя пить водку, как пьют настоящие поляки, мне будет жалко бросить тебя. Я все понял. Сегодня в одиннадцать я лечу в Филадельфию. Скинь на FTP-сервер необходимую документацию для Принстона. Ее нет в моем ноутбуке, поскольку я не ожидал, что меня ждет эта экскурсия. Ты найдешь ее в компьютере у меня в кабинете. Он постоянно включен. Крисси, когда будешь у меня в кабинете, полей, пожалуйста, цветы. Не забудешь? И еще, постарайся не залезать ко мне на ICQ, когда войдешь в компьютер? Обещаешь? Тем более, то, что ты там найдешь, будет по-польски. Уверяю тебя, ради одного этого не стоит учить польский.

Произнеся эти слова, он засмеялся. Хоть Кристиана и обещала ему, что «постарается», он знал, что старания эти окажутся тщетными. Он был более чем уверен, что она просмотрит всю его корреспонденцию на ICQ. Кристиана обожала знать все обо всех. А он всегда интересовал ее больше других. Он был в самом, что называется, репродуктивном возрасте, самый молодой профессор в институте, целовал женщинам руки, а она даже не могла выяснить, с какой или с какими из них он спит. А выяснить это она не могла, потому что он ни с кем не спал. И хотя Кристиане трудно было бы в это поверить, так продолжалось уже давно.

Когда он положил трубку, на постели, там, где он сидел, разговаривая с Кристианой, темнело большое мокрое пятно. Ну да, он же прибежал прямиком из-под душа. Правда, теперь он был уже сухой. Он пошел в ванную выключить свет. Возвращаясь, увидел на полу у двери белый лист бумаги. Он наклонился и поднял его. То был факс от Кристианы. Он позвонил портье и попросил разбудить его двумя часами позже.

Он ехал на такси в аэропорт и мысленно клялся себе, что никогда больше не будет пить. Похмелье было жуткое, а он не успел даже глотнуть кофе, так как проспал; к тому же радио в такси сулило торнадо в Северной Каролине. А в Филадельфию летят как раз над Северной Каролиной.

Но все оказалось куда хуже, чем он предполагал. Трясти начало уже над Новым Орлеаном. Он судорожно вцепился в поручни кресла, как будто это чем-то могло помочь. Но то было только начало. После часа полета, когда они вошли в замирающие завихрения после торнадо, пронесшегося по Северной Каролине, он уже во весь голос клялся, что никогда больше не возьмет в рот ни капли. Только бы долететь, а уж после этого он станет бескомпромиссным трезвенником. Ему вспомнилось, как они ходили в плавание, когда учились в техникуме. Тогда тоже мучительно выворачивало внутренности. Ему никогда не забыть сцену, когда в Бискайском заливе он, бледно-зеленый, свесившись вместе с другими за борт, блевал, и вдруг прекратил и в этом состоянии полуагонии зашелся смехом, слушая, как боцман перекрикивает грохот волн:

— Матросы знают, что лучше всего в такую погоду? Нет, эти говнюки-матросы не знают! А в такую погоду лучше всего черешневый компот, потому как его одинаково вкусно и жрать, и блевать. Запомните на всю жизнь. И потом блевать — это вам не ебаться. Тут надо уметь. Кто же, мать вашу, блюет с наветренного борта?

Видимо, сейчас он был такой же зеленый, как тогда на судне, потому что стюардесса подходила к нему через каждые пятнадцать минут и спрашивала, не может ли она чем-нибудь помочь. Этим пользовался сосед справа, огромный техасец в ковбойской шляпе, которую он не снимал ни на минуту. Пока Якуб отдавал концы, сосед при каждом подходе стюардессы как ни в чем не бывало заказывал спиртное. Время от времени он пытался даже угощать Якуба. Но Якуб с ужасом и отвращением отказывался. В этой ситуации ему казалось, что нет ничего ужаснее вкуса виски.

Турбулентность продолжалась до самого конца, и посадка тоже была чудовищная. Самолет дал такого козла, что безразличный ко всему и уже изрядно пьяный техасец пробурчал:

— Мы сели или это нас сбили?

На выходе Якуба ждал водитель машины, присланной из Принстонского университета. Ехали больше часа. Войдя к себе в номер, он тут же позвонил профессору и передвинул встречу на три часа. Затем поставил будильник, попросил портье разбудить его и запрограммировал побудку в телевизоре, в котором установил максимальную громкость. Раздеться у него уже не было сил.

Просыпался он три раза, но только телевизор заставил его пойти под душ. В кабинете профессора он был за несколько минут до установленного времени. Якуб неплохо знал его по предыдущим встречам и конгрессам. Седой старикан с большими причудами. Выпускник Цюрихского университета — он это с гордостью подчеркивал, напоминая, что и Эйнштейн закончил университет в Цюрихе, — относящийся терпимо ко всему, кроме непунктуальности, курения и женщин, занимающихся наукой. Именно в этой последовательности.

С Якубом профессор всегда разговаривал по-немецки, совершенно не обращая внимания на то, что его ассистенты и сотрудники не понимают этот язык. Во время каждой встречи он первым делом удостоверялся, что институт Якуба не сотрудничает «с этими метабиологами из Гарварда, которые до сих пор не знают, что киты — млекопитающие». И всякий раз Якуб отвечал — к сожалению, в полном соответствии с правдой, — что с Гарвардским университетом они не сотрудничают. Однако умалчивал, что вот уже несколько лет они стремятся установить сотрудничество.

Шефом молекулярной биологии в Гарварде была — как Якуб узнал во время раута на каком-то очередном конгрессе — бывшая жена принстонского профессора. В научной среде обожают сплетничать, и ему рассказали по секрету, что профессор и его «бывшая» пробыли супругами сорок семь часов. С одиннадцати утра в субботу до десяти утра в понедельник, поскольку именно в этот час в штате Массачусетс открываются суды. Через сорок семь часов после заключения брака супруга профессора, доктор биологических наук, выпускница парижской Сорбонны, подала на развод. Якуб ни разу не провел с профессором более часа, но ему и этого вполне хватило, чтобы понять его бывшую жену.

На сей раз разговор — разумеется, на немецком — в кабинете профессора продлился дольше часа. Около пяти вечера Якуба отвезли в компьютерный центр клиники Принстонского университета, где ему предстояло установить и протестировать демонстрационную версию их программы. После трех часов работы, когда до конца оставалось совсем немного, он вышел поискать автомат, продающий банки с «колой». Тот должен был стоять где-то поблизости. В американском университете может не быть библиотеки, но автомат с «колой» будет обязательно. Из ярко освещенного компьютерного центра Якуб вышел в темный коридор.

— О Господи, как вы меня напугали! Я уж подумала, что это какой-нибудь дух. Вы ходите в точности как Томми. Я страшно перепугалась. Томми тоже меня все время пугал.

Якуб повернул голову в ту сторону, откуда раздавался голос. Неподалеку в темном коридоре стояла чернокожая уборщица. Выглядела она как рабыня, собирающая хлопок на плантациях близ Нового Орлеана, с картин Теодора Девиса. Точно такие же, глубиной в полсантиметра, морщины под глазами. Такие же огромные белки глаз, испещренные красными линиями кровеносных сосудов.

— Я вовсе не хотел вас напугать. Я ищу автомат с «колой». А кто такой Томми?

— Томми тоже все время искал «колу». Работал он тут уже много лет и все никак не мог запомнить, где стоит автомат.

— Я сегодня тоже уж точно не запомню. Вы не проводите меня к автомату и не расскажете по дороге, кто такой был этот Томми?

— Вы не знаете, кто был Томми? Он работал в четырех коридорах отсюда. После того как он украл мозг Эйнштейна, все его знали. А Эйнштейна вы знаете, того самого американского еврея из Швейцарии?

Никто еще не называл Эйнштейна «американским евреем из Швейцарии». После этих слов Якуб внимательней присмотрелся к ней. Ему не удалось определить ее возраст. Иногда он задумывался, а может, и негры не способны определить возраст белых, поскольку те все кажутся им на одно лицо. Ему вспомнилась Эвелин из новоорлеанского ресторана. Толстущая, одинаковой ширины от плеч до земли, с грудями, как подушки, свисающими до поясницы.

— Как это украл мозг Эйнштейна? Кто такой был Томми? — повторил вопрос заинтригованный Якуб.

Негритянка поставила ведро, из которого переливалась пена, и уселась на скамейку у входа в туалет.

— Томми был врач. Но он никого не лечил. Потому никто его не уважал. А кроме того, он по утрам ни с кем не здоровался. Вот вы здоровались бы радостно с кем-нибудь, если бы вам нужно было распотрошить два трупа до завтрака и четыре после? А я его уважала. И Мерилин тоже. Томми был влюблен в Мерилин. В те времена мужчины и женщины еще влюблялись друг в друга. Мерилин была врачом на четвертом этаже. Я там не убирала. Она была очень красивая. Вы не будете возражать, если я закурю?

Она вынула пачку табака и принялась сворачиватв сигарету.

— Разумеется, не буду. Не могли бы вы свернуть одну и для меня? А в здешнем автомате нет заодно пива?

Он вновь забыл о клятвах, которые давал в самолете. Негритянка улыбнулась.

— Пива? Нет. И никогда не бывает. Здесь, в кампусе, в сто раз легче купить кокаин, чем пиво.

— Там кто же был Томми и кем была Мерилин? — спросил Якуб, садясь рядом с ней.

Она была такая толстая, что занимала почти всю скамейку, и ему пришлось прижиматься к ней. Она подала ему самокрутку. Они сидели в темноте и курили. Две вспыхивающие огненные точки. Было тихо, и только ее низкий голос странно отдавался в пустынном коридоре:

— Мерилин, она работала в педиатрическом отделении. Дети ее любили, потому что она все время смеялась. И только если какой-нибудь ребенок умирал, она плакала. Плакала она всегда в туалете. Чтобы дети не видели. А Томми был патологоанатомом. Он резал трупы, чтобы найти в них что-то важное. Благодаря тому, что он находил, можно было спасать жизнь других больных. И хотя он делал очень нужное дело, никто им не восхищался. Кроме Мерилин. Он, похоже, чувствовал ее отношение. Это было так давно, а я помню все до мельчайших подробностей. Эйнштейна привезли перед самой полночью. Он был без сознания. И умер вскоре после полуночи. Это было в понедельник восемнадцатого января пятьдесят пятого года. Я была тогда здесь самой молоденькой практиканткой. А мне кажется, что все это было вчера. Я убирала тогда на первом, втором этаже и в подвале. Патологоанатомия находится в подвале. Томми, конечно, знал Эйнштейна и восхищался им. Тот был для него воплощением недостижимой мудрости. В Принстоне все знали Эйнштейна. Хотя бы из-за журналистов, которые гонялись по кампусу за Эйнштейном, как стая волков.

Когда Томми пришел на дежурство, Эйнштейн уже лежал на столе. Томми сперва не хотел делать вскрытие. Он пришел страшно взволнованный наверх к Мерилин и сказал ей об этом. Но через несколько минут она его переубедила, и он возвратился к себе в подвал. То, что там произошло, я знаю во всех подробностях от Мерилин. Думаю, Томми это сделал ради нее. Чтобы она восхищалась и гордилась им. Все говорят, что это невозможно, но я-то знаю. Я видела, какими глазами он смотрел на Мерилин. Томми совершил страшную вещь. Сначала он сделал нормальное вскрытие, а потом на него вдруг нашло. Это был единственный, неповторимый шанс в его жизни. Он взял пилу, вскрыл Эйнштейну череп и вынул мозг. Разрезал скальпелем на двести сорок ровных кубиков, сложил их в две трехлитровые банки с надписью «Costa Cider» и залил формалином. Одну банку он плотно накрыл деревянной крышкой, а вторую стеклянной. Обе банки он унес из подвала. Решил, что никому их не отдаст. А пустой череп Эйнштейна набил газетами, завернутыми в пленку, и наложил сверху отпиленную часть черепа, чтобы никто этого не заметил. Представляете себе? В черепе Эйнштейна вместо мозга старые скомканные газеты? Когда Мерилин мне рассказывала про это, я не хотела верить. Как он мог такое сделать?

Тяжело дыша, она на мгновение умолкла.

Череп Эйнштейна, набитый газетами, — это прямо-таки кадр из какого-нибудь макаберного фильма. Было в этом что-то жутковатое и абсурдное. Эйнштейн для Якуба до сих пор был чем-то наподобие памятника. Квинтэссенцией разума. Но Эйнштейн без мозга, с черепом, набитым газетами, вдруг представал никчемным и униженным. Нет, то был не фильм. Такого никакой режиссер не придумал бы. И ему стало как-то не по себе, когда он представил, что всего двумя этажами ниже находится подвал, в котором был произведен сатанинский обряд извлечения мозга Эйнштейна. И то, что скамейка небольшая, а негритянка такая массивная и он вынужден прижиматься к ней, как-то успокаивало его.

— На чем я остановилась? Ага, вспомнила... Томми знал про последнюю волю Эйнштейна, который велел, чтобы его останки сожгли, а прах развеяли в месте, которое будут знать только самые близкие его родственники. Эйнштейн не хотел, чтобы его похоронили в могиле... Знаете, что... Скручу-ка я себе еще сигаретку. В последнее время я что-то много курю. Это плохо, тут, в Америке.

Настала тишина. Она извлекла из бездонного кармана передника коробку с табаком и уже через минуту заклеивала самокрутку. В свете огонька зажигалки белки ее глаз на фоне антрацитово-черного лица казались чудовищно огромными.

Рассказ негритянки звучал как подлинная сенсация. Однако Якуб ни на секунду не усомнился, что все это правда. Давно, еще во время учебы, он безмерно восхищался

Эйнштейном. Да, действительно его могилы не существует. И это очень соответствует Эйнштейну. У богов могил не бывает. Да, мозг Эйнштейна действительно не был сожжен вместе с телом, и благодаря этому неврологи смогли исследовать его. Нейроанатомические исследования подтвердили его исключительность. Все это Якуб знал давным-давно. Но ему и в голову не могло прийти, что за всем этим кроется такая невероятная история. А негритянка продолжала:

— Никто не поручал Томми сделать это, и разрешения тоже никто не давал. Но он считал, что никакого разрешения ему не нужно было, потому как «Эйнштейн принадлежит всем». Так он говорил. Даже когда все это раскрылось, он не хотел отдавать мозг. Мерилин говорила мне, что Томми это сделал для людей, а не для славы. Он верил, что если сохранить самое главное из того, что было в Эйнштейне, когда-нибудь удастся воссоздать его целиком. Вот такой он был одержимый чудак, этот Томми. Каждый день он резал трупы, но, несмотря на это, был самым большим романтиком во всем этом здании. Потому-то Мерилин так любила его. Но того, что он сделал с Эйнштейном, она ему никогда не простила. Томми из-за этого жутко страдал.

Негритянка сделала глубокую затяжку и замолчала. У таинственного Томми были важные причины так поступить. Но тогда, в 1955 году, ни он и никто другой не мог знать, что для клонирования человека вовсе не надо извлекать мозг из черепа. Для этого вполне хватит нужным образом сохраненной капельки крови, кусочка волоса или лоскутка кожной ткани. Полный генетический материал человека хранится в ядре каждой его клетки. И в этом смысле нейроны мозга ничем не отличаются от других, более «прозаических» клеток. Вероятно, Томми просто хотел быть уверенным и для уверенности сохранил в формалине больше килограмма материала для клонирования. И еще он знал, что самые важные клетки у Эйнштейна были в мозгу.

— Томми пришлось уйти из Принстона, — снова заговорила негритянка. — Но он так и не отдал банки с мозгом Эйнштейна в формалине. Через полгода, после того как он ушел, Мерилин вышла замуж и переехала в Канаду. Что стало с Томми, я точно не знаю. Кто-то говорил мне, что встречал его в каком-то университете в Канзасе.

В этот момент кто-то шумно открыл дверь в конце коридора. Луч фонаря медленно продвигался по стенам. Это был явно охранник. Негритянка неожиданно вскочила и исчезла за дверью туалета. Через минуту луч фонаря достиг скамейки, на которой сидел Якуб. Охранник светил ему прямо в глаза.

— Вам известно, что курение здесь является серьезным нарушением порядка? Я мог бы наложить на вас штраф от тысячи долларов и выше, — раздался голос, принадлежащий владельцу фонаря, который неожиданно рассмеялся. — Но я не стану вас штрафовать, потому что точно знаю: курить вас подстрекнула Вирджиния. Только ее табак так чудовищно воняет. Когда она выйдет из уборной, где сейчас прячется, скажите, что это ей сходит с рук предпоследний раз. — Охранник громогласно рассмеялся и направился к лестнице, ведущей в подвал.

Якуб все это время молчал, слегка ошеломленный рассказом Вирджинии, которая долго еще не выходила из своего укрытия в сортире. Наконец дверь приоткрылась, и негритянка шепотом осведомилась:

— Ушел уже?

Узнав, что охранник ушел, она энергичным шагом вышла из туалета и взяла ведро.

— Мне тоже пора. Он через пятнадцать минут возвратится и запрет весь корпус, а я забыла сегодня свои ключи. А знаете что? Вы не только ходите, как Томми, но у вас еще и голос, как у него.

С этими словами она исчезла за поворотом коридора.

И только тогда он вспомнил, что она должна была показать, где находится автомат с «колой». Он окликнул ее. Ответа не было. Тогда он зашел в уборную, нашел фонтанчик с питьевой водой и наклонил голову, чтобы струя омыла ему лицо. Так он стоял некоторое время. Потом, не вытирая лица, возвратился в компьютерный центр. Завершил установку программы, подготовил короткое описание процедуры включения программы, послал профессору e-mail с отчетом о проделанной работе и по Интернету заказал такси. Выключил компьютер и вышел в коридор. И когда проходил мимо скамейки возле туалета, ощутил тревогу. Из памяти не уходила картина: мертвый Эйнштейн со вскрытым черепом, набитым газетами. Он бегом помчался к выходу. Такси уже ждало его.

— Отвезите меня куда-нибудь, где можно выпить пива, — попросил он таксиста.

В отель он вернулся около полуночи. Всю ночь ему снились Томми, Вирджиния, таинственная Мерилин и теория относительности. На следующий день, когда он ехал в гостиничном лимузине на железнодорожный вокзал и проезжал мимо кампуса, ему припомнились события вчерашнего вечера, и он решил узнать как можно подробнее о человеке, спасшем мозг Эйнштейна от сожжения. И начнет он этим заниматься уже сегодня в Нью-Йорке, где будет через час. Именно столько времени нужно его поезду, чтобы доехать до вокзала Пенн на Манхэттене.

Кроме того, он не мог дождаться, когда расскажет историю про мозг Эйнштейна ей. Он заметил, что с тех пор, как они знакомы, события, чувства и мысли обретают подлинное значение только после того, как он расскажет ей о них. Точно так же было и с Натальей.

Нет, он не станет ей писать про это. Он ей расскажет. Да, именно расскажет. Сядет напротив и, глядя в глаза, будет рассказывать. Осталось-то всего ночь и день. Уже недолго. Кроме того, время в Нью-Йорке бежит быстрей. Разумеется, эта истина не абсолютная, а всего лишь относительная. Вполне релятивистская и эйнштейновская. Он знал об этом еще со времен Нового Орлеана, такого же ленивого и неторопливого, как Техас. Когда в Нью-Йорке новости уже приближаются к прогнозу погоды, в Техасе еще только идет первая реклама после приветствия диктора.

Вдали маячили небоскребы Манхэттена, и его поезд въезжал в туннель под Гудзоном. Завтра вечером он вылетает в Париж, чтобы встретиться с ней. З-А-В-Т-Р-А — медленно, по буквам мысленно произнес он, наслаждаясь их звучанием и прямо-таки по-детски радуясь.

ОНА: Якуб, я когда-нибудь говорила, как я люблю думать о тебе? Наверно, говорила, но мне нравится думать, будто еще не говорила. Сегодня я много раз думала о тебе.

Я обязательно должна тебе кое-что рассказать. Ася меня несомненно убьет: я сказала ей, что иду к себе в номер поправить макияж, а на самом деле сбежала в интернет-кафе в метро и пишу тебе. Ася, с тех пор как мы познакомились, убивала меня уже много раз, так что, надеюсь, что и сейчас как-нибудь переживу это.

Ты любишь такие истории, потому что любишь вылавливать удивительное или трогательное. Сегодня я была очень удивлена. И растрогана тоже. Невероятно. Но начну сначала.

Этот красавчик студент, который подклеился к Алиции (кстати сказать, Алиция, как обычно, убеждена, что она «бесповоротно», что бы ни значил этот термин, влюблена в студента), когда-то на каникулах работал у одной немки, вдовы французского промышленника, который увез ее из Германии и запер в золотой клетке в юго-западной части Парижа. Как ты думаешь, что мог делать красивый студент из Польши для сентиментальной вдовы далеко за сорок, у которой три кухарки, табун горничных, два садовника, шофер и ветеринар «на проводе». Алиция, когда влюблена, не задает себе таких бессмысленных вопросов.

Вдова пригласила студента, студент пригласил Алицию (а что он мог сделать, если она ни на шаг не отступала от него), а Алиция пригласила нас. Вдове это абсолютно все равно, так как для нее было главное увидеть после разлуки своего студента.

Вдова прислала к гостинице два лимузина, так как решила, что у студента десяток друзей, а не три подруги. И хотя студент по-французски декламирует Алиции стихи, французский у него не самый лучший, во всяком случае разговорный. Дом, в котором пребывает вдова — потому что, по ее словам, живет она на Маврикии, а в Париже у нее всего лишь резиденция, — похож на Бельведер[1], только что побольше будет. Вдова — блондинка с печальными глазами неопределенной вследствие множества операций формы. У нее две слабости, вторая из которых попросту трогательная. А первая — это болезненное чувство необходимости «сосуществования с миром». Она сама призналась, правда, после третьей бутылки вина, что это своего рода мания, причем в психиатрическом смысле. У нее во всех помещениях (включая и конюшню) стоят телевизоры, поскольку она считает, что в мире происходит множество важных событий, о

---

[1] Дворец в Варшаве.

которых она должна знать. Поэтому она встает в пять утра и смотрит новости на всех возможных каналах и на всех возможных языках. Когда мы приехали, она тоже смотрела новости и почтила нас своим присутствием только через тридцать минут. Вдова просто-напросто тревожится за наш мир и желает знать причину своих тревог.

Кроме того, она считает, что больше всего в мире страдают животные. Поэтому у нее несколько собак, несколько кошек, почти два десятка канареек, несколько хомяков и всего одна черная вьетнамская свинья. Свинья действительно совершенно черная и огромная, как этот знаменитый американский боксер, только покрасивее. Когда мы сидели в большом саду, свинья носилась, как ошалелая, время от времени подбегала к вдове, толкала ее своим рылом, и та с нежностью целовала ее в морду. Незабываемое зрелище. Черная свинья, громко хрюкая, бегает, как сумасшедшая, разрывает ухоженный газон, топчет клумбы с дивными розами, подбегает к вдове точь-в-точь как ребенок к матери за очередной порцией нежности и ласк.

Красавчика студента свинья тоже прекрасно знала и тоже тыкалась в него своим влажным пятачком. Алиция смотрела на эти нежности вьетнамской свиньи с отвращением и нескрываемым испугом.

Ася же с удовольствием гладила протискивающуюся между нами свинью, а истории вдовы о животных, которых «люди преследуют», слушала, как пророчества о пришествии светлого будущего для мира, главным образом животного. Я по ее глазам видела, что она, если бы могла, нежно прижала бы вдову к своей груди.

Побегав немного, свинья исчезла в доме и больше не показывалась. Вдова, похоже, была несколько обеспокоена этим обстоятельством, но с места не стронулась.

Вдова оказалась исключительной женщиной. Все, что мы говорили, она воспринимала как очередную программу новостей и реагировала то неподдельным негодованием, то смехом, то сочувствием. Мы выпили несколько бутылок «бордо»; их подносил повар по звонку телефона, лежащего на садовом столике. Когда мы вставали из-за него, я была в чрезвычайно эротическом настроении. Виной тому «бордо», французский язык, который действует на меня, как афродизиак, а также то обстоятельство, что завтра ты прилетаешь из Нью-Йорка.

Когда в саду стало прохладно, мы перешли в резиденцию вдовы. Алиция с беспокойством и возмущением наблюдала, как студент помогает вдове встать с садового стула и ведет ее в дом, причем она повисла у него на руке, тесно к нему прижавшись, а он обнимал ее за талию.

Когда мы вошли в гигантских размеров салон, нам предстала потрясающая картина. Вьетнамская свинья лежала, развалясь, на белом (надо думать, свиной кожи) диване, стоящем у стены, почти полностью скрытой серо-черной акварелью чудовищных размеров. Мраморный пол салона был усыпан обрывками газет, некоторые из них мокли в желтоватых лужах, источающих запах аммиака. На каждом шагу мы давили какие-то рассыпанные по всему полу коричневато-черные зерна. Возле белого дивана валялась небольшая открытая клетка, вокруг которой зерен было особенно много. Вероятно, то была клетка хомяка, о котором рассказывала нам вдова. Клетка была помятая и пустая. Вдова, не обращая внимания на весь этот хаос, подошла к телефону и спокойным голосом стала заказывать лимузин, чтобы отвезти нас в гостиницу. А мы стояли, совершенно остолбеневшие, и пялились на свинью, разлегшуюся на диване. Она хрипела и содрогалась в конвульсиях, из пасти у нее сочилась струйка желтоватой жидкости, явственно заметной на белой коже дивана, и стекала на мраморный пол. Внезапно вдова обратила внимание на то, что происходит. Вскрикнув, она бросила телефонную трубку и ринулась спасать свинью. Я отступила к стене. Студент слинял из салона, а Ася вслед за вдовой устремилась к дивану.

Якуб! Если бы я не видела этого, ни за что не поверила бы, что такое может быть. Но я все это видела собственными глазами точно так же, как Алиция, которая стояла рядом со мной, впившись ногтями мне в руку, и вся дрожала, как плохо ставший студень. А вдова, подбежав к дивану, принялась делать свинье искусственное дыхание по системе «рот в пасть». Она массировала ей грудь в районе сердца, силой открывала пасть и вдувала изо рта воздух ей в легкие. Свинья продолжала хрипеть. Через некоторое время она извергла красные от крови остатки коричневатой шкурки, смешанной с пережеванной газетной бумагой. Алиция выскочила из салона. Ася повернулась спиной к дивану с лежащей свиньей. А вдова продолжала вдувать воздух ей в пасть. Я больше не могла на это смотреть и зажмурила глаза. Через минуту хрип прекратился. Свинья скатилась с дивана и убежала из салона. Обессиленная вдова сидела на полу, положив голову на диван, желтый от свиной блевоты и красный от крови сожранного хомяка, остатки которого свинья выблевала. Ко мне подошла Ася. Она взяла меня за руку, и мы молча вышли из дома. Лимузин уже ждал нас. Алиция сидела рядом с шофером, студент на заднем сиденье. Мы с Асей все так же молча уселись в машину. Она тронулась. На протяжении всего обратного пути никто не произнес ни слова. Когда автомобиль остановился перед гостиницей, мы так же молча вылезли. Алиция даже не попрощалась со своим студентом. Впервые после приезда в Париж она ночевала в номере вместе с Асей.

А я, когда оказалась одна в своем номере, откупорила бутылку вина, села перед окном и, глядя в сад, подумала, что восхищаюсь вдовой. За верность своим убеждениям. Потому что я как-то не слишком верила, что она действительно может любить эту вьетнамскую свинью. Особенно после того, как та сожрала хомяка.

А через несколько минут вино усилило действие «бордо», выпитого у вдовы. И я оторвалась от Парижа. Вернулась к сути вещей. Думала о тебе. Тосковала по тебе.

Когда-то ты спросил, что значит «тосковать по тебе».

Приблизительно это сочетание задумчивости, мечтательности, музыки, благодарности за то, что я это ощущаю, радости, оттого что ты существуешь, и волн тепла в районе сердца.

Уже завтра я прикоснусь к тебе. Прикоснусь...

@9

ОН: В Нью-Йорке он поселился в «Марриотт Маркиз» на углу Бродвея и Сорок пятой улицы. Он рассчитал, что если закажет такси на половину шестого, то без проблем успеет на самолет. Однако уже после первого километра понял, что совершил чудовищную ошибку. Самолет стартовал только в двадцать тридцать, однако уже сейчас было ясно, что ему не успеть к отлету.

Прошли уже три четверти часа, а они все так же торчали в гигантской пробке, и до туннеля Квинз-Мидтаун, соединяющего Манхэттен и Квинз, где находится аэропорт Кеннеди, откуда ему предстояло вылетать, было все так же бесконечно далеко. Шофер-индус (у него было впечатление, что такси в Нью-Йорке водят исключительно индусы) без устали говорил, улыбался и всячески успокаивал его, убеждая, что они успеют, но Якуб знал, что, если бы даже они сидели в такси уже полдня и самолет давно улетел, шофер все так же убеждал бы его, что они успеют.

В Новом Орлеане таксисты-индусы были точно такие же.

Но этот воплощал в себе все самое худшее, что может быть в таксисте: он был молодой и боязливый.

Таксист в Нью-Йорке может быть слепым, но не боязливым!

На Манхэттене в это время дня невозможно обгонять, глядя перед этим до бесконечности в зеркало заднего вида. Тут нужно мигнуть указателем поворота, прибавить скорость, нажать на клаксон и сменить полосу движения.

Это даже он знал, хотя таксистом никогда не был.

Когда они добрались до аэропорта, индус по-прежнему улыбался, а ему до отлета оставалось восемнадцать минут.

Он злился на себя, на свою глупость, на Нью-Йорк, на всех индусов мира и на собственное бессилие.

Как безумный, он помчался к своему терминалу, молясь в душе, чтобы его не вычеркнули из списка пассажиров, осчастливив кого-нибудь с листа ожидания.

Нет, они не могут так поступить!

Ведь она должна встречать его в Париже и будет ждать.

Нет, они этого не сделают...

Когда он добежал, уже объявили об отправлении TWA800.

Первый и бизнес-класс уже сидели в самолете и, как он предполагал, попивали шампанское, а ко входу вызвали последние ряды экономического класса.

Он понимал, что проиграл в гонке со временем. Проиграл бессмысленно и глупо.

Собрав все силы, он приклеил на лицо самую обворожительную улыбку, на какую только был способен в этих обстоятельствах, и подошел к молодой полной блондинке в униформе «TWA», стоящей с телефоном у входа, над которым светился номер его рейса.

— Вы, вероятно, знаете, что я должен лететь этим самолетом. «Дельта» перекинула меня на этот рейс вопреки моему желанию, вы подтвердили это факсом и телефонным звонком, и я сейчас покажу вам этот факс. Мой ряд уже вызывали на посадку? — осведомился он, стараясь придать голосу спокойную интонацию. Он надеялся, что подобная наглость вынудит ее занять оборонительную позицию.

Но она в тот же миг раскусила его игру. Улыбнувшись, она спросила, как его фамилия.

Когда он повторил ее по буквам, она проверила в компьютере и сообщила:

— Вам крупно повезло. Когда мы вычеркнули вас из списка пассажиров, так как вы опоздали, «Дельта» включила вас на рейс в двадцать тридцать пять. И только потому, что вы были там первым на листе ожидания и кто-то в последний момент отказался лететь, а из-за неисправности в их компьютере вас после бронирования билета у нас не вычеркнули с их листа. К вам, видно, благосклонны компьютеры. Стойки «Дельты» находятся в этом же терминале. Рекомендую как можно быстрей перейти к ним. В Париже вы будете всего на полчаса позже нашего рейса.

И прежде чем он успел что-то сказать, она отвернулась и занялась другим пассажиром.

Когда он бежал сюда, то краем глаза отметил, что «Дельта» размещается в восточной части этого терминала, и теперь, не говоря ни слова, понесся в ту сторону.

Когда он добрался до стоек «Дельты», там еще клубилась толпа. Он облегченно вздохнул.

С «Дельтой» всегда есть запас времени. Якуб отметил это, еще когда начал летать на самолетах этой компании.

И только когда он получил посадочный талон, его вдруг ударило: она же не знает о том, что у него неожиданно сменился рейс. Но пассажиров уже приглашали в самолет, а телефона поблизости не было.

«Ладно, пошлю ей из самолета e-mail и позвоню в гостиницу», — решил он.

Он поднял чемодан, сумку с ноутбуком и вошел в рукав, ведущий в самолет.

И когда уселся на свое место у иллюминатора, почувствовал страшную усталость.

Самолет грузно взлетел, а он сидел не шевелясь и, совершенно спокойный, смотрел на фантастическую иллюминацию Нью-Йорка. Он подумал, что впервые за многие годы смотрит на подобную картину и не боится.

Но вот нью-йоркские огни превратились в смутную туманность, и тогда он закрыл глаза и лишь теперь по-настоящему начал путешествие.

Он летел в Париж только ради нее и только к ней.

Еще всего несколько часов, и он ее увидит.

Ему не хотелось в очередной раз мысленно повторять, что он скажет ей, о чем спросит, как дотронется до ее руки.

Не хотелось, потому что он знал: все будет не так, как в том сладостном плане, который он составил для себя. Не так, потому что она непредсказуема, и ей достаточно будет сказать всего одно слово, и все пойдет совершенно иначе.

Так бывало даже в их разговорах по ICQ. Несмотря на то что больше говорил он, темы разговоров устанавливала и меняла она. Но он все равно предпочитал иметь заготовленный план, главным образом из-за радости придумывания его.

И вдруг он понял, что ему безумно хочется выпить вина.

Он осмотрелся. В салоне царила общая расслабленность, какая наступает после напряжения, связанного со взлетом. Кое-кто готовился ко сну, укрываясь одеялами, другие вставали, чтобы на недолгом пути до очереди, выстроившейся перед туалетом, окончательно отряхнуться от недавнего страха, некоторые вытаскивали из сумок книжки или газеты, а были и такие, кто уже опустил спинку кресла и закрыл глаза. Но было и немало людей, что, подобно ему, высматривали стюардессу, чтобы успокоить нервы спиртным, которое высоко над землей действовало совершенно иначе.

Однако сегодня он вовсе не хотел успокаивать себя.

Он хотел подпитать красным кьянти свои мечты.

Хотел немножко помечтать об их общем Париже и о том, как она невероятно украсит его своим присутствием. Он вспомнил фрагмент одного из ее последних писем, где она писала:

Ты не представляешь, как много ты значишь для меня. Я многим обязана тебе, и не только своими чувствами. Благодаря тебе я стала наполненней, лучше, чувствую себя исключительной и незаурядной. Может, чуточку менее умной (все так относительно), но уж совершенно бесспорно чудесным образом отличенной. Да, я чувствую, что сейчас живу полней и куда осознанней. Я обожаю все те мысли и размышления, которыми ты одариваешь меня. Ты даже не представляешь, как они меня радуют.

Разумеется, в голове у меня по-прежнему чудовищный беспорядок, до сих пор просто не было повода, стимула, чтобы мне захотелось дисциплинировать свои мысли. И если я путаюсь, когда говорю, то только поэтому. Ты принуждаешь меня мыслить, формулировать, хотя и очень неуклюже (Не прекращай! Через несколько лет у тебя будет в моем лице партнер для бесед, какого ты никогда не имел.), свои беспорядочные мысли.

Он улыбнулся, подумав, какое важное место он занимает в ее беспорядочных мыслях.

И еще он предполагал с помощью кьянти вызвать сон, потому что сон всегда (он помнил об этом еще с детства, особенно перед днем рождения и Рождеством) очень сокращает ожидание.

Поэтому он высматривал стюардессу.

Наконец она появилась в конце коридора, выйдя из кабины пилотов.

Похоже было, что она плакала.

Когда она подошла ближе, у него уже не оставалось сомнений, что она действительно плакала. У нее была смазана косметика, руки дрожали, и она с трудом сдерживала слезы. Он постарался не дать ей понять, что заметил это. Он улыбнулся ей, попросил принести вина, а она ответила ему какой-то гримасой, которая должна была изображать улыбку.

Через минуты две-три она принесла вино, но теперь косметика у нее была подправлена, и она держала себя в руках, хотя лицо у нее было печально. Она молча подала ему бокал и ушла.

Он сделал первый глоток и вытащил телефонную трубку из спинки переднего кресла. Вставил в щель кредитную карточку и набрал номер ее гостиницы в Париже.

Номер оказался занят.

Через минуту он снова набрал. То же самое.

Вино давно уже кончилось, а он все так же набирал этот парижский номер и каждый раз, когда убеждался, что он по-прежнему занят, говорил себе, что сейчас он это сделает в последний раз.

Через полчаса он решил, что хватит.

Он заказал еще бокал вина, достал из-под кресла ноутбук, включил его и принялся печатать e-mail в гостиницу, где она остановилась.

Он просил срочно передать ей, что прилетит не рейсом TWA800, а DL270. Сообщил время прилета и номер дверей, из которых он выйдет, в терминале аэропорта Шарль де Голль. Попросил также подтвердить получение мейла и решил перед посадкой в Париже еще раз войти в Интернет и проверить, пришло ли подтверждение.

Он подключил кабель модема в гнездо телефона, который успел нагреться от его руки, пока почти в течение часа он пытался дозвониться к ней в гостиницу.

Он набрал номер CompuServe и через несколько секунд был в сети.

E-mail был отправлен. «Мы прилетаем около девяти утра, — подумал он, — так что они успеют предупредить ее».

Четверг 18 июля будет в Париже их днем. И отнюдь не виртуальным.

Он уже собрался отключиться, но решил войти на страницу CNN и проверить прогноз погоды для Парижа. Он надеялся, что дождя не будет. В Париже в аэропорту ему предстояло получить в «Ависе» машину, которую он заказал из Нью-Йорка, причем кабриолет. Он отстучал адрес CNN в Netscape и в ожидании, когда страница появится на экране, поднес к губам бокал.

Портье гостиницы «Боске», ночь с 16 на 17 июля 1996 года, Париж. На смену он заступил в полночь. Он всегда брал ночные смены. Но не потому, что ему они нравились. Просто у него не было выбора. Он учился на информатике в Эколь де Пари, и чтобы удержаться на поверхности в этом чудовищно дорогом городе, приходилось работать. А работать он мог только ночами. Эта небольшая гостиница в Латинском квартале была как счастливый билет в лотерее. Она находилась в десяти минутах неспешной ходьбы от квартиры, которую он снимал с еще двумя студентами, а кроме того, хозяин гостиницы был поляк и никогда не задавал глупых вопросов. Заработанное он получал наличными, никогда в конверте и всегда без задержек.

Он любил тишину, когда все уже уснули, а он включал радио, открывал бутылку своего любимого охлажденного розового и, сидя у себя за стойкой, потягивал вино и погружался в полудремоту. Глаза у него были прикрыты, но он слышал, как в гостиницу входят припозднившиеся постояльцы, ошеломленные городом, а может, выпитым, принимал от них звонки, потому как они только сейчас вспомнили, что будильника у них нет, а у них утром назначена крайне важная встреча, и их нужно разбудить.

Он научился моментально входить в состояние такого полусна и моментально же выходить из него.

Так прошло два года: днем он учился, а ночью работал.

Но с недавнего времени все резко изменилось.

Хозяин гостиницы установил Интернет.

У них была своя веб-страница, свой адрес, и заказы на бронирование номеров они принимали по Интернету.

Трудно представить себе что-либо прекрасней!

Теперь через два часа после полуночи он включал модем, входил в Сеть и оставался там с короткими перерывами до шести утра.

Он путешествовал по ней, переписывался, а главное, «чатовал».

Собеседники у него были рассеяны по всему свету. Некоторые входили в Интернет только для того, чтобы встретиться именно с ним.

Медленно, но неумолимо он попадал в зависимость от Интернета.

Состояниям полусна пришел конец. Он дремал утром на занятиях, опаздывал на работу, так как дома засыпал около восьми вечера и перед полуночью его невозможно было добудиться.

Он убеждал себя, что это временное увлечение, но так продолжалось уже более семи месяцев.

Разумеется, ему было известно, что, когда он находится в Интернете, в гостиницу никто не может дозвониться. Но он полагал, что между двумя ночи и шестью утра вряд ли будут какие-нибудь важные звонки, и потому не очень беспокоился. Сегодня у него тоже беспокойств по этому поводу не возникнет.

Как обычно, он включил модем и компьютер. Первым делом проверил все поступившие online заказы на номера и, если была возможность, подтверждал их получение мейлом.

Затем он проверил поступившую почту для постояльцев. Эту услугу они совсем недавно ввели у себя в гостинице, и он с удивлением отмечал, насколько она становится популярной.

Мейлы приходили со всего света на всех мыслимых языках.

Он распечатывал эти письма, вкладывал в оливкового цвета конверты с интернетовским адресом гостиницы и рано утром тихонько подсовывал в щель под двери номеров адресатов. Через несколько месяцев оказалось, что у них появились постоянные клиенты, и все благодаря Интернету и этим утренним оливковым конвертам.

Он также отправлял письма, которые постояльцы оставляли на дискетах.

Сейчас ему надо было отослать три письма. Два – от той красивой польки со второго этажа, из номера восемнадцать. Два дня назад она под утро возвращалась с подругами с дискотеки и оторвала его от компьютера. Они были в прекрасном настроении и вовсю кокетничали с ним. В гостиницу они вошли танцующей походкой, расселись в довольно вызывающих позах в креслах перед стойкой, а через некоторое время одна из них побежала в номер за шампанским.

Волосы у нее были слегка растрепаны, обтягивающая зеленая блузка с большим декольте приоткрывала тонкую бретельку зеленого лифчика. Он никак не мог определить, какого цвета у нее глаза. Ему казалось, будто он меняется от зеленого до темно-карего.

Они уже пили сладкое итальянское «спуманти», вдруг она встала и зашла к нему за стойку, собираясь сделать погромче радио: как раз запел Брайан Ферри. И тут в комнатке за стойкой она увидела монитор его компьютера со страницей их гостиницы и спросила, может ли она послать мейл.

Когда же он ответил, что, разумеется, может, она молча прошла в комнатку и уселась за компьютером. Она сама нашла почтовую программу на винчестере и принялась набирать послание.

У него было впечатление, будто мир перестал для нее существовать...

Он с ее подругами допили шампанское, и только после этого она присоединилась к ним. Была она на удивление молчалива, не промолвила ни слова.

Казалось, будто ей все безразлично. Совершенно неожиданно она встала, пожелала им спокойной ночи и поднялась наверх. Ее подруги обменялись выразительными взглядами, но никак не прокомментировали ее поведение.

В ней появилась некая загадочность.

Как раз сейчас он собирался отослать два ее послания, оставленные ею в ее ячейке на дискете.

Было без нескольких минут шесть.

Он вызвал почтовую программу, перенес ее письма в очередь мейлов, ожидающих отсылки, и, убеждая себя, будто это получилось нечаянно — так сложились обстоятельства, — принялся читать первое:

Париж, 16 июля.

Мне ужасно тебя не хватает, Якуб...

Уже 3 дня я поразительно болезненно ощущаю, как прочно ты вошел в мою жизнь и что происходит со мной, когда ты эмигрируешь из нее.

Я чувствую себя покинутой в самом центре толпы, сбившейся вокруг меня в этом черно-белом Париже, хотя он должен быть красочным, как обещал тот каталог, который я без устали изучала в Варшаве.

Приезжай же скорее, прошу тебя, приезжай...

Он отослал это письмо и «невольно», не в силах противиться, открыл второе:

Париж, 16 июля.

Огромное, огромное, огромное спасибо тебе, мой чудный и умный.

Спасибо тебе за все, за то, что ты подумал, что мы могли бы встретиться, за то, что прилетишь сюда ТОЛЬКО ради меня и будешь только со мной. Знаю, ты прочтешь это в самолете (не представляю, чтобы ты не заметил, что прямо перед глазами у тебя разъем модема!), и когда ты будешь читать, я буду еще спать неспокойным сном влюбленной девчонки.

Какого цвета должны быть у меня губы завтра утром в аэропорту? Какой цвет тебе нравится больше всего?

Правда ли, что некоторые цвета бывают вкусней, чем другие?

Ты, наверное, это знаешь...

Портье улыбнулся и подумал, что сегодня он не прочь был бы стать Якубом...

Подошло время «писем под дверь».

Он снова обратился к почтовой программе и запустил мейлы с их сервера на принтер.

Их оказалось всего два. Один был адресован ему от брата из Варшавы, а один ей — от этого самого Якуба.

В преамбуле, написанной на английском, Якуб просил получателя этого письма немедленно, срочно, абсолютно приоритетно проинформировать адресатку об изменении времени его прилета из Нью-Йорка в Париж, а в части, написанной по-польски и адресованной ей, сообщал, что прилетит рейсом не TWA800, а DL270 и что встречать ей нужно его на полчаса позже и у другого выхода. Предполагая, что получатель мейла не понимает по-польски, он заканчивал письмо словами, которые позабавили портье:

Милая, там, в парижском аэропорту, не позволь мне, когда мы встретимся, забыться. Неустанно напоминай мне, что мы только друзья. Ну, разве что и ты забудешься. Забыться могут даже самые лучшие друзья.

Якуб

И тут он вдруг вспомнил, что она носит на пальце правой руки обручальное кольцо, и подумал, что кольцо это ей надел явно не Якуб. И еще он понял, почему она попросила так рано разбудить ее и заказала такси. Он отпечатал этот e-mail и решил вручить ей его лично, когда утром она пойдет садиться в такси.

ОНА: Она попросила, чтобы ее разбудили, поставила свой будильник и взяла еще один у Алиции. На всякий случай.

Но проснулась она сама за полчаса до звонка будильника. Они оба зазвонили одновременно в половине седьмого, и сразу же раздался звонок телефона. Обнаженная, она выскочила из-под душа и, оставляя мокрые следы, побежала выключать это многозвонное понуждение к вставанию. Ей казалось, будто вся гостиница слышит, что она просыпается.

А потом она опять стояла под душем и радовалась, что осталось совсем немного...

Они встретятся, встретятся по-настоящему!

Она надела новое зеленое белье, спрыснулась его любимыми духами, надела новое платье, которое купила в Варшаве перед поездкой сюда. Наложила косметику. Ей хотелось сегодня с утра быть неподражаемой и красивой.

Но действительно ли она влюблена в него?

Она радовалась, что он прилетает так рано. Ей не нужно было больше бороться с чувством нетерпения, которое она испытывала с момента приезда в Париж. Сильней всего оно мучило ее вечерами. Тогда она откупоривала бутылку вина и «размягчала» это чувство, впадая в романтически-распутное настроение. А если вино не помогало, она отправлялась в интернет-кафе неподалеку от гостиницы и писала ему обо всем, что чувствует.

Сегодня она, наверное, тоже впадет в это романтически-распутное настроение, но не отправится никуда. Она даже себе не хотела признаться, что сделает, когда придет это настроение.

Придет?!

Оно уже пришло. Она это безошибочно чувствовала. А еще и восьми нету. То, как она выглядит в зеркале, ее вполне устроило, и она вышла из номера.

В восемь перед гостиницей ее должно ждать такси.

В гостинице еще было тихо и пустынно. Проходя мимо стойки, она почувствовала аромат свежезаваренного кофе, но симпатичного поляка-портье что-то не было видно.

Такси уже стояло у входа. Она убедилась, что оно именно по ее вызову. Шофер-араб торопливо выскочил из машины и, кланяясь, открывал дверь...

Они уже поворачивали, когда ей вдруг показалось, что из гостиницы выскочил портье. Она по-английски попросила шофера остановиться, но тот не понял. Они свернули в боковую улочку, и у нее уже не было уверенности, не почудилось ли ей.

Она уселась поудобнее и мысленно улыбнулась. В Париже начинался прекрасный солнечный день. А она ехала к нему.

«Теперь действительно вот-вот...» — подумала она.

Портье: В половине седьмого он позвонил ей, чтобы она проснулась. Ему показалось, что голос у нее незаспанный.

После этого он выслал подтверждающий мейл на адрес Якуба и буквально без пяти семь отключил модем. Через полчаса привезли газеты. Ему нужно было разнести их по гостинице. Но сперва он решил выпить кофе. Он прошел в кухоньку за стойкой и включил кофеварку.

Затем он сложил газеты в специальную сумку, повесил ее через плечо и лифтом поднялся на последний этаж. Сходя вниз, он раскладывал газеты перед дверьми всех занятых номеров.

Когда он выходил из лифта на втором этаже, то увидел, что она спускается по лестнице.

Буквально несколькими секундами позже, кладя одну из газет, он вдруг заметил этот заголовок.

Он бросил сумку и помчался по лестнице вниз. Он увидел, как она села в машину. Как сумасшедший, он кричал, звал ее по имени, но такси внезапно свернуло в боковую улицу и пропало из виду.

ОН: Он потихоньку смаковал «кьянти», ожидая, когда на мониторе появится страница CNN.

Ему было славно и уютно. Свет в салоне был приглушен, вдалеке на экране телевизора сменялись кадры фильма, названия которого он даже не знал, слышалось ровное успокоительное гудение работающих двигателей.

Вся суета последней недели, сперва на конгрессе в Новом Орлеане, а потом в Принстоне и Нью-Йорке, этот идиотский стресс сегодня по дороге в аэропорт и в самом аэропорте сейчас казались ему чем-то далеким, произошедшим несколько лет назад. Чем-то не имеющим значения.

Он на миг прикрыл глаза. Выпитое вино и эмоциональное утомление привели к тому, что на него снизошло настроение, которое она определила бы как блаженство.

Ладно, он сейчас посмотрит прогноз погоды для Парижа на завтра, выключит ноутбук и постарается уснуть.

Он открыл глаза. Страница CNN уже появилась на экране монитора.

Она начиналась самой последней новостью, напечатанной жирным шрифтом. Он прочел:

On July 17, 1996, at 2031 EDT, a Boeing 747-131, crashed into the Atlantic Ocean, about 8 miles south of East Moriches, New York, after taking off from John F. Kennedy International Airport (JFK). The airplane was being operated on a regularly scheduled flight to Charles De Gaulle International Airport (CDG), Paris, France, as Trans World Airlines Flight TWA800.

The airplane was destroyed by explosion, fire, and impact forces with the ocean. All 230 people aboard were killed[1].

Он прочел, и его затрясло. Он не мог удержать в руке бокал с вином и понимал, что если сейчас не встанет, у него случится приступ астмы. Он уже начинал задыхаться. И знал, что будет дальше. Он помнил все это со времен Натальи.

Он вырвал провод модема из гнезда телефона, ноутбук упал на пол, а он устремился в проход между рядами кресел. И ему было абсолютно все равно, что он толкает сидящих и наступает им на ноги.

Внезапно рядом с ним оказалась стюардесса.

Он схватил ее за руку и прошептал:

— Вы плакали, потому что... потому что они все погибли, да?

Она с недоверием и страхом взглянула на него и спросила:

— Откуда вам известно?

— «Си-эн-эн», я только что был на их странице.

— А-а... — протянула она и посмотрела на его ноутбук, валяющийся на полу. — Да, я плакала... потому что они погибли. Только, пожалуйста, никому ни слова об этом. Они сами все узнают в Париже. Прошу вас.

— А знаете ли вы, что я... я в вашем самолете лечу случайно? Если бы не нью-йоркские пробки, я летел бы вместе с ними... и там... там вместе с ними бы погиб...

Она не отрывала от него взгляд, слушала и неожиданно обняла. Потом, видимо устыдившись такого проявления слабости, резко повернулась и ушла. А он стоял и невидящим взглядом смотрел в иллюминатор, пытаясь понять, остался он жив потому, что ему в этом мире суждено сделать еще что-то важное, или из-за своей безалаберности и

---

[1] 17 июля 1996 г. в 20 ч. 31 м. по нью-йоркскому времени «Боинг 747-131» упал в Атлантический океан в восьми милях к югу от Ист-Мориша, штат Нью-Йорк, после взлета из международного аэропорта им. Дж. Ф. Кеннеди. Рейс TWA800 авиакомпании «Транс-уорлд эрлайнз» направлялся в парижский международный аэропорт им. Шарля де Голля. От взрыва, последовавшего при ударе о воду, самолет был полностью разрушен. Все находившиеся на борту 230 человек погибли *(англ.)*.

неумения рассчитать время, или, может быть, благодаря тому боязливому индусу-таксисту.

Смерть разминулась с ним на миллиметр, издевательски скаля зубы, хохоча над шуткой, которую сыграла с ним на Манхэттене.

Смерть...

Она снова напомнила ему о себе...

Он вспомнил, как умирала его мама.

Умирала медленно, но непрестанно. День за днем.

Целых полтора года.

Настал день, когда врачи сказали, что больше ничем не могут ей помочь, и отправили в санитарной карете домой. С того дня она начала медленно отходить.

Он возвращался с занятий на двух факультетах, что было предметом ее гордости, а она лежала в постели, ждала его, и он должен был ей рассказывать.

Обо всем. Об экзаменах, коллоквиумах, вонючей студенческой столовке и нравящихся ему студентках. Она держала его за руку и слушала, впитывая каждое слово. И по тому, как она сжимала его руку, он ощущал, что она понемногу слабеет.

Каждый день к ним приходил человек делать ей уколы, без которых она задыхалась. Поначалу он приходил раз в день. А под конец случалось, что он бывал у них в доме по пять раз в течение дня.

Его отец, хотя и был дипломированным санитаром и более двадцати лет работал водителем в «скорой помощи», просто не способен был делать ей уколы. Один раз во время приступа удушья, когда они не могли дозвониться до этого человека, отец попробовал. Ему даже удалось найти тонкую вену под синяками, которые не сходили уже несколько месяцев. Он даже ввел иглу шприца, но так и не смог нажать на поршень и впрыснуть лекарство. Пришлось это сделать Якубу.

Мама смотрела ему в глаза и смеялась, хотя он знал, как ей должно быть больно.

Однажды декабрьским вечером, за неделю до сочельника, он пришел с занятий, но она уже не ждала его. Она спала и дышала трудней, чем обычно. Но он все равно сел, как обычно, рядом с ней, держал ее за руку и рассказывал обо всем, что у него произошло в этот день. Он верил, что она его слушает.

В ту ночь она умерла.

Он не плакал. Не мог. Слезы пришли через несколько дней, после похорон, когда он вернулся с кладбища и увидел в ванной ее халат, зубную щетку, а на ночном столике у кровати закладку в недочитанной книжке.

В сочельник они с отцом пошли на кладбище и вкопали около могилы елку. Зажгли свечки, повесили шары. Так же, как делали это дома, когда она еще была жива.

В тот сочельник они с отцом несколько часов простояли на кладбище у могилы, заваленной замерзшими цветами и заиндевелыми венками, плакали, курили, и он все думал, была ли еще у кого мать, писавшая сыну письма каждый день.

В течение пяти лет.

Потом ему вспомнился отец.

В сущности, после смерти матери жизнь его кончилась. Нет, он, как все, просыпался по утрам, вставал, отправлялся на работу, но ощущение было, будто он умер вместе с ней. По низу черной надгробной плиты на ее могиле он велел выбить незавершенную фразу «И настанет радостный день...»

Они жили вместе, и Якуб видел, как отцу одиноко и как он тоскует по ней. Иногда, возвращаясь поздним вечером домой, он заставал отца в накуренной, хоть топор вешай, комнате за столом, на котором стояла пустая бутылка из-под водки и лежали мамины фотографии.

Отец зажигал свечи, раскладывал фотографии, с тоской рассматривал их и напивался до бесчувствия. До забвения горя.

Якуб приходил домой поздно, укладывал отца в постель, а потом ножом соскребал застывший воск со стола, собирал в альбом черно-белые фотографии, рассматривал их и загадывал, встретится ли ему такая же красивая и добрая женщина, какую повстречал отец.

А потом отец стал хворать. Было видно, что он покорился судьбе и не желает бороться.

Когда Якуб был на стипендии в Новом Орлеане, отца увезли в больницу.

Брат написал, что дела у отца плохи.

Якуб решил слетать в Польшу.

В одно из мартовских воскресений он прилетел в Варшаву, оттуда поездом поехал во Вроцлав и прямо с вокзала отправился в больницу.

С привезенными апельсинами, теплым свитером на зиму, с отпечатанными двумя главами диссертации и ста долларами для врачей больницы, чтобы они «были внимательней».

Отец ждал его и был так счастлив. Он безумно гордился приехавшим из Америки сыном, «без пяти минут доктором наук».

Назавтра рано утром брат разбудил его и сообщил, что отец ночью умер.

А он знал, что отец ждал его, чтобы умереть.

Потому что после смерти матери отец неизменно ждал его.

И лишь иногда забывал об этом. Когда зажигал свечи, доставал семейный альбом и пил.

Они с братом поехали в больницу. Отец, совершенно голый, лежал на залитом водой бетонном полу темного и воняющего сыростью больничного морга среди других трупов.

Якуба заколотило от такого оскорбительного пренебрежения к мертвым. Он сбросил куртку, накрыл ею тело, схватил за грязный халат приведшего их сюда краснорожего санитара, от которого уже с утра пахло водкой. Тот не понимал, в чем дело. А Якуб притянул его к себе и прошипел, что дает ему десять минут на то, чтобы подготовить тело отца для вывоза отсюда. Спустя час — после скандала с ординатором отделения — он в «нисе» похоронного бюро, оплаченной долларами, имея которые можно было в этой стране уладить все что угодно, вез гроб с телом отца в их квартиру.

Впервые жители дома видели, чтобы покойника вносили из машины в квартиру, а не наоборот.

В больнице сказали, что у отца был рак желудка и метастазы пошли уже по всем другим органам. Он никогда не забудет, как молодой врач совершенно безмятежно с улыбкой сказал:

— Вашему отцу повезло: он умер от инфаркта.

Отцу повезло.

«Везение... Какое емкое слово...» — подумал он, с отвращением глядя на врача.

Потом они с братом пришли забрать вещи отца из больничной палаты, в которой он умер. На кровати лежал новый свитер, который привез Якуб, под подушкой помятые страницы его диссертации, на ободранной тумбочке очищенный апельсин. Якуб выдвинул ящик тумбочки. Кроме открытой пачки сигарет – отец продолжал курить до самого конца и выкурил последнюю сигарету буквально за час до смерти, – он нашел там те самые фотографии, которые неоднократно собирал с залитого воском стола в их квартире.

И только тогда он опустился на больничную койку и расплакался, как ребенок.

И настал радостный день...

Эти черно-белые, выцветшие, нечеткие снимки с пятнами от проявителя до сих пор остаются для него самой большой памятью о родителях. Нередко, отправляясь на кладбище, на их могилы, он брал с собой эти фотографии. А однажды, забыв их дома, вернулся за ними на такси.

Наталья... Нет, об этой смерти он не в силах думать. Не сейчас, нет!

Смерть... Что это было сейчас – знак или обыкновенная случайность?

К себе на место он не пошел. Ему нужно было успокоиться. Он стал расхаживать по проходу между креслами. Свет был пригашен, так что никто не мог видеть выражение его лица и покрасневшие глаза. К нему подошла та стюардесса, принесла таблетку валиума и стакан с водой.

И вдруг его осенило: нет никакой уверенности в том, что ей известно, что его НЕ БЫЛО в том самолете. Он должен точно увериться...

«Я не могу устроить ей такое... не могу», – в панике думал он.

Он тотчас вернулся на свое место и набрал номер телефона гостиницы.

Занято.

Он послал подряд три трагических мейла, настоятельно прося немедленно оповестить ее об изменении времени его прилета и терминала.

Потом включил программу, проверяющую интернетовскую связь с сервером гостиницы. Все работало, его письма не возвращались, веб-страница гостиницы также была доступна, так что все мейлы должны были дойти.

Однако это его ничуть не успокоило.

Он отдал бы все за то, чтобы этот чертов парижский номер наконец освободился.

Он принялся искать какую-нибудь гостиницу неподалеку, решив позвонить туда и попросить передать его сообщение в ее гостиницу. До одной он даже дозвонился, однако договориться не смог, тамошняя дама-портье говорила только по-французски.

Он спросил пассажира на соседнем кресле, не говорит ли тот по-французски. Увы, сосед не говорил.

Он был вне себя, валиум не действовал, и он чувствовал, что дыхание у него становится менее глубоким и ему начинает недоставать воздуха.

Он встал и вновь принялся расхаживать по самолету. Обычно это помогало.

Через час он вернулся на свое место и вновь принялся звонить.

Похоже, это уже не имело смысла. В Париже время подходило к восьми, и он опасался, что звонки его бессмысленны.

И вдруг раздались длинные гудки. Он стиснул телефонную трубку и, как только услышал «алло», стал кричать по-английски, чтобы его сейчас же соединили с ее номером.

Но в номере ее уже не было. Он опоздал. Опоздал войти в ее жизнь, а теперь вот опять. Его захлестнуло безмерное чувство вины.

Он собрал все силы и спокойно спросил, получены ли его мейлы и переданы ли они адресатке. Потом рассказал о катастрофе TWA800 и о том, что должен был лететь тем рейсом, и о том, что она, возможно, еще не знает об этом.

Женщина, ответившая ему, уже узнала о катастрофе из газет, но, услышав его, утратила дар речи. Придя же в себя, сообщила, что только что приняла дежурство и ответить на его вопросы не может, так как ее сменщик, который обычно принимает электронную почту, исчез до ее прихода и сейчас все его разыскивают. Она пообещала все выяснить, как только его отыщут. Она единственно смогла подтвердить, проверив в компьютере электронную почту, что его мейлы были прочитаны ее сменщиком, и посоветовала позвонить через полчаса.

Закончив разговаривать, он обратил внимание, что пассажиры в нескольких рядах за ним и перед ним как-то странно поглядывают на него. Видимо, они слышали его разговор: связь была не слишком хорошей и ему пришлось почти что кричать. И он вдруг вспомнил, что он — единственный пассажир этого самолета, который знает о катастрофе TWA800.

Был до этой минуты...

Он нарушил слово, данное стюардессе, но у него не было выбора.

Через некоторое время весь самолет перешептывался, а вскоре к нему подошла девушка — по акценту он распознал, что она американка,— и без всяких околичностей объявила, что ей хотелось бы знать, как себя чувствует человек, вот так избежавший смерти. Он не без сарказма объявил ей, что не дает интервью, разве что она представляет «Таймс» и у нее при себе чековая книжка. Она поняла его сарказм, но тем не менее отошла от него изрядно удивленная.

Эти полчаса показались ему вечностью.

Он сидел с телефонной трубкой в руке и смотрел на экран монитора, на котором была представлена карта с их трассой, позицией самолета в данный момент и временем. До Парижа оставалось совсем немного, и каждый сантиметр продвижения по этой карте все больше лишал его уверенности в том, что ее оповестили.

Полчаса прошло, и он снова набрал номер гостиницы. Портье сразу же начала оправдываться, что им пока не удалось найти ее предшественника.

Тот пропал в буквальном смысле слова. И вдруг она произнесла нечто совершенно невероятное:

— Мы отправили в аэропорт Руасси нашу гостиничную машину с водителем. Если он не застрянет в пробке, то вполне успеет до... ну, вы понимаете... до того TWA. Ваша знакомая не взяла свой паспорт после регистрации, так что у водителя есть даже ее фотография, и он постарается ее отыскать. Это все, что я могла для нее сделать...

Он был бесконечно ей благодарен.

ОНА: Она с любопытством смотрела из окна такси на парижские улицы. Аэропорт Руасси-Шарль де Голль находится в двадцати трех километрах к северо-востоку от центра Парижа, и им пришлось, прежде чем выехать на автостраду, ведущую к аэропорту, пробиваться по забитым центральным улицам.

Время в запасе у нее было, так что она не нервничала, когда они останавливались перед семафорами или застревали в пробках.

Водитель-араб время от времени поглядывал на нее в зеркальце и улыбался.

Поначалу он пытался завязать с ней разговор, но когда убедился, что она отвечает ему по-английски, прекратил эти попытки и только улыбался.

Но зато он часто выкрикивал по-французски какие-то фразы, резко тормозил либо жал на газ, а иногда открывал окно и, отчаянно жестикулируя, возмущенным тоном кричал что-то другим водителям.

Ее это забавляло. Она была в прекрасном настроении, и сегодня все ее радовало.

В такси звучала утренняя музыка, главным образом французская, время от времени прерывавшаяся последними известиями и сообщениями. Внезапно во время очередной порции известий водитель сделал звук громче и сосредоточенно слушал. Потом он начал что-то ей говорить по-французски, но поскольку она никак не реагировала, замолчал.

Вскоре они выехали на автостраду. Это было предместье Парижа, и вдоль шоссе стояли огромные жилые корпуса, похожие друг на друга как близнецы. Большой красоты в них не было, и она подумала, что в Варшаве они, в сущности, точно такие же.

Минут через двадцать они уже были в Руасси и подъезжали к терминалу, где приземлялись самолеты «TWA». Она расплатилась с таксистом, который, как только они остановились, молниеносно выскочил из машины и распахнул ей дверцу. Она подумала, да, это не по-варшавски. По крайней мере, ни один варшавский таксист перед ней ни разу еще не распахнул дверцу.

Она вошла внутрь терминала, огляделась, и первое, что отметила, это неправдоподобная тишина. Народу было множество, но впечатление возникало, будто вокруг невероятно тихо. Она достала принт одного из мейлов Якуба, где он сообщал о номере рейса и времени прилета. Она решила, прежде чем идти к выходу с рейсов «TWA», удостовериться, не произошло ли каких-нибудь изменений.

Она поискала взглядом стойку «TWA».

Увидев большую красную надпись с названием этой линии, она подошла к ней и вдруг увидела толпы людей, телевизионщиков с камерами и журналистов с микрофонами. На мраморном полу стояли в ряд трое носилок, какие обыкновенно используют в каретах «скорой помощи»; на них лежали три заплаканные женщины. Над носилками склонились санитары в желтых светоотражающих жилетах. А возле одних носилок она с удивлением обнаружила кюре, который держал за руку пожилую женщину.

Ей стало не по себе.

Она пробралась к боковой стойке с надписью «справки». Там стоял седоволосый мужчина в темно-синей униформе с эмблемой TWA.

Она спросила его про рейс TWA800.

И тут произошло нечто непонятное. Мужчина вышел из-за массивной стойки, отделяющей персонал от пассажиров, очень близко подошел к ней и осведомился, не пришла ли она встречать прибывающего этим рейсом. Когда она сказала, что да, он кивнул кому-то за соседней стойкой, схватил ее за обе руки и, глядя прямо в глаза, спокойно и выразительно произнес на английском:

— Рейс TWA800 не прибудет. Самолет рухнул в океан через одиннадцать минут после взлета, и все пассажиры, а также экипаж погибли. Нам безмерно жаль...

Она спокойно стояла и удивлялась, почему этот незнакомый мужчина держит ее за руки.

Выслушав то, что он сказал, она... обернулась, решив, что он разговаривает с кем-то другим.

Но сзади никого не было... И вдруг до нее дошел смысл слов: «Нам безмерно жаль...» И только тут она поняла, почему здесь носилки, телевидение и так тихо.

Она снова услышала голос этого мужчины:

— Кем вам был пассажир, которого вы пришли встречать?

— «Был»? Как это «был»?.. Это Якуб. Он есть, а не «был»...

Совершенно неожиданно у нее полились слезы. Она пыталась что-то сказать, но не могла. Внезапно подбежала женщина в такой же униформе, как у того мужчины, с которым она только что разговаривала, и, не спрашивая согласия, проводила ее к креслу, стоящему за стойкой.

У нее пропал голос. Она слышала все, что происходило вокруг нее, но не могла произнести ни слова.

Якуб погиб...

Он летел к ней, и теперь его нет в живых.

Но ведь он всегда был, всегда, когда был необходим ей. И ничего не хотел взамен. Он попросту был.

Ей вспомнился их первый разговор в Интернете, его несмелость и все, что он ей рассказывал. Он изменил ее мир, начал менять ее... И вот теперь его нет.

Она беззвучно плакала, охваченная безмерным горем и скорбью.

Люди из «TWA» заметили, что она утратила голос, и позвали санитара.

Он пришел, взял ее левую руку и что-то вколол в вену. Она подняла глаза, глядя на санитара, как на пришельца с другой планеты.

Вдруг появился портье из гостиницы. Он оттолкнул санитара, вытащил из кармана какую-то мятую бумагу и, тыча в нее пальцем, что-то кричал ей по-польски. Лекарство, которое вколол ей санитар, начало действовать, и его действие усиливалось шоком, в котором она находилась.

Ей пришлось чудовищно сосредоточиться, чтобы понять, что говорит ей этот поляк.

А тот в очередной раз громко выкрикивал:

— Якуб опоздал на этот рейс и прилетит через полчаса самолетом «Дельты»! Ты поняла? Он жив! Его не было в том самолете... Он еще летит к тебе! Ответь: ты поняла?

И она вдруг поняла...

Она выхватила у него эту бумажку и принялась читать.

Она перечитывала и перечитывала ее. Потом вдруг встала с кресла и, не произнеся ни слова, пошла.

Портье молча шел рядом с ней, направляя ее к залу прибытия «Дельты».

Он усадил ее на скамейку напротив выхода, сказал, что самолет уже приземлился, и вдруг опустился перед ней на колени и стал просить прощения за то, что так поздно добрался до аэропорта. Потом внезапно встал и ушел.

Она сидела в одиночестве на скамейке и не отрывала взгляд от выхода.

И вдруг представила, как она, наверное, выглядит: косметика размазана, вокруг того места, куда был сделан укол, начинает наливаться синяк.

«Точно у наркоманки», — с улыбкой подумала она.

О, она уже опять способна смеяться.

И вдруг она расплакалась, сложила руки, как для молитвы, и хотя никогда не верила в Бога, прошептала:

— Боже! Благодарю Тебя за это.

ОН: То, что происходило при высадке, было просто невыносимо. Целую вечность они ждали, когда откроется дверь. Он был готов к выходу, еще когда они летели над Дувром в Англии. Сейчас в душном самолете, стоя с перевешенным через плечо ноутбуком сразу же за пассажирами первого класса, он задыхался от нетерпения.

Так ему хотелось увериться, что она знает.

Наконец дверь открыли. На выходе стояла та самая стюардесса.

Он остановился, а она подала ему два соединенных скрепкой листка серой бумаги.

— Я добыла это для вас. Это своего рода реликвия, не потеряйте ее, — произнесла она.

Он, целуя стюардессе на прощание руку, сказал:

— Наверно, мы еще встретимся, ведь я всегда летаю «Дельтой». Правда, в этот раз меня хотели впихнуть в «TWA», но даже Бог не допустил этого. Благодарю вас за все.

А выйдя и увидев, как она сидит на скамейке и плачет, он понял, что ей сказали поздно.

Но зато он знал, что ей все-таки сказали.

Он медленно шел к ней и увидел, что она заметила его. Он подошел совсем близко, и она, не вставая со скамейки, приложила палец к губам, давая знак, что не надо ничего говорить.

Он видел, что ей пришлось пережить, прежде чем она оказалась здесь. Он сел рядом с нею и молча смотрел ей в глаза. Вдруг она взяла его руки, поднесла к губам и стала целовать.

Он хотел как-то оправдаться, попросить прощения, но она не позволила.

Она лишь шептала его имя и время от времени прикасалась к нему, словно удостоверяясь, что он действительно существует. А он не мог сдержать волнения, когда она благодарила его за то, что он с ней и что жив.

Прошло не меньше часа, прежде чем они пришли в себя. За все это время они ни разу не упомянули про катастрофу.

Понемногу, постепенно к ним приходила радость, оттого что они встретились.

Наконец они решили покинуть аэропорт. Она пошла в туалет поправить макияж, а он нашел представительство «Авис» и получил заказанную машину. После коротких формальностей они стояли перед сверкающим «СААБом-9000» с поднимающимся верхом и кожаными сиденьями цвета шампанского.

Она предложила поехать к нему в гостиницу, где она хотела принять душ и освежиться после всех переживаний. В свою гостиницу ей не хотелось возвращаться, поскольку она понимала, какую сенсацию произведет там, после того как эта история стала известна.

Он остановился в гостинице «Луизиана» в квартале Сен-Жермен. Старая удобная гостиница с атмосферой, с великолепным уютным рестораном в пристройке, примыкающей ко двору, увитому виноградом.

На его взгляд, это была самая романтическая гостиница в Париже.

Езда в кабриолете немножко освежила их обоих.

Они почти не говорили, только время от времени смотрели друг на друга, да иногда она, когда он переключал скорости, протягивала руку, чтобы дотронуться до него.

Весь путь до улицы Сен-Жермен в машине царила какая-то праздничная нежность.

Он поставил «СААБ» в гараж под гостиницей, получил ключи от номера, и через минуту они уже наслаждались прохладой в высокой комнате с толстыми стенами.

Он заказал шампанское. И когда они уже стояли, держа бокалы, она сказала:

– Якуб, я еще никогда ни по кому так сильно не тосковала.

У него перехватило горло, и он лишь дотронулся левой рукой до ее щеки.

Они решили, что отныне всегда будут поднимать тост за здоровье таксистов с Манхэттена, особенно индусов.

Потом она отправилась в ванную принять душ.

Он остался один в комнате, из ванной доносился шум душа, но он знал, что, несмотря на огромное восхищение и волнение, которое она пробуждала в нем, он в ванную не войдет. Ему безумно этого хотелось, но страх перед тем, что он может что-то испортить или нарушить в их связи, основывающейся на полном доверии, пересиливал. Особенно сейчас, после того, что они пережили.

Он достал из чемодана привезенный ей подарок, положил его на покрывало, а сам сел с газетой на плюшевый коврик между стеной и кроватью и в ожидании, когда она выйдет, попытался читать.

Через минуту он уже спал.

ОНА: Стоя под душем, она чувствовала, как к ней приходит ощущение блаженства. У нее было впечатление, будто она смывает переживания этого утра, здорово смахивающего на историю из книжки, которую кто-то ей прочитал. До сих пор сама она таких книжек не читала. Ей было жаль времени.

Теперь же она решила, что иногда станет их почитывать.

Она думала, что он войдет в ванную. Ждала. Это многое бы упростило.

Она была убеждена, что никто никому не способен доверять больше, чем она доверяет ему.

Она просто невероятно хотела его. Чувствовала, что сегодня день для них.

Она ждала, но он не приходил.

Завернувшись в большое белое полотенце, она вышла из ванной.

У нее мелькнула мысль, что с ним все барьеры рушатся. До сих пор она могла только перед мужем выйти из ванной, обернутая одним лишь полотенцем.

На кровати она увидела коробку, завернутую в цветную бумагу и завязанную красной лентой.

А Якуб лежал между стеной и кроватью и спал.

Видимо, он был страшно измучен перелетом и переживаниями.

Наверное, потому он и не пришел в ванную...

Она улыбнулась.

«Если он уже сейчас, когда я стою под душем голая, засыпает, то что же будет дальше», — с усмешкой подумала она.

Она сняла с кровати покрывало и накрыла его.

Сама же легла на кровать; не будучи уверена, что подарок предназначен ей, разворачивать коробку она не стала.

Она вслушивалась в его ровное дыхание и пыталась понять, любит ли она его...

Проснувшись, она не стала сразу открывать глаза, чувствуя: что-то происходит. Вдруг полотенце, которым она была прикрыта, сползло с нее. Она ощутила тепло в нижней части живота и чуточку приоткрыла веки.

Он коснулся губами ее живота.

Она притворялась спящей и наблюдала за ним сквозь прищуренные веки.

Он восхищенно смотрел на нее, но через несколько секунд осторожно, стараясь не разбудить, накрыл ее полотенцем и отошел.

Когда он вернулся из ванной, она уже была одета.

Время было довольно позднее, и они решили поесть в ресторане внизу.

Он позвонил портье и заказал столик.

Затем с улыбкой он вручил ей подарок, но она спросила, может ли она сперва насладиться ужином с ним, а уж потом порадоваться подарку.

Он сказал ей, что выглядит она просто восхитительно.

Они спустились вниз. В ресторане звучала тихая фортепьянная музыка. Гарсон проводил их к столику у окна.

Париж, он, свечи, музыка... Она чувствовала себя такой счастливой...

Меню было только на французском, и она объявила, что сегодня вечером полностью полагается на его вкус.

Он принялся заказывать кушанья, названий которых она не знала, но которые звучали на французском, как имена цветов. Она лишь напоминала ему, что ее бокал опять пуст, и он улыбался и делал вид, будто выговаривает гарсону.

Они шутили, смеялись, обсуждали феномен их дружбы. Рассказывали, что происходит с ними, когда они скучают друг по другу.

А потом он встал и попросил у нее позволения выйти из-за стола.

А она думала, как дать ему понять, что после ужина она хочет вернуться к нему в номер.

Она знала: если его не подтолкнуть, сам он ни за что не предложит.

Из задумчивости ее вырвал поцелуй в шею. Якуб стоял за ее стулом; он приподнял волосы на шее и целовал. Ей хотелось, чтобы это длилось бесконечно.

Она повернула голову, провоцируя встречу губ, однако он успел выпрямиться и сел напротив нее.

Она пыталась понять, почему он так ведет себя: от робости или боится отказа?

После ужина он предложил отвезти ее в гостиницу.

Она была разочарована, хотя знала, что так оно и будет. Она лишь улыбнулась и согласно кивнула. Заодно он предложил показать ей ночные Елисейские Поля.

Поток машин был просто невероятный. Они ехали со скоростью улитки, и их приветствовали такие же, как они, туристы. Все знали — и полиция в том числе, — что у подавляющего большинства водителей в крови имеется алкоголь, но в Париже после полуночи это никого не интересовало. И она радовалась, что участвует во всем этом. И ощущала возбуждение.

И вдруг ей пришла в голову гениальная мысль. Она спросила Якуба, могла бы она повести машину.

Ей хотелось узнать, как чувствует себя водитель ночью на Елисейских Полях около Триумфальной арки в сплошном потоке автомобилей.

Якуб моментально согласился. Они остановились и поменялись местами.

Она объехала Триумфальную арку и свернула на улицу, ведущую к его гостинице.

Он с любопытством взглянул на нее. Она с улыбкой сообщила, что оставила у него в номере одну важную вещь, а именно привезенный им подарок, и прибавила газу.

Она знала: он понял, что она дает ему позволение.

Он притронулся пальцем к ее губам и произнес:

— Езжай побыстрей.

Уже в лифте она сняла с шеи косынку, сняла обручальное кольцо, золотую цепочку, которая была у нее под косынкой. А прежде чем выйти из лифта, сняла туфли.

Едва они вошли в номер, она расстегнула на нем рубашку.

Он раздел ее, взял на руки и отнес на кровать.

Он целовал ее. Целовал всюду. Делал с ней совершенно чудесные вещи.

Наконец-то он ни о чем не спрашивал.

Он все время шептал, как она прекрасна, как безумно необходима ему и как страшно он тосковал без нее. Но до настоящего экстаза он доводил ее, когда шепотом сообщал ей, что сделает сейчас — где поцелует, где прикоснется и что чувствует, когда это делает.

Уже под утро, засыпая с улыбкой, она чувствовала его руку, лежащую у нее на груди, и даже не пыталась задуматься над тем, что произошло.

Потому что она знала: то, что произошло, продолжится, и сейчас и музыка, звучавшая в номере, и тишина, они только для успокоения. Она провела пальцем по его губам. Он не спал и повернулся к ней.

Она ждала, что он это сделает.

@10

ПОЛТОРА МЕСЯЦА СПУСТЯ...

ОНА: Она одевалась за низкой ширмой из ткани с восточными цветами. В кабинете было чудовищно душно. Гинеколог, пожилой седой мужчина в очках, сидел за столом, стоящим посреди комнаты на полпути между ширмой и гинекологическим креслом. Он что-то записывал в карточку.

Она подумала, почему она не чувствовала стыда, когда лежала, раздвинув ноги, на этом жутком кресле, но как только обследование закончилось и ей, голой ниже пояса, надо было пройти несколько шагов до ширмы, она сразу же ощутила и стыд, и какую-то скованность.

— Вы на шестой неделе беременности, — объявил гинеколог, встав из-за стола и зайдя к ней за ширму. — Если вы хотите родить этого ребенка, вам придется радикально изменить образ жизни. Полагаю, после последнего выкидыша вы это понимаете не хуже меня, не так ли?

Ее муж был категорически против детей.

«Я хочу еще немножко пожить. Посмотри на Асю, она же совершенно опустилась с этим ребенком. Нет! Нет! Только не сейчас. Подождем еще годика два-три», — говорил он и возвращался к своим проектам, которые, подобно тюремным решеткам, удерживали его в комнате, где стоял компьютер.

Как-то она перестала принимать таблетки, не сказав об этом мужу. Ей исполнилось тридцать, и она почувствовала, что время уходит. Реакция испуганной «стареющей» женщины, ощутившей себя биологически бесполезной.

«Когда это произойдет, он согласится», — думала она.

Но у нее случился выкидыш. Муж об этом так и не узнал. Она посылала его в аптеку покупать мешками суспензории. Искровенила несколько простыней. Его она убедила в том, что у нее «исключительно тяжелый период». Он только удивлялся, что она пять дней должна лежать в постели. А когда она плакала, он считал, что это от боли. В общем-то он был прав. Но только он путал физическую боль в животе с болью совершенно иного рода.

Из задумчивости ее вырвал голос гинеколога:

— Только не беспокойтесь. На этот раз мы за вами проследим, и все будет хорошо.

— Да, конечно, — смущенно пробормотала она, застегивая пуговицы на юбке. — Вы не могли бы точно сказать, когда... когда я забеременела?

— Я уже говорил вам. По моим оценкам, у вас шесть недель. Плюс-минус четверо суток.

Он заглянул в календарь, лежащий на столе.

— Приходите ко мне через неделю. В это же время. Нам надо будет установить подробный план, что мы будем делать во время беременности. Постарайтесь привыкнуть к мысли, что последние месяцы вы проведете на сохранении в клинике.

Врач встал из-за стола, подал ей руку и сказал:

— Избегайте стрессов и хорошо питайтесь.

Она вышла из его кабинета прямо на темную лестничную площадку, заполненную табачным дымом.

Опершись спиной на стену возле самой двери в кабинет, она тяжело дышала, с трудом ловя воздух. Через несколько секунд, держась за стену, она ощупью стала продвигаться к лифту.

«Плюс-минус четверо суток...» Эти слова гинеколога эхом отдавались у нее в голове.

ОН: «Уже прошло полтора месяца», — подумал он, глянув в календарь. Позвонил сам директор института и попросил его определить дату отпуска. В сущности, это был приказ.

— Вы уже четыре года не брали отпуск. Мне только что из администрации прислали официальное замечание. Так дальше продолжаться не может. У меня будут неприятности с профсоюзами. Съездите еще в Принстон, а потом — чтобы полтора месяца я вас здесь не видел. Так что завтра до двенадцати извольте сообщить мне дату вашего ухода в отпуск.

Ровно полтора месяца назад он прижал ее к себе в парижском аэропорту. Потом, сидя на скамейке, целовал ей запястья, глядя в ее полные слез глаза. А вечером она была нагая. Полностью нагая. И хоть он целовал ее всюду и по многу раз, сильней всего ему запомнились ее запястья.

Она прекрасна. Ошеломляюще прекрасна. Притом она чуткая, тонкая, романтичная и мудрая. Она восхитительна. Он не может забыть, как в ту ночь она, утомленная, вжалась в него спиной и ягодицами и прошептала:

— А знаешь, с тобой мне вспоминаются все стихи, которые когда-либо трогали меня.

Он прижал ее к себе, губами закопался в ее волосы. Они так дивно пахли.

— После того, что случилось с тем самолетом, у меня ощущение, будто мне подарили сегодня новую жизнь, — шепнул он.

Правую ее ладошку он прижал к губам. Стал ласково сосать ее пальцы. Один за другим. Прикасался к ним языком.

— И ты в ней с первого дня.

Его слюна мешалась со слезами. После того как ушла Наталья, он всегда плакал крупными слезами.

— И будешь в ней всегда, да?

Она не ответила. Дыхание у нее было ровное. Она спала.

ОНА: Она вышла из дома, где находился кабинет гинеколога, и села на металлическую скамейку возле песочницы. Достала мобильник. Набрала номер Аси.

— Мне надо с тобой встретиться, — произнесла она, даже не представившись. — Прямо сейчас.

Ася ни о чем не спрашивала. Сказала только, предварительно перекинувшись с кем-то несколькими словами:

— Через двадцать минут буду во «Фрета@Портер» на Старом Мясте. Там, где мы в последний раз были с Алицией. Помнишь?

Еще бы не помнить! Они там пили вино и весь вечер смотрели парижские фотографии. Смеялись, вспоминали. Она была такая счастливая. В какой-то момент все стало не важно. Она вышла на улицу. Набрала номер его рабочего телефона в Мюнхене и произнесла на автоответчик:

— Якуб, я пьяная. Но от вина только самую малость. А больше всего от воспоминаний. Спасибо тебе за то, что ты есть. И за то, что я могу быть.

Ася уже ждала, сидела за столиком в садике при кафе.

Она подсела к Асе, вся сжавшаяся, прижимая к груди сумочку.

— Этот Якуб обидел тебя, — начала Ася.

Она с испугом посмотрела на подругу:

— Откуда ты знаешь про Якуба?

— Когда я во сне произносила имя какого-нибудь мужчины, то этот негодяй на следующий день женился на другой. Но это было страшно давно, — объяснила Ася без тени эмоции в голосе.

Ася не переставала ее удивлять. Получалось, что, несмотря ни на что, она плохо знает свою подругу.

— Нет, Якуб никого не способен обидеть. Это другая модель. Потому-то он так часто бывает печальным.

Ася прервала ее:

— Тогда рассказывай. Все. Я сказала мужу, что смогу вернуться только после полуночи. В последнее время он на все соглашается и даже бровью не ведет.

И она стала рассказывать. Все-все. Как познакомилась с ним. Какой он. Почему именно такой. О том, что она чувствует, когда он есть, и чего не чувствует, когда его нет. О пятницах до полудня и утрах в понедельник. Когда она закончила рассказывать о Наталье, Ася схватила ее за руку и попросила остановиться.

Она подозвала официанта:

— Двойной «Джек Дэниелс» и банку «Ред Булл». Хорошо охлажденную.

Ася произнесла:

— Мне то же самое. И поторопитесь, пожалуйста.

Только когда официант принес заказанное, она рассказала про рейс «TWA» и про то, что она пережила в аэропорту. В этот момент Ася придвинулась к ней и погладила ее по лицу.

— Помнишь, как мы встретились на вокзале в Варшаве перед отъездом в Париж? Меня привез на машине муж. Я была просто в ярости на него. Ты еще спросила, что произошло. Я ответила, что не хочу об этом говорить.

Она на миг умолкла. Взяла бокал.

— В ту ночь он пришел с какой-то их корпоративной вечеринки. Я уже спала. Он меня разбудил. Ему хотелось заняться со мной любовью. А у меня не было ни малейшего желания. Я уже не первую неделю не испытывала желания. Да и он тоже. Это был просто алкоголь. К тому же у меня был самый конец регул. А он совершенно неожиданно придвинулся ко мне, потянул за тесемку и выдернул тампон. Схватил меня за руки, как полицейский, собирающийся надеть наручники. Я ничего не могла поделать. Он вошел в меня. И после нескольких движений кончил. Тут же отвернулся и заснул. Оставил во мне свою сперму, как угорь оставляет молоки на икре, и заснул.

Она отхлебнула большой глоток.

— А через четыре ночи я привезла Якуба в его гостиницу и обнаженная легла в его постель, ожидая, когда он войдет в меня. Он надел презерватив. Но я губами сняла его. Я не хотела чувствовать его через резину. Я хотела чувствовать его таким, какой он есть. В ту ночь он входил в меня несколько раз.

Произнеся это, она заплакала.

— Ася, я только что была у гинеколога. Я беременна уже шесть недель. И не знаю, чей это ребенок.

Ася молча вглядывалась в нее. А она продолжала:

— Тогда в Париже я два раза не принимала таблетки. В первый раз, когда мы вернулись с того приема с вьетнамской свиньей, а второй — когда он прилетел в Париж.

Ася подняла руку и остановила ее. Потом достала мобильник, набрала номер.

— Ты сможешь принять ее прямо сейчас? Нет, до завтра ждать нельзя. Нет. Нет, я не могу тебе объяснить. Будем через полчаса, — произнесла она и отключила телефон. — Сейчас едем к Мариушу. Это мой кузен. Он защитил диссертацию по гинекологии. Он примет тебя прямо сейчас. Ты должна точно знать.

Ася подозвала официанта, расплатилась и попросила вызвать такси.

Ася дожидалась ее в кафе напротив кабинета Мариуша.

— У него были четыре случая зачатия во время месячных. А также четыре случая зачатия у женщин, которые забывали на два дня о таблетках. Особенно если они пережили такой же шок, как я в аэропорту в Париже. А кроме того, он считает, судя по величине плода, что это ребенок моего мужа. Он сказал, что абсолютно уверен в том, что плод старше именно на эти четыре дня.

Ася молча выслушала ее и сказала:

— Ну, у нас хотя бы есть уверенность, что ты беременна. Но особенно не верь ему. Он страшно религиозный гинеколог. И если ты ему рассказала свою историю во всех подробностях, то сегодня ночью он не уснет. Он еще позвонит мне и будет «предостерегать» от общения с такими женщинами, как ты. Жена у него весит больше ста килограммов, он — гинеколог, ему тридцать два года и уже пять детей. Но специалист он превосходный.

Ася замолчала и вдруг шепотом спросила:

— Будешь делать аборт?

Холодный Асин прагматизм временами повергал ее в изумление. Но то была всего лишь маска. Она знала это со времен их поездки в Ним.

— Ни за что! Если я сейчас сделаю аборт, мне придется навсегда забыть о ребенке. Твой Мариуш тоже это подтвердил. Кстати, я его не спрашивала.

Зазвонил Асин мобильник.

— Нет, — ответила она. — Сидим в кафе напротив твоего кабинета. Нет, и позже звонить не надо. Я наизусть знаю, что ты хочешь мне сказать. Меня это не интересует. Нисколечко. И завтра тоже. До свидания.

Ася убрала телефон в сумку.

— Ты даже не представляешь, как я тебе завидую, — тихо произнесла она после недолгого молчания. — Будь я на твоем месте, я сейчас поехала бы домой, собрала бы самый большой чемодан, достала из комода паспорт, вызвала такси и поехала в аэропорт. Села бы там на скамейку и стала ждать самолета на Мюнхен. Даже если бы он вылетал через неделю.

По ее знаку подошел официант.

— Повторите то же самое. И положите побольше льда. А вот ей принесите только «Ред Булл». Без виски.

Ася достала телефон, включила его и подала ей со словами:

— Звони ему.

— Кому?

— Якубу!

ОН: Она написала, что несколько дней ее не будет. Совершенно неожиданно. Как правило, он заранее знал о ее поездках на отдых или в служебную командировку. Вдобавок она прислала ему не нормальный e-mail, а короткий SMS с мобильного телефона. Это означало, что у нее не было доступа к Интернету.

Он чувствовал себя брошенным. Приходил позже на работу. Уходил за полночь. Ему казалось, что неделя состоит из одних суббот и воскресений. Он ежедневно писал ей, и это было как вечерняя молитва. Он с детства помнил, как мама, дважды разведенная, неоднократно отлученная от Церкви католичка, учила их, что вечерняя молитва — это благодарность Богу за прожитый день. Они с братом становились на своих топчанчиках на колени лицом к крестам, прибитым к стене слишком большими гвоздями. Кресты прибил их отец, который вычеркнул Бога из списка своих друзей очень давно, еще в Штутгофе. Они складывали руки перед собой и, не отрывая глаз от крестов, повторяли следом за мамой:

«Божий ангел, хранитель мой, всегда со мною рядом стой...»

Мама молилась вместе с ними. Каждый вечер. Иногда он смотрел на ее сложенные руки с узлами жил. И ему казалось, что никакого ангела-хранителя им не нужно. Вполне достаточно мамы...

ОНА: Мужу она сказала на следующий день после встречи с Асей. Она приготовила ужин. Испекла пирог. Купила свечи. Открыла вино. Она ждала мужа с середины дня. На работу она не пошла.

Муж пришел, включил компьютер и пошел в ванную. Так было уже много месяцев. Проходя мимо торжественно накрытого стола, поинтересовался:

— Я что-то упустил? У нас что, годовщина свадьбы?

— Да, упустил. Множество событий. Но сейчас это не важно. Сядь.

Он сел напротив нее. Уже давно он не садился, как когда-то, рядом с ней. Всегда только напротив. Она встала и подала ему бокал красного вина.

— У нас будет ребенок, — тихо произнесла она, глядя ему в глаза.

На миг воцарилось молчание.

— Ты шутишь, да? Мы ведь договорились! Ты не можешь так поступить со мной! Я еще не готов. Ты же обещала. Ну послушай! У меня проекты распланированы на год вперед. Нет, ты не смеешь так поступать!

Она встала. Спокойно, не произнеся ни слова, прошла в спальню. Опустилась на колени и вытащила из-под кровати чемодан. Поставила его на полу перед зеркалом и не спеша стала упаковывать. Первым делом переложила с туалетного столика в пластиковый мешок всю косметику. Бросила мешок в чемодан. Подошла к книжным полкам. Выбирала книжки и тоже бросала в чемодан. Потом вернулась к столу, налила бокал вина. Поставила бокал на ночной столик у кровати и опять занялась отбором книжек. В другой комнате муж кричал по телефону:

— Нет, мама, немедленно приезжайте! Она действительно собирает вещи. Я не понимаю, что с ней случилось.

Потом он кружил вокруг стола. И чем больше вещей оказывалось в чемодане, тем стремительней он описывал круги. В какой-то момент он не выдержал и закричал:

— Ты ведь не сделаешь этого, правда? Чего тебе не хватает? У тебя же все есть. Я вкалываю с утра до ночи, чтобы ты ни в чем не испытывала недостатка. Ты хоть замечаешь это? Ты никогда этого не ценила! Никогда не гордилась мной! А я же все делаю для нас. Чтобы тебе было хорошо. Ты — единственная женщина, которую я люблю. Я не смогу жить без тебя. Прошу тебя, останься. Не уходи. Ведь у нас будет ребенок. Я так отреагировал просто от усталости. Останься. Умоляю тебя!

Он подошел к ней. Обнял.

— Останься. Я люблю тебя. Ты — моя жена. Я буду заботиться о тебе. Вот увидишь.

И тут в дверь позвонили.

Он замолчал, потом погасил всюду свет. Приложил палец к губам.

— Не будем открывать, нам никто не нужен, — прошептал он ей на ухо.

Когда они познакомились, он часто шептал ей на ухо. Ей безумно нравилось ощущать вибрирующее тепло его дыхания на коже. И сейчас она ощутила то же самое. А он положил ее на постель и стал раздевать. Через минуту звонок умолк.

Да, она его жена. Они принесли обеты друг другу. Это ее дом. Он так старается. У них такие планы. Ее родители обожают его. Он очень работящий. Он любит их дом. И ни разу не изменил ей. Материально они устроены лучше всех своих знакомых. А теперь у них будет ребенок. Ради нее он сделает все что угодно. Уж это-то она знает. Он — хороший человек.

— Завтра начну искать для нас квартиру побольше, — сказал он, закурив сигарету, после того как они закончили заниматься любовью.

Вот он пообещал. У них будет ребенок. Ее родители так его любят. А там всего лишь Интернет. Он все сделает для меня.

Она заснула.

ОН: Он откупорил бутылку вина. «Уже вторая сегодня», — подумал он. Но зато так уютно и славно. Пятница, вечер. Пустые тихие коридоры. Опустевшие этажи. Он включил Грехуту.

Способны ли немцы понять, что чувствует человек, когда Грехута поет: «Значенье имеют только те дни, которых еще мы не знаем»? У него, когда он слушает это, мурашки бегут по спине.

Он подумал о том, как далеко можно зайти, притворяясь, будто чего-то не существует. Он, похоже, зашел слишком далеко. Но она согласилась на это. Видимо, из страха, что это могло бы что-то уничтожить. Теперь, после Парижа, он не перестает думать об этом. Она принадлежит не ему. Принадлежит другому. Никогда до сих пор ни одна женщина, которая была ему необходима, не принадлежала другому. Никогда!

То, что существует между ними, должно быть названо. Обязательно названо! Потому что это не какой-нибудь там роман! Это стократ выше. Роман? Звучит-то как... Назвать то, что между ними, романом все равно что возить бетон на строительство «роллс-ройсом». Вроде бы можно, но нелепо.

Он безумно тосковал по ней. Через два дня опять будет понедельник.

ОНА: В воскресенье они сказали ее родителям. Муж был такой гордый. У него будет сын! В их семье первым ребенком всегда был сын. Она смотрела, как муж и ее отец поднимают рюмки с водкой. При этом она думала, сколько пройдет времени, прежде чем муж забудет, что еще вечером в пятницу он ей сказал: «Ты не можешь так поступить со мной».

Решили, что она возьмет отпуск без сохранения содержания. Денег у них, слава богу, хватает. Завтра она поедет в фирму и уладит все формальности. А муж найдет квартиру побольше и бросит курить.

Мама сидела на стуле рядышком с ней и все притрагивалась ладонью к ее животу. Было видно, что она безмерно счастлива. Вдруг она произнесла:

— Когда я родила тебя, мы жили в одной комнате со свекром и свекровью, уборная была в конце коридора, и я купала тебя в тазу раз в неделю. Ах, доченька, ты даже не представляешь, как вам хорошо живется.

Ни в тот вечер и никогда впоследствии мама не спросила ее, почему они не открыли им в пятницу. Да, ее мать умная и понимающая женщина.

В понедельник ближе к полудню она поехала на службу. Секретарша лишилась дара речи. Уже несколько лет она всем рассказывала, что не может иметь детей.

Секретарша понесла в администрацию ее заявление на отпуск без сохранения содержания. Она осталась одна. Села в свое кресло перед монитором. Дотронулась до клавиатуры.

«Сегодня понедельник», — подумала она и заплакала.

ОН: Без нескольких минут восемь он отослал e-mail с планом своего отпуска. Он берет неделю на переломе октября и ноября. Побывает на могилах родителей и Натальи. Рождество проведет с братом и его семьей во Вроцлаве, перед Новым годом полетит из Варшавы в Австрию кататься на лыжах.

Прошло воскресенье, а мейла от нее все так и не было. Не появилась она и на ICQ. После полудня он, встревоженный, позвонил ей на службу в Варшаву. Никто не ответил. Оставлять сообщение на автоответчике он не стал.

«У нее явно произошло что-то серьезное», — подумал он, возвращаясь к работе.

ОНА:

— Подбросишь меня на несколько минут в фирму? — спросила она, услышав, как муж договаривается по телефону с клиентом о встрече. Он собирался в город отдать готовый проект. — Я забыла взять книжки и кое-какие свои вещи из стола. И еще я хотела бы стереть в компьютере мои личные мейлы. Не хотелось бы, чтобы кто-то их читал.

Муж был удивлен.

— Ты получала личные мейлы? Это что, Ася описывала тебе свои оргазмы после прочтения какого-нибудь стишка и прочие глупости?

Она бросила на него презрительный взгляд.

— К сожалению, Ася давно уже не испытывает оргазмов. И не только после прочтения стишка. Скорей уж, там «прочие глупости». — Для нее не было секретом, что муж недолюбливает Асю. Кстати сказать, чувство это было взаимным. — Так подвезешь? Забрать меня сможешь, когда будешь возвращаться со встречи с клиентом. Много времени мне не понадобится.

Как и в ту ночь, когда она узнала о Наталье, она испытывала тревогу, набирая цифры кода и ожидая, когда заскрежещет электромагнит в замке решетчатых дверей, ведущих к ним в фирму. Ее стол был пуст. Кружка для кофе — присланная им из Мюнхена, черная с серебристым @ — была поставлена на сушилку, папки секретарша перенесла к себе, пластиковые подносы для входящих и исходящих бумаг переставили на шкафы. Гигиеническая пустота, сверкающая гладкость столешницы.

Но совсем уж пустым выглядел монитор ее компьютера. Этакое незнакомое техническое устройство, лишившееся всех желтых клеящихся листков, на которых она цветными ручками записывала не только то, что срочно должна была сделать, но также и то, что обязательно хотела ему сказать, либо то, что он ей сказал, а она хотела обязательно запомнить. Кто-то старательно стер с экрана даже отпечатки ее пальцев. Кто-то помогает вымарывать его из ее памяти...

Ее стол был заперт на ключ, который она не нашла там, где он обычно лежал.

«Придется приехать завтра, — подумала она, и ей вдруг стало грустно. — И по мне тоже затирают следы».

— Но теперь никаких сантиментов, — громко произнесла она, включая компьютер.

Она была подготовлена. Весь день не слушала музыки. Читала книжку о материнстве. Потом позвонила матери. Они разговаривали почти два часа. То есть говорила в основном мать. Но ей это было необходимо. Чтобы утвердиться. Она не звонила по телефону, и от Аси звонков тоже не было. Ася всегда звонила ей на мобильник. Главным образом чтобы избежать контактов с ее мужем.

А Алиция сама пришла.

— Боже, как я тебе завидую, — заявила она прямо с порога. — Вы когда пойдете покупать кроватку? Кстати, запомни: обязательно заведи дневник. Именно сейчас. Это важно. Описывай каждый день беременности. Потом, когда дочке исполнится восемнадцать, дашь ей прочесть. По всему похоже, что у тебя будет девочка.

Она смотрела на Алицию и думала, что ей не хотелось бы, чтобы ее дочка узнала, что ее мать думала на седьмой неделе беременности. Бедная девочка ужаснулась бы.

Ближе к вечеру позвонил муж. Он нашел большую квартиру и на среду договорился подъехать ее посмотреть. Находится она практически на границе города. Совсем рядом лес. Он уже подписал предварительный договор. Там солнечно и так красиво.

Да, она была готова отослать этот e-mail.

Варшава, 2 сентября.

Якуб!

С тех пор как мы знакомы, ты писал или говорил о правде, о правдивости. О правдивости в науке, в жизни, во всем. И в тебе все правдиво. Поэтому я верю, что ты поймешь меня. Поймешь, что я не могу больше так жить. Я беременна. И теперь я обманывала бы уже двоих. А этого я не могу.

Ты подарил мне нечто, чему трудно даже подобрать название. Расшевелил во мне что-то, о существовании чего я даже не подозревала. Ты — часть моей жизни и всегда будешь ею. Всегда.

Якуб, ты говорил мне, что очень хочешь, чтобы я была счастлива. Ведь правда? Прошу тебя, сделай для меня одну вещь. Очень важную вещь. Важней которой нет ничего. Сделай это для меня. Прошу тебя. Я буду счастлива, если ты меня простишь.

Простишь?

Несколько следующих месяцев меня не будет. Я больше не работаю здесь. Чтобы сохранить ребенка, мне придется сидеть дома, а потом несколько месяцев я проведу в клинике.

Спасибо тебе за все.

Береги себя.

Она до боли впивалась зубами в пальцы и плакала. Кусала до крови губы. Подошла к подоконнику, на котором стояла бутылка с водой для поливки цветов. Она схватила ее и стала пить.

Это позволило ей немножко успокоиться. Она вызвала почтовую программу. Там ее ждали послания всей предыдущей недели и сегодняшнее утреннее письмо. Не читая, она перенесла их в «ящик для удаления».

— Я не должна это читать. Я так решила, — вслух произнесла она, словно отдавая себе приказ.

После этого она набрала его адрес: Jakub@epost.de.

«В последний раз», — подумала она, отсылая e-mail. И почувствовала облегчение.

Это всего лишь Интернет...

Затем открыла папку, в которой хранила все мейлы, полученные от него. Дала команду удалить. Программа осведомилась:

о хотите удалить эти сообщения? (Да/Нет)

...сколько секунд она сидела не шевелясь и всматривалась в экран.

«Дурацкий вопрос!» — со злостью подумала она.

И вдруг почувствовала себя так, словно от ответа на этот дурацкий вопрос зависит чья-то жизнь.

Красный или синий провод? Если она перережет не тот, все взлетит в воздух. Как в тех идиотских фильмах, где красивый загорелый полуидиот всегда перерезает «тот» провод. Она вспомнила, что ни в одном фильме никто не перерезал красный...

Зазвонил телефон. Подъехал муж, он ждет ее внизу. Она щелкнула на «Да». Ничего не произошло. Мир не провалился в тартарары. Зрители вздохнули с облегчением.

Она выключила компьютер. Встала. Коснулась ладонью экрана монитора. Экран был еще теплый. Прощай, Якуб...

Она погасила свет и вышла.

ОН: С утра на несколько часов их отключили от Интернета. Кошмар. Все болтались по институту, не зная, куда себя девать. В кухне у кофейного автомата вдруг заклубилась толпа. Но цель оправдывала эту неприятность, которую все переносили достаточно спокойно: им должны были поставить каналы, в двадцать раз увеличивающие быстродействие.

После полудня он получил несколько мейлов. Но от нее ничего не было. Он тревожился.

В двадцать часов у него должна была состояться видеоконференция с Принстонским университетом. Там у них, на Восточном побережье, было два часа дня. Он подумал, почему американцы полагают, что можно назначить видеоконференцию с Европой на восемь вечера. С чего они так уверены, что в это время все будут еще на своих рабочих местах? Видно, они еще не избавились до конца от своих империалистических повадок.

После видеоконференции он забежал на минутку к себе в кабинет. Время шло уже к половине одиннадцатого. Он собирался только выключить компьютер и пойти домой. Эта видеоконференция с американцами вымотала его.

От нее пришел e-mail! Наконец-то! Он начал его читать.

ОНА: С секретаршей она договорилась на четверть первого. Та открыла ее ключом обе тумбы рабочего стола.

— Забирайте все свои личные вещи, а остальное оставьте в столе. Я потом все просмотрю и разберу, — сказала секретарша. — Нет-нет, только не садитесь на пол! — испуганно воскликнула она. — Вам сейчас нужно беречь себя. Я принесу маленький стульчик из секретариата.

Секретарша, как зачарованная, смотрела на ее живот, по которому еще нельзя было сказать, что она беременна. А она принесла корзинку для мусора из-под окна. Она сидела верхом на маленьком стульчике из секретариата, справа от нее стояла корзинка для мусора, слева — большая спортивная сумка «Nike». Она стала очищать ящики. Один за другим. Когда секретарша пошла на обед, она открыла нижний ящик с правой стороны. Самый главный. «Его» ящик.

Первым делом она вынула полусгоревшую зеленую свечку, которую он когда-то ей прислал, чтобы они могли «устроить ужин при свечах». Они открыли чат на ICQ, откупорили вино, заказали пиццу — он в Мюнхене, она в Варшаве,— зажгли свечи и стали есть. Именно во время этого ужина она спросила, как выглядит его мать. Он ответил, что она очень красивая. Говорил о ней совершенно необыкновенно. Причем в настоящем времени. И лишь спустя месяц она узнала, что его мать умерла, когда он был еще студентом. В корзину.

Затем она наткнулась на ксерокопию его аттестата зрелости. Это прислал в шутку: якобы хотел доказать ей, что действительно получил аттестат зрелости. В корзину.

Открытка из Нового Орлеана с пятнами от вина. Она перевернула ее и прочитала:

«Спасибо за то, что ты есть. Я слишком давно не благодарил тебя. А здесь, в этом городе, это можно сделать с праздничным чувством. Якуб».

В корзину.

Книжка о генетике. Со множеством его замечаний, написанных карандашом на полях. На 304-й странице в главе о генетическом наследовании несколько слов, которые парализовали ее, когда она через несколько месяцев обнаружила их. Они были стерты ластиком, но на свет видны: *«Я хотел бы иметь с тобой ребенка. Ох как хотел бы»*.

В корзину.

Нет, так невозможно! Она просто не выдержит этого. Резким движением она вытащила ящик и вытряхнула все его содержимое в корзину. Поставила пустой ящик на место и сложила оставшиеся свои вещи в сумку. Потом сидела на стульчике, понурив голову, и ждала, когда вернется секретарша.

Совершенно случайно она бросила взгляд на корзину. На самом верху лежала плексигласовая модель двойной спирали. Амулет, который он прислал ей.

«Я — дрянная, жестокая, отвратительная баба, — подумала она. — Да разве можно так поступить с ним? С ним!»

Она засунула руку в корзину. Закрыла глаза. АТ, ЦГ, снова ЦГ, а потом три раза АТ... Вошла секретарша.

— Не надо, не плачьте. Вы к нам еще вернетесь. Родите ребеночка. Немножко покормите его, а потом вернетесь к нам.

«Нет, сюда я не вернусь. Никогда не вернусь», — подумала она и встала. Взяла сумку.

Попрощалась с секретаршей и вышла.

Муж ждал ее внизу в машине. Он курил и читал газету. Увидев ее, он тут же вышел из машины и помог положить сумку с вещами в багажник. Они тронулись.

— Я столько раз говорила тебе, не разворачивайся здесь так. Ты же блокируешь все движение. Слышишь, как они сигналят?

— Да плевать мне на них, — ответил муж, не вынимая изо рта сигареты.

Они стояли поперек улицы. Перегораживая обе полосы движения. Муж вдавил педаль газа, и машина с визгом шин рванула с места.

— Пожалуйста, останови на минутку. Остановись, говорят тебе.

— Здесь не могу.

Но все-таки он притормозил.

Нет, то не мог быть Якуб. Просто кто-то очень похожий. Это невозможно.

— Ладно, поезжай дальше,— сказала она.— Прости. Мне показалось, что я увидела знакомого.

Буркнув что-то под нос, он прибавил скорость. Они свернули в узкую улочку за газетным киоском.

ОН: Ни один самолет не вылетает в Варшаву ни из одного немецкого аэропорта после двадцати двух. Из Цюриха, Вены и Амстердама тоже. Он позвонил в «Авис» и велел им поставить автомобиль в ноль часов у здания института. В половину седьмого из Франкфурта-на-Майне в Варшаву летит самолет ЛОТа.

Около пяти утра он оставил нанятый «гольф» на паркинге второго терминала франкфуртского аэропорта.

«Если бы она уходила от меня медленно, шаг за шагом, если бы отламывала от сердца по кусочку, было бы гораздо легче,— думал он, когда ехал по автобану из Мюнхена во Франкфурт.— Да, конечно, я прощаю ее. Но пусть она скажет мне в лицо, что я должен уйти. Не в Интернете и не электронной почтой. Пусть скажет, стоя передо мной. Я однажды уже получил письмо, а потом была пятница, и все кончилось».

Самолет взлетел точно по расписанию, хотя над аэродромом был туман.

— Что желаете на завтрак? — спросила улыбающаяся стюардесса.— Кофе или чай?

— Знаете, не надо мне никакого завтрака. Не могли бы вы мне принести «кровавую Мери». Двойная порция водки, мало сока. Табаско и перец.

Стюардесса взглянула на него; приклеенная к губам служебная улыбка исчезла с ее лица, но она тут же весело рассмеялась и сказала:

— Наконец-то хоть какое-то разнообразие среди этих унылых «кофе или чай»! Двойная водка, немного сока. Вместо завтрака.

Около десяти он уже сидел на скамейке напротив дома, где размещалась ее фирма. Он часто пытался представить себе, как может выглядеть это место. Был он слегка под хмельком. Перед посадкой стюардесса принесла ему еще одну «кровавую Мери». «Двойная водка, немного сока. Табаско и перец». На подносе стояли два стаканчика. Когда он взял свой, стюардесса взяла второй и сказала:

— Я хочу выпить с вами. Вместо завтрака. Чтобы почувствовать, каково это. Все равно я сейчас кончаю работу.

И они чокнулись.

Он чувствовал себя словно после анестезии.

«Это хорошо,— подумал он,— будет не так больно».

В это здание вели широкие двери, рядом с которыми висели разноцветные вывески фирм, в том числе и той, в которой работала она. Он убедился в этом еще утром, как только пришел сюда. Около полудня дверь заслонил большой внедорожник с затемненными окнами. Кто-то вылез из него с той стороны и вошел в здание. Водитель остался стоять напротив дверей, не обращая внимания на запрет парковать машины в этом месте. Он опустил стекло в окне, курил и читал газету, время от времени поглядывая на часы. Было видно, что он ждет кого-то.

Через какое-то время он вышел из машины и обошел вокруг нее, внимательно рассматривая шины. Покончив с этим, он перешел улицу и направился к газетному киоску. Проходя мимо скамейки, на которой сидел Якуб, он улыбнулся. В киоске купил пачку сигарет и вернулся в машину.

А через несколько минут он поспешно вылез и подбежал к багажнику, где принял от кого-то, вышедшего из здания, сумку. Потом внедорожник отъехал. Совершенно не обращая внимания на другие машины, проезжающие по этой оживленной улице, он стал разворачиваться, полностью заблокировав на ней движение. Водители свирепо давили на клаксоны.

В какой-то момент внедорожник оказался как раз напротив скамейки, на которой сидел Якуб. Он бросил взгляд на водителя. А рядом с ним сидела она! И тут машина прибавила скорости и через несколько секунд исчезла в улочке за киоском.

В тот же вечер он вернулся во Франкфурт. Из самолета он вышел слишком пьяным для того, чтобы вести машину. Он возвратил ее в «Авис» в аэропорту и отправился в Мюнхен поездом. Ехал он в каком-то полусне, вызванным усталостью и спиртным. И все это время ему улыбался водитель того внедорожника.

@11

СПУСТЯ ШЕСТЬ МЕСЯЦЕВ

ОНА: Будни она проводила в клинике и только на выходные возвращалась домой. Ординатор был добрым знакомым ее отца и устроил все так, чтобы в ее палате никого больше не было.

Они жили уже в новой квартире. С восточной стороны, там, где был балкон, окна выходили на лес. Под детскую они предназначили эту самую солнечную комнату. Практически все там уже было устроено. Для мальчика. Она знала, что у нее будет сын. Видела у гинеколога на экране, а потом на распечатке УЗИ.

Все были просто невероятно заботливы. Мама пообещала, что переедет к ним на несколько первых недель после родов. И вообще она была очень добра. И только иногда спрашивала:

— Почему ты так редко улыбаешься?

В этот четверг ее навестила в клинике Ася. Знала, что ее мужа сегодня не будет, и потому пришла. Выглядела Ася великолепно. Похудела. Подкоротила и высветлила волосы. И все время улыбалась.

Они стали вспоминать Париж. Смеялись. Все было как раньше.

— А помнишь того портье из гостиницы? — спросила Ася. — Было видно, что из нас троих ему нравишься только ты. Алиция не могла этого пережить. А помнишь...

Но она прервала Асю и, оглянувшись вокруг, шепотом спросила:

— Ася, сделаешь для меня одну вещь?

Ася внимательно посмотрела на нее.

— Ты не могла бы сходить ко мне в фирму и прочитать электронную почту, пришедшую для меня? Я понимаю, что прошло уже полгода, но уверена: Якуб написал что-нибудь мне. — Она опустила голову и прошептала: — Мне хочется знать, простил ли он меня.

Она протянула Асе листок с кодом дверей и паролем ее почтового ящика.

— Я почти уверена, что код на дверях, ведущих в наши комнаты, не сменили. Иди туда попозже, когда уже никого не будет. Сходишь?

— Ты полагаешь, что это удачная мысль? — спросила Ася.

— Да. Уже несколько недель я, засыпая, только об этом и думаю. И с этой же мыслью просыпаюсь. Я хочу знать, простил ли он меня. Понимаешь? Только это.

— Перестань сейчас же плакать! Конечно, я схожу. Завтра пятница. Уложу малышку и пойду. В субботу утром позвоню тебе.

На прощание они крепко обнялись. Все было как раньше.

— Позвони. Только не забудь. Я буду ждать.

Ася: «А что будет, если они все-таки сменили код?» — подумала она, чувствуя себя настоящим взломщиком. Она стояла перед дверью, и ей страшно хотелось сбежать. Поднеся к глазам листок, она в тусклом свете аварийной лампочки прочла код. Подошла к решетке, громко повторяя цифры. Все их набрала. Дверь открылась.

Вторая комната справа. Первый стол. Напротив окна.

Листок с паролем доступа в почтовый ящик она положила рядом с клавиатурой. Стол был совершенно пустой. Никто за ним не работал.

Ася включила почтовую программу. Набрала пароль. В ящике было больше ста пятидесяти непрочитанных сообщений! Почти все от Якуба. В каждом в определении темы было слово «Открытка», затем следовали порядковый номер, дата, место отсылки и в большинстве своем (в скобках) стояло какое-нибудь слово, определяющее содержание. Она принялась читать.

— Что вы делаете здесь в такое время? — спросил молодой мужчина в темно-синей униформе и с фонарем в руке.

Зачитавшись, она даже не слышала, как он вошел.

— А вы не видите? — ответила она, поднимая голову. — Плачу.

— У вас есть разрешение?

— Нет. Я плачу без разрешения.

Оба одновременно рассмеялись.

— Когда будете уходить, пожалуйста, погасите всюду свет и выключите компьютер.

Ни о чем больше не спрашивая, молодой человек вышел из кабинета.

Ей до сих пор никогда не доводилось читать что-либо подобное. И наверное, никогда больше не доведется. Разговор с женщиной, которая ушла. Бросила его. Попросила простить ее. И он простил, но забыть ее не смог. И писал ей письма. Каждый день. Так, словно она была. Ни слова сожаления. Никаких претензий. Вопросы без ответов. Ответы на вопросы, которые она не задавала, но он сделал это за нее. Мейлы, посланные с компьютеров во Вроцлаве, Нью-Йорке, Бостоне, Лондоне, Дублине. Но чаще всего из Мюнхена.

Письма женщине, которая их не читает. Полные нежности и заботы. Захватывающие истории, рассказанные человеку, который важней всех на свете. Ни претензий, ни жалоб. Лишь иногда что-нибудь наподобие завуалированной просьбы или, верней, мольбы. Как в том письме из Вроцлава, отправленном накануне Рождества с компьютера его брата:

Запаковал подарок для тебя. Положу его вместе с другими под елку. Так страшно хочется, чтобы ты смогла его развернуть, а я — видеть, как ты радуешься ему.

Последнее послание шло под номером 294. Оно было отправлено 30 января с компьютера в Мюнхене. И было оно как крик о помощи. Якуб писал:

Почему все покидают меня? Почему?

Найди меня.

Как нашла год назад.

Прошу тебя, найди меня. Спаси!

Она оставила на экране открытым этот последний e-mail. Сидела, опершись локтями на стол, и всматривалась в эти несколько строк. Думала, кого ей больше жаль.

Она встала. На соседнем столе нашла дискету. Проверила, пустая ли она. Скопировала на нее все письма от него, а оригиналы стерла из памяти компьютера.

Было уже очень поздно. Она заказала по телефону такси. Закрыла дверь и в лифте спустилась вниз. Такси подъехало буквально через минуту. По радио Гепперт пела «Ландринки». Таксист позволил зажечь свет. Она смыла черные пятна от слез и поправила косметику.

Гладя подушечками пальцев дискету в сумке, она подумала, что если бы не было так поздно и если бы она не боялась темноты, то обязательно поехала бы в парк к «ее дереву».

Завтра утром она, как и обещала, позвонит. Скажет, что Якуб простил. Так будет лучше всего. И к тому же это правда. Но правда — очень общее понятие.

ОН: В Польшу он прилетал еще дважды.

День поминовения усопших. Было чудовищно холодно, и лил дождь. На могилу Натальи он пошел поздно вечером. Почти что ночью. Он не желал кого-нибудь встретить там. Ему хотелось все ей рассказать. На ее могиле он бывал каждый вечер. Некоторые свечки не гасли целых три дня.

На могилу родителей он пошел вместе с семьей брата. Потом дома они пили чай с ромом, который он привез, и вспоминали. Письма от мамы. Каждый день. В течение пяти лет...

Потом он вернулся в Мюнхен и через несколько дней полетел в Принстон. Совместный проект с Варшавой был завершен.

Второй раз он прилетел на Рождество. Польский сочельник в доме брата. Было чудесно. Выпал снег. Они пошли на рождественскую службу. И он молился, чтобы прошла эта печаль. И страх. Потому что он боялся.

Он писал ей. Ничего не изменилось. Он писал каждый день. E-mail как вечерняя молитва.

Береги себя, очень береги. Якуб.

ОНА: Она открыла глаза. Волосы были влажные от пота и слез, которые текли по щекам и скапливались на шее.

— Вы только взгляните, какой он большущий! — произнес молодой врач, поднося ей сына и заслоняя резкий свет лампы.

Она видела только смазанное сине-красной мазью тельце и огромную безволосую голову. Врач положил новорожденного ей на грудь.

Когда он ее зашивал, она почти ничего не чувствовала. Она прижала к себе ребенка и заплакала. Давно уже она так не плакала. Акушерка стирала ей со лба пот.

— Не плачьте. Все уже кончилось. У вас родился здоровый сын. У него большая головка, так что кое-что он вам разорвал, но зато он будет умным.

А молодой врач, продолжая накладывать швы, сказал акушерке:

— Запишите. Время рождения: четыре часа восемь минут утра. После наложения швов дадите роженице что-нибудь посильней, чтобы она поспала до четырнадцати. На кормление только завтра ближе к вечеру.

Она проснулась, услышав голоса. В первый момент она не поняла, где находится. Но, приподняв голову, увидела: около кровати сидят ее родители и муж и улыбаются ей. Жутко болело в промежности. Она села, поправила волосы.

— Где он? — спросила она.

— Скоро его тебе принесут кормить, — ответила мама.

Муж встал и протянул ей букет красных гвоздик. Поцеловал ее в щеку.

— Марцин весит больше четырех с половиной килограммов. Я родился тоже очень большой.

Она резко выпрямилась. Больничная рубашка распахнулась, открыв набухшие молоком груди.

— Нет, имя у него будет Якуб, — тихо произнесла она.

Муж посмотрел на ее родителей, словно ища поддержки.

— Но мы говорили об этом, и мне казалось, что все согласились с именем Марцин.

— Да, говорили, но ни на чем не остановились. Марцин — всего лишь одно из имен, которое мы обсуждали.

— Но я считал, что все решено. И сегодня утром я дал в печать сообщение. Это стоит тысячу злотых. Менять я ничего не собираюсь. Уже слишком поздно.

— Да что это с тобой? — удивилась мама. — Марцин сейчас очень модное имя.

Она была не в силах слушать все это. Спустила ноги и сунула их в тапки. Несмотря на чудовищную боль, медленно подошла к шкафчику с одеждой около раковины. Вытащила из кармана пальто портмоне с деньгами. Принялась отсчитывать банкноты. Несколько злотых, не достающих до тысячи, набрала монетками. Вернулась на кровать. Положила перед мужем деньги и сказала:

— Вот тебе твоя тысяча. Моего сына будут звать Якуб. Слышишь? Якуб!

— Да что это с тобой? — вмешалась мать. — Перестань устраивать истерику.

— Не могли бы вы выйти и оставить меня одну? Все.

Они встали. Она слышала, как мама говорит отцу что-то о послеродовом шоке.

Больше она не плакала. Она легла. И была очень спокойная. Почти радостная. Смотрела на лежащие на кровати цветы. Она не выносит гвоздики! Как он может этого не знать?!

Из полусна ее вырвала медсестра.

— Вы хотите покормить ребенка? — спросила она, держа в руках конверт, из которого торчала голова ее сына.

— Да. Хочу. Очень хочу.

Она села на постели. Открыла грудь. Благоговейно взяла конверт с ребенком. Тот широко открыл глаза. Она с улыбкой сказала ему:

— Якубек, я так скучала по тебе.

Испуганный младенец заплакал.

ЭПИЛОГ

Мужчина приехал на вокзал Берлин-ЦОО задолго до полуночи. Поезд на Дрезден проезжает через станцию Берлин-Лихтенберг ровно в 4.06. Так что времени у него было много. Он взял такси и поехал в отель «Меркюр». В баре он заказал бутылку красного вина.

Ему всегда нравилась Натали Коул. За имя. И за то, что она рассказывает в своих песнях необыкновенные истории. Слушая ее, ты переживаешь, а переживания — это самое важное. Только ради переживаний и стоит жить. И ради того, чтобы потом можно было о них кому-то рассказать.

Было без четверти четыре. Он расплатился. Подошел к портье.

— Не могли бы вы заказать мне такси? До вокзала Берлин-Лихтенберг.

Сегодня он встретит всех, кого любит.

Почти всех.

ОГЛАВЛЕНИЕ

Литературно-художественное издание

ЯНУШ ЛЕОН ВИШНЕВСКИЙ
ОДИНОЧЕСТВО В СЕТИ

Редактор Александр Гузман
Художественный редактор Вадим Пожидаев
Технический редактор Татьяна Раткевич
Корректоры Татьяна Никонова, Анна Быстрова
Верстка Степана Долбнина

Директор издательства Максим Крютченко

Подписано в печать 10.10.2008.
Формат издания 84 × 108 1/32. Печать офсетная.
Гарнитура «Петербург». Усл. печ. л. 21,1.
Тираж 15 000 экз. Изд. № 444. Заказ № 2766-9.

Издательский Дом «Азбука-классика».
196105, Санкт-Петербург, а/я 192. www.azbooka.ru

Отпечатано с готовых диапозитивов
в ИПК ООО «Ленинградское издательство».
195009, Санкт-Петербург, ул. Арсенальная, д. 21/1.
Телефон/факс: (812) 495-56-10.